KU-156-372

Über dieses Buch In jahrelanger Forschungsarbeit ist Gisela Brinker-Gabler einer deutschsprachigen Lyrik nachgegangen, die bisher in der Literaturgeschichte verschüttet war. Es ist die Lyrik von Frauen, die in dieser Anthologie zum ersten Mal über fünf Jahrhunderte hinweg chronologisch dargestellt wird. Gerade die in Bewegung geratenen Veränderungen der Frau in unserer heutigen Gesellschaft fordern zu einer Auseinandersetzung mit diesen zum Teil unbeachteten literarischen Zeugnissen heraus. Neben der Berücksichtigung formaler Vielfalt konzentriert sich die Auswahl vor allem auf Gedichte, die die Erfahrung weiblicher Subjektivität zum Ausdruck bringen, ihre Konflikte mit den herrschenden Normen, ihren Drang nach Selbstbehauptung. Daß viele Autorinnen und ihre Gedichte in Vergessenheit geraten und heute nahezu unbekannt sind, erklärt sich nicht aus ihrer angeblichen Minderwertigkeit, noch ist es Zufall. Eine männlich dominierte Gesellschaft sicherte ihre Interessen auch mittels literarischer Wichtigkeits- und Rangvorstellungen.

Neben bekannten Dichterinnen wie Annette von Droste-Hülshoff und Else Lasker-Schüler treten viele unbekannte Namen auf. Anna Ovena Hoyers (1584–1655) verurteilt in ihren Versen kirchliche Mißstände. Christiana Mariana von Ziegler (1695–1760) war die erste Frau, die sich in deutscher Poesie für die geistige Gleichberechtigung einsetzte. Sidonie Hedwig Zäunemann (1714–1740) schrieb das erste Bergwerksgedicht aus eigener Erfahrung unter Tage – in Männerkleidung. Louise Aston (1814–1871) bekennt sich in ihren Gedichten zur Revolution 1848/49. Vor allem die Wiederentdeckung dieser unbekannten Autorinnen und ihre Einordnung in die Literaturgeschichte ist die besondere Leistung der Herausgeberin. Die das Frauenbild ergänzenden, oft romanhaft wirkenden Lebensläufe und die Porträts erforderten in der Quellensuche vielfach nahezu kriminalistisches Gespür. Bibliographische Angaben, Literaturhinweise und eine Einleitung über die Entwicklung der Frauenliteratur und die Bedingungen schreibender Frauen in einem patriarchalisch strukturierten Literaturbetrieb vom Ende des 16. Jahrhunderts bis zur Gegenwart machen diese Lyrik-Dokumentation zusätzlich zu einer ersten Kultur- und Sozialgeschichte deutscher Dichterinnen.

Die Herausgeberin Gisela Brinker-Gabler, Dr. phil., ist Literaturwissenschaftlerin und lebt in Bochum. Publikationen u. a.: *Poetisch-wissenschaftliche Mittelalter-Rezeption*, 1980; *Schriftstellerinnen-Lexikon: 1800–1945* (gemeins. m. K. Ludwig und A. Wöffen), 1986.
Im Fischer Taschenbuch Verlag gab sie folgende Bände heraus: *Zur Psychologie der Frau* (Bd. 2045); *Frauenarbeit und Beruf* (Bd. 2046); *Frauen gegen den Krieg* (Bd. 2048); *Fanny Lewald, Meine Lebensgeschichte* (Bd. 2047); *Toni Sender, Autobiographie einer deutschen Rebellin* (Bd. 2044); *Kämpferin für den Frieden: Bertha von Suttner* (Bd. 2053).

Deutsche Dichterinnen vom 16. Jahrhundert bis zur Gegenwart

Gedichte und Lebensläufe

Herausgegeben und eingeleitet von
Gisela Brinker-Gabler

FISCHER TASCHENBUCH VERLAG

33. – 40. Tausend: April 1986

Originalausgabe
Veröffentlicht im Fischer Taschenbuch Verlag GmbH,
Frankfurt am Main, November 1978

© 1978 Fischer Taschenbuch Verlag GmbH, Frankfurt am Main
Umschlaggestaltung: Susanne Berner
Druck und Bindung: Clausen & Bosse, Leck
Printed in Germany
1880-ISBN-3-596-23701-7

INHALT

Wenn Weiber Reime schreiben
ist doppelt ihre Zier,
denn ihres Mundes Rose
bringt nichts als Rosen für.

FRIEDRICH VON LOGAU
(1604–1655)

Für Udo

VORBEMERKUNG

Die vorliegende Auswahl deutscher, genauer deutschsprachiger Dichterinnen aus fünf Jahrhunderten ist das Ergebnis neuer Quellenforschung. Sie bekennt sich zu Kriterien, die zugleich *subjektiv* und *parteilich* sind.

Subjektiv, weil anstelle des Majoritätsbeschlusses, wie ihn Literaturgeschichte darstellt, die unmittelbar persönliche Beziehung auf den Gegenstand notwendig war. Eine männlich dominierte Gesellschaft hat keine geschlechtsneutrale Literaturgeschichte, -kritik und -wissenschaft. Sie sichert ihre Interessen auch mittels literarischer Wichtigkeits- und Rangvorstellungen. Ihrem Literaturkanon und den Kriterien, die den Zugang dazu ermöglichen, ist zunächst zu mißtrauen.

Die Auswahl ist *parteilich,* weil nicht Repräsentativität die Richtschnur war, sondern der Versuch, eine Tradition weiblicher Lyrik zu erschließen, an der die Entfaltung weiblichen Selbstbewußtseins ablesbar ist. Dieses Interesse entspricht dem gegenwärtigen Bemühen, geschlechtsspezifische Rollenvorstellungen, wie sie unsere Gesellschaft prägen und geprägt haben, neu zu überdenken und zu korrigieren.

Das Auswahlprinzip, den Spuren weiblichen Selbstbewußtseins in Gedichten nachzugehen, zielt sowohl auf die Form als auch auf den Inhalt. Neben Gedichten mit traditionell »weiblichen« Themen, wie zum Beispiel Religion und Liebe, wurden vorrangig *die* Gedichte berücksichtigt, in denen Frauen den ihnen zugebilligten Themenkreis überschritten, wenn sie also ihren Drang nach Selbstbestimmung, ihren Ärger über Ungerechtigkeiten oder Benachteiligungen ausdrückten, wenn sie politische und soziale Themen aufgriffen oder wenn sie ihr Unbehaustsein in der bestehenden Gesellschaft beschrieben. Viele Gedichte sind ausgesprochen feministisch, sofern darunter der Anspruch der Frau auf volles Menschenrecht und Selbstdefinition im weitesten Sinne verstanden wird.

Ausgangspunkt für die Suche nach einem sich formal äußernden Selbstbewußtsein war die Überlegung, daß eine unterschiedliche soziale Situation des ästhetischen Subjekts auch sprach-, form- und bildbestimmend ist. Die traditionelle Bindung der Frau an die häusliche Sphäre, beziehungsweise die allmähliche Auflockerung dieser Bindung mit den dadurch bewirkten Widersprüchen im Subjekt, kann nicht ohne Einfluß auf die ästhetische Konstruktion von Innen- und Außenwelt gewesen sein. Die Schwierigkeiten, die hier, im Bereich »weiblicher« Ästhetik, auftauchen, sind darin begründet, daß bis jetzt kaum Kategorien verfügbar sind, diese sozialen Unterschiede und ihre psychischen Auswirkungen als Implikationen der artifiziellen Umschreibung sichtbar zu machen. Schwierigkeiten bereitet vor allem auch die Frage, inwieweit biopsychische Faktoren berücksichtigt werden müssen und können. Es scheint jedenfalls kein Zufall zu sein, daß gerade weiblichen Autoren von männlichen Kritikern häufig der Vorwurf »formaler Schwäche« gemacht wurde. Sie meinten damit Unkenntnis oder mangelnde Beherrschung der »männlichen« Literaturformen, möglicherweise aber auch ein sich formal ausdrückendes weibliches Selbstbewußtsein.

Da Vorarbeiten mit einem diese Auswahl prägenden Interesse noch nicht vorlagen, muß der provisorische Charakter dieser Sammlung betont werden. Es konnte zunächst nur darum gehen, das weithin unbekannte Feld abzustecken. Daher wurde bei der Auswahl zu diesem Band vorwiegend zugunsten des Unbekannten und weniger Zugänglichen auf das Bekanntere verzichtet. Aus diesem Grund mußten die Beispiele aus dem zwanzigsten Jahrhundert, vor allem aus der Nachkriegszeit – angesichts der tatsächlichen lyrischen Produktion von Frauen – besonders knapp ausfallen. Obwohl die Sammlung bis in die Gegenwart reicht, wurde die sich im Zusammenhang mit der neuen Frauenbewegung entwickelnde feministische Lyrik nicht mehr berücksichtigt; ihr gebührt ein eigener Band.

Die meisten der hier aufgenommenen Autorinnen sind in Literaturgeschichten überhaupt nicht oder allenfalls namentlich erwähnt. Er schien daher notwendig, den Gedichten kurze Biographien voranzustellen. Damit sollte gleichzeitig die Möglichkeit gegeben werden, Leben und Schreiben der Autorinnen im Zusammenhang zu sehen. Zu einigen Dichterinnen war trotz intensiver Nachforschungen kaum Material zu finden; ihre Lebensläufe fallen entsprechend kurz aus. Im übrigen steht die Länge des Lebenslaufes nicht im Verhältnis zur Bedeutung der Autorin. So wurde bei bekannten, vor allem auch bei den zeitgenössischen Dichterinnen, deren Biographien in Nachschlagewerken zu finden sind, nur eine kurze Übersicht gegeben.

Um die Literatur von Frauen angemessen beurteilen zu können, ist es wichtig, die Bedingungen zu kennen, unter denen sie geschrieben haben und unter denen sie gelesen wurden. Es ist daher die Bildungs- und Sozialgeschichte ebenso zu berücksichtigen wie die Struktur des literarischen Lebens. Beispielsweise hatten es die meisten hier aufgenommenen Frauen in den Institutionen des literarischen Lebens mit Männern zu tun, die nach *ihren* Maßstäben entschieden, ob ein Werk gedruckt, verlegt und tradiert wurde. In der Einleitung zu diesem Buch wird versucht, solche Bedingungen aufzuzeigen und zugleich einen Überblick über die dichterische Produktivität der Frauen vom Mittelalter bis zur Gegenwart zu geben. Zwischen beiden Themen konnten die Proportionen nicht immer gewahrt und auch die Komplexität der Prozesse und Bedingungen nicht in aller Ausführlichkeit dargestellt werden. Einige historische Abschnitte oder auch einige Dichterinnen wurden ausführlicher behandelt, entweder aufgrund ihrer allgemeinen Bedeutung für die Geschichte der Literatur oder speziell für die Frauenliteratur. Es zeigte sich zum Beispiel bei der Durchsicht des Materials, daß Querverbindungen der Dichterinnen untereinander bisher noch nicht berücksichtigt wurden, schon weil die Quellenkenntnisse fehlen. Für eine Beurteilung der literarischen Leistung werden in Zukunft diese Verbindungen genauer zu untersuchen sein.

Alle vorgelegten Texte werden nach den Originalausgaben in originaler Orthographie und Interpunktion wiedergegeben, so uneinheitlich und kurios die Schreibweise aus vergangenen Jahrhunderten heute auch gelegentlich anmuten mag. Die Historizität der Texte sollte nicht durch Modernisierungen verwischt werden, vor allem um den zeitlichen Abstand zu Themen, Denkweisen und Formen stets bewußt zu halten. Schwer verständliche Ausdrücke und Andeutungen sind in Fußnoten erklärt.

Dieser Auswahl ist ein Quellenverzeichnis der Gedichte beigefügt. Um zur Weiterarbeit anzuregen und sie zu erleichtern, erscheinen bei den Originalausgaben bis zu Beginn dieses Jahrhunderts am Ende der bibliographischen Angaben jeweils die Bibliotheksstandorte mit den Ziffern des Deutschen Gesamtkatalogs, ergänzt durch Hinweise sowohl auf weiterführende Literatur zu den einzelnen Autorinnen als auch zu dem gesamten Themenkomplex.

Die Herausgeberin dankt den Mitarbeitern der Fernleihabteilung der Universität von Florida und der Ruhr-Universität Bochum für ihre Unterstützung bei der Besorgung der Texte, ebenso der Landesbibliothek und der Stadtbücherei Dortmund, sowie dem Archiv für Arbeiterdichtung und Soziale Literatur, vor allem seinem Leiter, F. Hüser. Sie dankt ferner Günter Keim für seine »Zauberkünste« bei Anfertigung der Reproduktionen der Bildvorlagen. Ein besonderer Dank gilt den »Women in German« in den USA für ihre Rückenstärkung und der sachverständigen Lektorin des Fischer Taschenbuch Verlages, Frau Dr. Jutta Siegmund-Schultze, für Rat und Unterstützung.

Die Winsbeckin
Aus der manessischen Liederhandschrift
14. Jahrhundert

EINLEITUNG

›Die Frauen haben noch keinen Goethe, keinen
Beethoven unter sich.‹ Welch ein Geschwätz!
Dies wäre geschichtliche Abnormität, und sie
haben sie bisher allerdings nicht erbracht; aber
sie werden den ›Goethe‹ oder ›Beethoven‹ in
sich, unter sich werden lassen – so wie ihn erst
eine bestimmte Stufe gesellschaftlicher Kunst
und Denkarbeit hat werden lassen können.

Lu Märten, *Die Künstlerin* (1919), S. 35 f.

In den vergangenen Jahrhunderten gab es eine umfangreiche
literarische Produktion von Frauen, über die in Literaturgeschichten nur wenig nachzulesen ist. Verantwortlich dafür
sind zunächst die bestehenden Herrschaftsverhältnisse im gesellschaftlichen Ganzen. Literaturgeschichte ist ein Teil der
Geschichte des gesellschaftlichen Ganzen, und so wie diese
als Geschichte einer männlich strukturierten Gesellschaft die
Beiträge der Frauen nicht objektiv darstellt, so auch nicht die
Literaturgeschichte.

Die Widerstände, die Frauen den Weg in die Literaturgeschichte versperrten, saßen bereits in den *Vorstellungen von
Literatur und vom Künstler*, wie sie den verschiedenen Methoden der Literaturgeschichtsschreibung und der Literaturwissenschaft zugrunde lagen. Um zu zeigen, wie diese Widerstände
von Anfang an funktionierten, sei zunächst Georg Gottfried
Gervinus zitiert, der *Vater* der deutschen Literaturgeschichtsschreibung. Nach seiner Auffassung sollte Literatur das Volk
»auf das Gebiet der Geschichte hinausführen, ihm Taten und
Handlungen in größerem Werthe zeigen« (1853, V, S. 704). Die
Konsequenzen für Schriftstellerinnen sind im fünften Band
nachzulesen; dort heißt es über ihre steigende Anzahl:

»Auf jener andern Seite stand das Wort Rousseau's: Nicht Einem [!]
Weibe, aber den Weibern spreche ich die Talente der Männer ab.
Wie Schade [!], daß nun die Ausnahmen zur Regel werden wollten!
so daß sich eine sehr reiche amazonische Gruppe aufstellen läßt,
deren Werke eine ganz artige Bibliothek bilden. Nun vollends
haben sie auch noch ihr eigenes Journal! Wir Männer sollten solche literarische Kaffeegesellschaften gar nicht dulden, so wenig

wie die unfigürlichen. Die Werke der Poesie sind so vorzugsweise *für* das schöne Geschlecht geschaffen; der Geist der Frauen nährt sich nicht an Wissenschaft und Leben; der Mann bereitet ihm aus diesen weiten Gebieten, was ihm Bildung und Genuß schafft; er lebt auch hier dem mühseligen Erwerb, wo das Weib dem Besitze und der Empfänglichkeit leben darf. Es ist nun bloße Zufahrigkeit, daß man das Zugerichtete wieder zurichten, die gerüstete Tafel umdecken und umstellen will. Denn was hat uns jene ganze Literatur [von Frauen, G. B.-G.] Dauerndes, was hat sie uns Eigenes gegeben? Sie konnte nur die schönen Formen nachahmen, die Materien mußte sie immer aus dem Stocke der Männerliteratur hernehmen; denn was dächte man auch von dem Weibe, das sich in dem Leben selbst die reichen Erfahrungen sammeln wollte, die nur für eine mittelmäßige Schriftstellerin, wenn sie selbständig sein soll, nöthig wären?
Für die bescheidenen Ansprüche freilich, die man an die Lektüre des Tages macht, ist auch bald gesorgt, ohne daß man so große Anstrengungen machen dürfte [...] Wir wollen nicht unbillig sein gegen die Unterhaltungslektüre, deren Nothwendigkeit unwidersprechlich ist.« (1853, V, S. 328f)

Gervinus' Äußerungen machen deutlich: *Kreativität und Genie sind Männersache.* Nach biologisch und auch ökonomisch gültigem Gesetz fällt Frauen die passive und Männern die aktive Rolle zu, für die Literatur bedeutet das: Frauen sind die geborenen Leserinnen. Eine eigenständige schöpferische Leistung verhindert aber vor allem auch die gesellschaftlich fixierte Rolle der Frau, ihre Einzwängung in Haus und Familie. Diese gesellschaftliche Rolleneinteilung wird ausdrücklich aus moralischen Gründen gerechtfertigt, in Wahrheit ein ideologischer Schachzug zur Sicherung bestehender Herrschaftsstrukturen. Anders ausgedrückt: man drängt Frauen in den Bereich der »bescheidenen Ansprüche«, der Unterhaltungsliteratur und spricht ihnen dann im nachhinein »die Talente der Männer« ab.
Für Gervinus, auf den sich die marxistische Literaturtheorie gern beruft, standen Literaturgeschichte und Geschichte in einer Wechselbeziehung; seine individuellen Beweggründe waren politische: Literatur hatte Stifterin des Nationalgeistes zu sein, solange der einheitliche deutsche Nationalstaat ausstand. Die gleichen Beweggründe führten im frühen neunzehnten Jahrhundert zur Etablierung der Germanistik als selbständiger Disziplin.
Die dem ästhetischen Subjektivismus verpflichteten Methoden, die sich später entwickelten, wie etwa die in der ersten Hälfte des zwanzigsten Jahrhunderts einflußreiche geistesgeschichtliche Literaturdarstellung oder die nach dem Zweiten Weltkrieg

populäre Methode der werkimmanenten Interpretation, beruhten nicht minder auf der unausgesprochenen Voraussetzung: Literatur ist Männersache. Die Erwartungen gegenüber Literatur waren mit einer Vorstellung vom Künstler verbunden, wie sie bereits Goethe und Schiller in ihrem Schema über den Dilettantismus zum Ausdruck brachten (Weimarer Ausgabe, 47. Bd., S.318). Der eigentliche Künstler hat demnach folgende Voraussetzungen zu erfüllen: 1. Beruf und Profession, 2. Ausübung der Kunst nach Wissenschaft, 3. schulgerechte Folge und Steigerung und 4. Anschluß an eine Kunst und Künstlerwelt. Frauen konnten diese Erwartungen aufgrund ihrer gesellschaftlich fixierten Rolle kaum erfüllen, es sei denn, daß sie die Rolle verletzten. Goethe und Schiller hatten das vorausgesehen; neben der Rubrik »Dilettantismus der Vornehmen« kannten sie die Rubrik »Dilettantismus der Weiber«. Frauen waren demnach nicht ›künstlerisch‹ genug, sie fielen durch die ästhetisch geknüpften Maschen der Literaturgeschichte und -wissenschaft. Es entstand ein Literaturkanon, der notwendig eine einseitige, das heißt ›männliche‹ Auswahl präsentierte.

Mit der in den sechziger Jahren unseres Jahrhunderts erfolgten Neuorientierung auf gesellschaftliche Bedingungen und politische Aspekte der Literatur fanden die ebenfalls durch die Maschen geschlüpften einfachen Literaten und Tendenzschriftsteller wieder einen Platz in der Literaturgeschichte. Für Schriftstellerinnen hat diese Neuorientierung bisher noch kein befriedigendes Ergebnis gebracht. Sieht man sich in den im letzten Jahrzehnt erschienenen Anthologien, Text- und Dokumentensammlungen zur Geschichte der deutschen Literatur um, so stellt man fest, daß Autorinnen mit Tendenz, gar emanzipatorischer, *stiefväterlich* behandelt wurden. Ein Musterbeispiel dazu bieten etwa sämtliche bisher erschienenen Sammlungen zur Literatur des Jungen Deutschland und des Vormärz.

Um den Werken von Frauen in der Literaturgeschichte den ihnen gebührenden Platz zuzuweisen, ist mit der Quellenforschung ganz von vorn anzufangen. Ausgangspunkt kann dabei nicht der Wunsch sein, den ›weiblichen‹ Goethe zu finden – das hieße erneut die alten Netze auswerfen –, sondern es wird nötig sein, bestehende Kriterien zu modifizieren und neue zu entwickeln. Auf dem langen Weg dorthin sind zunächst die Werke und ihre Autorinnen im historischen Augenblick ihres Erscheinens *ernst* zu nehmen.

Grûnet der walt allenthalben
wa ist min geselle also lange?
der ist geriten hinnen.
owi! wer sol mich minnen? (167a)

Es grünt der Wald allenthalben.
Wo ist mein Gefährte so lange?
Der ist weggeritten.
Ach, wer wird mich liebhaben?

Swaz hie gat umbe,
daz sint alle megede;
die wellent an man
allen disen summer gan! (149, II)

Alles, was hier im Kreis geht,
das sind alles Mädchen;
die haben vor, ohne Mann
diesen ganzen Sommer zu gehen. (Tanzweise)

Lieder aus dem Kloster Benediktbeuern
(Carmina Burana), 12.–13. Jh.

Wer sind die ersten Dichterinnen im deutschsprachigen Raum?
Oder genauer gefragt, wer sind die ersten mit Namen überlieferten Dichterinnen? Denn jene *nichtliterarische* Dichtung, jene
Volkslieder und Volkserzählungen, an denen Frauen sicher großen Anteil hatten, bleiben im Dunkel der Anonymität. Die ersten mit Namen bekannten Dichterinnen (und Dichter) stehen
in Verbindung mit der Klosterwelt, denn Klöster waren die
einzigen Stätten, an denen man lesen und schreiben lernen
konnte. Seit dem achten Jahrhundert gab es für angehende
Nonnen die ersten schulischen Institutionen. Eine Initiative für
die Bildung der Töchter hochgestellter Adliger – die von Karl
dem Großen ausging – setzte sich erst im zehnten Jahrhundert
durch. In diesem Jahrhundert trat die erste deutsche Dichterin
hervor: Roswitha von Gandersheim. Sie schrieb lateinische
Dramen, getragen von kämpferischem Elan, um die auch in
Nonnenklöstern vielgelesenen frivolen Komödien des Terenz
zu verdrängen. Zwar bot sie in ihren Stücken kaum weniger
drastische Schilderungen des Lasters als er, ließ aber christliche
Züchtigkeit siegen. Ihr folgt im zwölften Jahrhundert Frau Ava,
die erste Dichterin in deutscher Sprache. Sie lebte vermutlich als
Klausnerin in Niederösterreich und beschrieb in vier großen
geistlichen Gedichten die Heilsgeschichte.
Im gleichen Jahrhundert entstanden im Kloster Bingen die
lateinischen Aufzeichnungen von mystischen Erlebnissen und

Visionen der hochbegabten Hildegard, Äbtissin, Ärztin und Autorin medizinisch-naturwissenschaftlicher Bücher. Sie war eine aufmerksame Beobachterin des Zeitgeschehens und wechselte Briefe mit dem Papst, Kaiser Friedrich Barbarossa und Bernhard von Clairvaux. Ihr folgten eine ganze Reihe visionärer Nonnen, die ihre religiösen Erlebnisse selbst niederschrieben, zum Beispiel die im gleichen Jahrhundert lebende Elisabeth von Schönen, dann im dreizehnten Jahrhundert Gertrud von Helfta, Mechthild von Hackeborn und jene andere berühmte Mechthild, die in Magdeburg als Begine in strenger Askese lebte und mit der die Frauenmystik einen Höhepunkt erreichte; sie bediente sich zur Aufzeichnung ihrer Visionen bereits des Niederdeutschen.

Stammten diese Frauen aus adligen Kreisen, so tauchten dann im vierzehnten Jahrhundert auch Frauen *bürgerlicher* Herkunft unter den Mystikerinnen auf, wie zum Beispiel Elsbeth Stagel oder, die bekannteste von ihnen, Margarethe Ebner. Das deutet auf die ökonomisch-sozialen Umwälzungen zugunsten des Bürgertums in jener Zeit; denn nur vermögende Frauen konnten sich in ein Kloster einkaufen. Gemeinsam ist diesen Frauen, die ihre Werke selbstbewußt zu Papier brachten, daß sie ein Leben fern vom normalen Frauenalltag mit Sorge für Haus und Kind führten. In Kloster und Klause hatten sie Zeit und Muße, sich ihren Arbeiten und Begabungen zu widmen und ihr Wissen zu vertiefen.

Gab es aber im Mittelalter tatsächlich nur religiöse Dichtung von Frauen? In einem karolingischen Capitulare von 789 wird *nonnanes non regulares*, vornehmen Frauen, die ohne Gelübde in klösterlicher Gemeinschaft leben, untersagt, *uuinileodos –* das sind Liebeslieder – zu schreiben oder zu verbreiten (De Boor/Newald, Geschichte der deutschen Literatur, II, [8]1953, S. 240). Mit dem Namen einer Frau, der *Winsbeckin*, ist aus dem dreizehnten Jahrhundert ein didaktisches Gedicht überliefert, ein mütterlicher Rat an die Tochter; es ist das Gegenstück zum väterlichen Rat des *Ritter Winsbecke* an den Sohn. Daß der »mütterliche Rat« tatsächlich von einer Frau stammt, wurde aber in der Literaturgeschichte nie ernsthaft erwogen.

Und wie verhält es sich mit der Minnedichtung? Haben jene Damen an den Höfen, die zum Teil lesen und schreiben konnten, nicht doch den Minnesängern, die ihnen huldigten, geantwortet oder deren Lieder um- und weitergedichtet? Über einen Briefwechsel zwischen Minnesänger und Dame berichtet Ulrich von Lichtenstein in seiner stilisierten Selbstdarstellung *Frauendienst* (1255), wobei die mitgeteilten Proben aus den Briefen der

Dame auch gereimte Verse enthalten. Ganz selbstverständlich ist übrigens dem Ritter Ulrich, daß seine Dame und sogar seine »Niftel«(Nichte) Briefe schreiben können, obwohl *er* sich die Briefe vorlesen und schreiben lassen muß. Wurden die poetischen Versuche von Frauen vielleicht nicht überliefert oder blieben die Frauen anonym, um ihren Namen nicht in Verruf zu bringen? Nach den offiziellen Minneregeln hatten sie ja stumm und spröde zu sein. Vielleicht stehen einige Strophen von ihnen in der Rubrik *Namenlos,* welche die große Sammlung der Minnelyrik, *Des Minnesangs Frühling,* eröffnet.

In der Literaturgeschichte wird es *Rollendichtung* oder *Frauenstrophe* genannt, wenn eine weibliche Stimme erklingt, das soll heißen, die Frau wird vom Minnesänger als Redende dargestellt. Denkbar wäre aber doch auch, daß Frauen ihre Lieder von Minnesängern vortragen ließen, die dann unter deren Namen weiterlebten, oder daß schon damals eine Frau den genialen Einfall hatte, wie später viele Autorinnen, und ihre Lieder unter dem Namen eines Sängers verbreiten ließ. Bei einem der ältesten Minnesänger, dem Kürenberger, der urkundlich nicht nachweisbar ist, beginnt ein Lied:

> »Ich stuont mir nehtint spâte an einer zinnen:
> dô hôrte ich einen ritter vil wol singen ...« (8, 33 f);

ein anderes:

> »Ez gât mir vonme herzen daz ich geweine:
> ich und mîn geselle müezen uns scheiden ... « (9, 13 f).

Unter dem Namen des Minnesängers Dietmar von Aist stehen in der gleichen Sammlung ebenfalls zwei Frauenstrophen. Die eine beginnt:

> »Ez stuont ein frouwe alleine ...

> Eine Frau stand allein
> und wartete auf der Heide,
> wartete auf den Liebsten,
> da sah sie Falken fliegen.
> Wohl ist dir, Falke, wie du bist!
> Du fliegst, wohin dir's lieb ist:
> du erwählst dir im Wald
> einen Baum, der dir gefällt.
> So hab ich's auch gemacht:
> ich wählte mir selbst einen Mann,
> meine Augen suchten ihn aus [...]

(Minnesangs Frühling, 37, 4–17)

Edelfräulein mit Schappel

Beide Strophen werden Dietmar von Aist nicht zugerechnet, da sie sich von seinen übrigen Liedern vollkommen unterscheiden. Eine weibliche Verfasserschaft wäre zu unkonventionell, als daß man sie bisher in der Literaturgeschichte erwogen hätte; eher dachte man an einen zweiten Sänger aus dem Hause Aist, obwohl es dafür keinerlei Anhaltspunkte gibt: »Es spricht nicht gegen diese Annahme, daß ein solcher urkundlich nicht nachweisbar ist.« (De Boor/Newald, II, [8]1953, S. 242)

Merkwürdig bleibt auch, daß von jenen Frauen, die im Spätmittelalter als »Gauklerinnen, Spielerinnen und Singvögel« (Bechtel, Wirtschafts- und Sozialgeschichte, 1967, S. 186) durch die Lande zogen, um sich ihr Geld zu verdienen, keine Namen oder Lieder erhalten sind. Wurden ihre Werke nicht überliefert oder blieben sie anonym, und ihre Lieder gingen in das Volksliedgut ein? Es gibt das *Liederbuch der Klara Hätzlerin* (1471), ein Name, der aufhorchen läßt. Aber sie war nur eine berufsmäßige Abschreiberin und das Buch – angefertigt nach einer alten Vorlage – die Auftragsarbeit eines Augsburger Patriziers. Eine in jeder Hinsicht ungewöhnliche anonyme Sammlung bietet das 1606 veröffentlichte »Erste Buch Schöner Newer weltlichen Liedlein, derer Text am meisten von ansehnlichen Frawen und Frewlein selbst gemacht«. Es enthält ausschließlich Liebeslieder«, in denen häufig auch die Stimme eines Mannes erklingt. Darin könnte man eine Übernahme männlicher Formen und Konventionen sehen – wie das in der Entwicklung der Frauenliteratur sehr häufig geschieht. Oder sollte man, in Anlehnung an die Frauenstrophe des Minnesangs, gar von Männerstrophe reden?

> Ewig wird sein hier unten die Memoria
> des schönen Namens. Sollte ihn vermessen
> die Zeit uns rauben wollen durch Vergessen,
> Ihr werdet ihrer Siegerin: Vittoria!
>
> Die Dichterin Veronica Gambara (1485–1550)
> an die Dichterin Vittoria Colonna (1490–1547)

Die Namen großer Dichterinnen begegnen uns in der europäischen Literatur seit der Renaissance, jener Epoche, die für das kulturelle und politische Leben Europas einen bedeutsamen Aufbruch darstellt. Sie erschütterte endgültig die feudal-klerikale Machtposition und schärfte das Bewußtsein für die menschliche Individualität; und sie brachte eine rege Diskussion um die geistige und moralische Wertung der Frau in Gang. Gegen den altkirchlichen Standpunkt, der auf dem Konzil in Macon 585 in der Frage gipfelte, »ob die Weiber auch Menschen seien«, das heißt, ob die Töchter Evas überhaupt höhere ethische und moralische Kräfte entwickeln könnten, erschienen nun zahlreiche Verteidigungsschriften des weiblichen Geschlechts. Eine Schrift wagte es sogar, Frauen eine übergeordnete Stellung einzuräumen; es war die 1529 veröffentlichte Arbeit des deutschen Gelehrten Cornelius Agrippa von Nettesheim: *De nobilitate et praeexcellentia foeminei sexus eiusdem supra virilem eminentio.*
Trotz wohlwollender Verteidigungen, die es in den folgenden Jahrhunderten immer wieder gab, riß aber auch die Kette antifeministischer Literatur nicht ab. Sie reicht vom Machwerk eines anonymen Pamphletisten, das in Paris Ende des sechzehnten Jahrhunderts erschien und Frauen erneut die Menschenwürde absprach, über Schriften Schopenhauers und Nietzsches bis ins zwanzigste Jahrhundert. Die psychologische Wirkung dieser Literatur ist nicht zu unterschätzen. Frauen hatten sich mit diesen Diffamierungen ihrer· geistigen und moralischen Kräfte auseinanderzusetzen. Verteidigungen und Widersprü-

Vittoria Colonna (1490–1547)
Nach einem Gemälde
von Muziano

che, die sie formulierten, kosteten Kraft und Energie und beeinträchtigten damit auch ihre kreativen Leistungen.

In Italien, dem Ausgangsland der Renaissance, wurden Frauen zuerst ermuntert, es den Männern in Gelehrsamkeit und Wissen gleichzutun. Diese Aufforderung richtete sich allerdings nur an den kleinen Kreis der Frauen aus adligen und vermögenden bürgerlichen Familien. Sie geschah auch nicht im Hinblick auf eine berufliche Selbständigkeit, die die Voraussetzung persönlicher Unabhängigkeit hätte sein können, sondern sie erfolgte *sub specie societatis*. Die Mußestunden der vornehmen und reichen Frauen sollten ausgefüllt, die gesellschaftliche Unterhaltung – wie sie etwa Boccaccios *Decamerone* schildert – belebt werden. Und nicht zuletzt galt es, den veränderten Erwartungen der Männer zu entsprechen: »Ein junges Mädchen soll Latein lernen, das steigert seinen Reiz aufs Höchste.« (Pietro Bembo, 1470–1547, Epist. 219)

Die Folge solcher Ermunterung war, daß in Italien im sechzehnten Jahrhundert einzelne Frauen im öffentlichen und gesellschaftlichen Leben großen Einfluß gewannen. Sie beteiligten sich an öffentlichen Disputationen über Philosophie, Theologie, Geschichte und Medizin und traten auch als Dichterinnen hervor. Für den Bereich der Lyrik sind beispielsweise zu nennen Vittoria Colonna, Veronica Gambara und Gaspara Stampa, dann später in Frankreich (wo bedeutende Leistungen auf dem Gebiet des Romans und der Memoirenliteratur aufzuzählen

Anna Maria von Schurmann
(1607–1678)
Nach einem Stich
von Larmessin

wären) vor allem die Lyrikerin Louise Labé, eine Bürgers-
frau, deren Haus in Lyon zum Treffpunkt der künstlerischen
Elite der Stadt avancierte. In England wurde im 16. Jahrhundert Königin Elisabeth nicht nur in Wissen und Gelehrsamkeit ein fast unerreichbares Vorbild für ihre Zeitgenossen, sie
trat auch als Dichterin in ihrer Muttersprache hervor, wie etwa
zur gleichen Zeit ihre Landsmännin Mary Sidney, Countess
of Pembroke. In Deutschland fehlen zunächst auf dem Gebiet
der volkssprachigen Lyrik glänzende Namen. Erwähnung verdienen dagegen großartige Übersetzungsleistungen, so die
schon aus dem fünfzehnten Jahrhundert stammenden Über-
tragungen französischer Heldenromane Elisabeths von Nassau-
Saarbrücken (1379–1456) und Eleonores von Österreich
(1433–1480).
Wie im europäischen Ausland erhielten aber auch in Deutschland seit dem sechzehnten Jahrhundert eine Reihe von Töchtern
aus adligen und Patrizier-Familien eine humanistische Erziehung, das belegen Briefe von Frauen aus diesem Jahrhundert
und gelegentliche Nachrichten von weiblichen Wunderkindern,
vorwiegend Töchter von Gelehrten und Schulmännern. Dazu
gehörte zum Beispiel die älteste Tochter Philipp Melanchthons,
Anna (1522–1547), ebenso Anna Palantin, die in der zweiten
Hälfte des Jahrhunderts lebte und bereits »im zwölften Jahr
ihres Alters« lateinische Verse schmiedete (Paullini, Hoch- und

Wohlgelahrtes Frauen-Zimmer, 1712, S. 116). Das größte *Miracul* brachte allerdings erst das siebzehnte Jahrhundert hervor: Anna Maria von Schurmann, die in Köln geboren wurde und in den Niederlanden aufwuchs. Sie besaß eine universale Bildung und hatte ungewöhnliche Sprachkenntnisse; keine Frau war damals in Europa so berühmt wie sie. Die Bedeutung dieser Ausnahmeerscheinungen lag nicht zuletzt darin, daß sie anderen Frauen zum Vorbild dienten und zur Rechtfertigung und Verteidigung ihres Bildungsstrebens, wie das tatsächlich nachzulesen ist. Anna Maria von Schurmann schrieb gemäß der humanistischen Gelehrtentradition Gedichte in lateinischer, auch griechischer und hebräischer Sprache und veröffentlichte als erste Frau eine Abhandlung über das Recht der Frau auf Bildung: *Dissertatio de ingenii muliebris ad doctrinam et meliores literas apitutine* (1641).

> Anders scheinet das Weib denn der Mann,
> wie es denn auch andere Gliedmaßen und
> einen schwächern Sinn und Verstand hat.
>
> Martin Luther, Werke (Walchische Ausgabe), I, S. 122

Für das kulturell-literarische Hervortreten von Frauen in Deutschland setzten die auf dem geistigen Boden der Renaissance erwachsende Reformation und die sich daran anschließenden Glaubenskämpfe eine wichtige Wegmarke. Von der Reformation ging zunächst ein Impuls für die volkssprachige Bildung aus, denn das Lesen-Können wurde wichtig für das eigene Bibelstudium. Es kam zu mehr oder weniger erfolgreichen Gründungen von *Mägdleinschulen;* aus der bürgerlichen Schicht sorgten nun– neben Gelehrten und Schulmännern – auch protestantische Pastoren für einen Grundunterricht ihrer Töchter. Wichtig wurde die Einführung des religiösen Bekenntnisliedes in die Liturgie: die geistliche Lieddichtung wurde zu einer Domäne weiblicher Kreativität, wozu später die religiöse Strömung des Pietismus noch wesentlich beitrug. Die Zahl der geistlichen Liederdichterinnen, die seit dem sechzehnten Jahrhundert hervortraten, ist heute kaum noch zu übersehen. Die meisten hatten keinen persönlichen Ehrgeiz, namentliche Veröffentlichungen waren eine Frage des Zufalls oder der Geldmittel; die überlieferten Liedersammlungen stammen von hochgestellten Persönlichkeiten, wie beispielsweise aus dem siebzehnten Jahrhundert von den Schwägerinnen Gräfin Ludämilia Elisabeth und Aemilie Juliane von Schwarzburg-Rudolstadt oder von Anna Sophia, der Landgräfin von Hessen.

Die dichterischen Leistungen der Frauen auf dem Gebiet des geistlichen Liedes (oder der Mystik) wurden in der Literaturgeschichte nie in Frage gestellt. So wurden etwa die Liedersammlungen der oben genannten Dichterinnen bereits im neunzehnten Jahrhundert wieder durch Neudruck zugänglich gemacht. Anerkennung fanden Frauen immer auf den Gebieten, wo spezifische Hemmungen und Widerstände nicht in Betracht kamen; daraus schloß man dann auf eine besondere weibliche Begabung und Vorliebe.

Neben den Frauen, die in Stille und Zurückgezogenheit erbauliche Lieder dichteten, gab es aber auch eine ganze Reihe, die sich mit kämpferischem Elan in die Glaubensauseinandersetzungen stürzten, vor allem auf protestantischer Seite. Am bekanntesten wurde Argula von Grumbach (1492–1554), die auch mit Luther korrespondierte. Sie handelte sich mit ihrer Aktivität böse Schmähschriften ein, in denen man ihr vorwarf, daß sie »alle Weyblich zucht vergessen« habe und ihr den Rat erteilte:

> »Vnd spinn dafür an deiner gunckel,
> Oder strick hauben vnd werk borten,
> Ein weyb soll nit mit Gottes worten
> Stoltzieren vnd die Männer lehren,
> Sonder mit Magdalenen zuhören.«
>
> L. Rabus, Historie der Märtyrer,
> II, 1556, S. 362

Ein solches Engagement in den religiösen Kämpfen geschah nicht selten unter Einsatz des Lebens. »Ein ander liedt von Annelein von Freiburg, daselbst ertrenckt vnd darnach verbrendt, Ann. 1529«, lautet die Überschrift eines Liedes in einem Gesangbuch von 1583 (Wackernagel, Das deutsche Kirchenlied, III, S. 488). Sie gehörte vermutlich der Wiedertäuferbewegung an und hat wohl noch mehr Lieder gedichtet. Sie lebte in einer Zeit, in der Hunderttausende von Frauen auf Grund der Hexenverfolgung (der berüchtigte *Hexenhammer* entstand 1486) verbrannt, gerädert, gestäupt, mit glühenden Zangen gezwickt, erdrosselt wurden.

Mehr Glück als Annelein von Freiburg hatte *Hans Ovens Tochter Anna*, die ebenfalls der Wiedertäuferbewegung angehörte;

nicht sie selbst, sondern ihr Buch wurde in ihrer Heimat wegen seines häretischen Inhalts verbrannt. Schreiben bedeutete für Anna Hoyers eine Möglichkeit, in die theologischen Meinungsverschiedenheiten einzugreifen und in ihrem Sinne bewußtseinsverändernd zu wirken:

>Sie bleibt bei warheit, liebt das Recht,
Lest sich daran genügen,
Hat ihren eignen Kopf (ist schlecht)
Wie die Gänß im Land Rügen,
Achtet nicht mehr Welt-schand noch ehr,
Sitzet auch nicht gern oben;
Drumb möget ihr frey ohn beschwer
Sie lästern oder loben.<

(Poemata, 1650, S. 273–74)

Ihre von Schlagkraft und Schärfe sprühenden Flugschriften, in denen sie kirchliche Mißstände geißelte, stießen nicht nur auf die erbitterte Ablehnung der Zeitgenossen, weil sie darin den öffentlichen Glauben verletzte, sondern auch, weil sie es als Frau tat:

>Man wolls ihr Buch nur lesen und betrachten,
vnd auff der Spötter Red nicht achten,
Die da sagen: es sey nicht fein,
Das ein Frau ein Scribent will seyn.<

Diese Zeilen schickte sie der 1650 gedruckten Sammlung ihrer Schriften voraus. Die Zahl der Frauen, die sich derart in den Glaubensauseinandersetzungen engagierten, war beachtlich. 1704 widmete ihnen Feustking ein eigenes Buch: *Beschreibung der falschen Prophetinnen*.
Wie selbständig Frauen jener Zeit zu schreiben und leben vermochten, belegen zwei weitere Beispiele aus dem sechzehnten Jahrhundert, eine Bürgerin und eine Fürstin; beide hinterließen ein umfangreiches literarisches Werk. Magdalene Haymeir, durch >armut und mangel an zeitlicher narung< gezwungen, ihren Lebensunterhalt selbst zu verdienen, arbeitete als Lehrerin in Regensburg. Ihre Bücher, in denen sie biblische Weisheiten für den täglichen Gebrauch in der bürgerlichen Welt versifizierte, erreichten mehrere Auflagen. Die resolute Elisabeth von Braunschweig-Lüneburg übernahm nach dem Tod ihres katholischen Gatten die Regentschaft im Fürstentum und führte die Reformation ein. Zu ihren umfangreichen Schriften gehören

Handschrift aus dem
Regierungshandbuch
der Elisabeth
v. Braunschweig-Lüneburg
(1545)

auch geistliche Lieder, die mit ihrer entschieden persönlichen Aussage für das sechzehnte Jahrhundert eine Ausnahme darstellen.

Viele geistliche Lieder, die seit dem sechzehnten Jahrhundert entstanden, sind Variationen auf Texte und Melodien bereits bekannter Kirchenlieder. Auf diese Art und Weise überbrückte noch eine Dichterin des achtzehnten Jahrhunderts ihre mangelnde Kenntnis literarischer Formen. Anna Louisa Karsch, von der die Rede ist, kannte zahllose geistliche Lieder auswendig, die sie sich, nach eigener Aussage, bei der häuslichen Arbeit vorsummte und dabei eigene Texte erfand. Volkslieder haben in gleicher Weise schöpferische Energien freigesetzt. Ein Beispiel aus dem siebzehnten Jahrhundert ist das »Lied auf eine Französische Melodey« von Sibylla Schwarz (Werke II, ohne Seitenangabe). Eine andere Möglichkeit zeigt das Werk einer Autorin des frühen achtzehnten Jahrhunderts; Anna Volckmann schrieb zahlreiche Lieder auf Marschmusik (Die Erstlinge Unvollkommener Gedichte, 1736).

AN DIE TICHTERIN

Wohl! meine Schwester laß uns singen /
Was uns Opitz gewiesen hatt;
Die güldnen Seiten soltu zwingen /
Von singen wird man nimmer matt;
  Die schöne Melodey
  macht uns klagens-frey

Marie Elisabeth von Hohendorff
an Dorothea Eleonora von Rosenthal,
in: D. E. v. R., Poetische Gedanken [...] (1641), S. 26.

Wie zuvor in Frankreich, England oder den Niederlanden begann sich auch im deutschsprachigen Raum die kleine Schicht der Gelehrten zunehmend der Nationalsprache und nicht mehr ausschließlich des Lateinischen zu bedienen. Es entwickelte sich zu Beginn des siebzehnten Jahrhunderts eine deutschsprachige Kunstdichtung, die versuchte, die europäische Konkurrenz einzuholen: die Dichtung des Barock. Opitz, der 1624 die erste Poetik für die deutschsprachige Literatur veröffentlichte, in der er Regeln für Metrik, Wortwahl, Wortstellung und Redeschmuck aufstellte, hatte im gleichen Jahrhundert mehrere Nachfolger, darunter Zesen, Schottel, Harsdörffer, Buchner und Birken. Ohne Ausnahme waren es Männer, die bestimmten, welche Fertigkeiten der Poet zu erlernen hatte, und es waren Männer, denen die Institutionen zur Erlernung und Ausbildung dieser Fertigkeiten offen standen. Die ersten Pflegestätten des neuen Stils waren die Universitäten. Kaum ein Dichter, und das gilt noch für die folgenden Jahrhunderte, der nicht eine Universität besuchte, dort Kontakte knüpfte, Freunde und Gönner fand und Reisen zur Weiterbildung unternahm. Hinzu kamen die sich im siebzehnten Jahrhundert rasch ausbreitenden Sprachgesellschaften, die ihre Aufgabe in der Förderung der nationalen Bildung, besonders der deutschen Sprache und Poesie sahen. Frauen war der Zugang zu beiden Institutionen versperrt.

Einige Sprachgesellschaften machten später Ausnahmen. Der 1617 gegründete *Palmorden* (oder *Fruchtbringende Gesellschaft*) nahm 1668 als erste Sprachgesellschaft eine Frau auf, die Gattin des damaligen Vorsitzenden; sie blieb das einzige weibliche Mitglied. Der Dichter Philipp von Zesen, der in seiner *Lustinne* eine ganze Reihe von dichtenden Frauen aufzählt, darunter die oben als *Tichterin* angeredete Dorothea von Rosenthal, öffnete die von ihm gegründete *Deutschgesinnte*

Genossenschaft nur zwei Frauen; eine von ihnen war Catharina Regina von Greiffenberg.

Am großzügigsten verfuhr der *Pegnesische Blumenorden* in Nürnberg. Er hatte neunzehn weibliche Mitglieder. Allerdings verdankten die meisten von ihnen nicht dichterischen Verdiensten die Mitgliedschaft, sondern familiären Banden – es waren Töchter und Gattinnen der männlichen Mitglieder. Diese Initiative geschah also – wie in der Renaissance – zur Förderung der kultivierten Geselligkeit. Ganz in diesem Sinn war auch schon der Mitbegründer des *Pegnesischen Blumenordens*, Georg Philipp Harsdörffer, für die Frauenbildung aktiv geworden. Seine zwischen 1641 und 1648 veröffentlichten *Frawen-Zimmer Gespräch-Spiele* waren vorzüglich dazu geeignet, dem weiblichen Geschlecht den nötigen ›gesellschaftlichen Schliff‹ zu verleihen. Eine der wenigen Frauen, die sich bereits vor ihrer Aufnahme in den *Pegnesischen Blumenorden* einen Namen als Dichterin gemacht hatte, war Gertraud Möller, geborene Eiffler, die unter dem Schäfernamen *Mornille* 1671 Mitglied wurde. Zeitgenossen galt sie als größte lebende Dichterin. Der berühmte Polyhistor Morhof lobte in seinem *Unterricht von der Teutschen Sprache und Literatur* (1682) ihre Oden, »die so wohl gesetzt sind/als sie der beste Poet setzen mag« (S. 443). Von ihren vier veröffentlichten Gedichtsammlungen konnte, wie auch bei vielen anderen Dichterinnen, nur noch Titel und Erscheinungsjahr ermittelt werden; die Bücher müssen als verschollen gelten.

Die bedeutendste Dichterin in der barocken Formtradition ist Catharina von Greiffenberg. Sie hatte eine glänzende Bildung bekommen und war schon sehr früh Mitglied eines dichtenden adligen Kreises, der österreichischen *Ister-Nymphen-Gesellschaft*. Später hatte sie auch Verbindung zum *Pegnesischen Blumenorden*. Sie ist vor allem religiöse Dichterin. In ihren Sonetten und Liedern verbindet sie das Lob Gottes mit einer Darstellung der Welt in Buntheit und Vielfalt, die zugleich die Möglichkeiten der poetischen Sprache spiegeln soll. In mitreißenden Versen hat sie den Frühling, die blühenden Bäume, den Sommer, den Kornschnitt und die fruchtbringende Herbstzeit besungen. Sie ist aber nicht nur eine Meisterin der poetisch-rhetorischen Kunstmittel, sondern auch der schlichten, empfindungsstarken Aussage. Diese natürliche Sprechweise war nach damals geltenden poetischen Regeln nur der Schäferpoesie angemessen; daher begegnet Catharina von Greiffenberg auch in der Maske der Schäferin.

Bekannter als Catharina von Greiffenberg war bis ins neunzehnte Jahrhundert eine junge Dichterin aus der ersten Hälfte

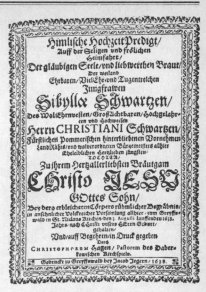

Titelblatt der Leichenpredigt
auf Sibylla Schwarz

des siebzehnten Jahrhunderts, dem Frühbarock, die heute kaum noch Beachtung findet: Sibylla Schwarz, eine Patriziertochter. Sie ist die erste Dichterin, die neben religiösen auch weltliche Themen in der Tradition der barocken Kunstdichtung gestaltet hat. Sibylla Schwarz starb bereits 1638 als Siebzehnjährige; um so erstaunlicher sind die mythologischen und literarischen Kenntnisse, die sich an ihren Dichtungen ablesen lassen. Der Poesie galt ihre ganze Neigung:

> »Ich lasse wer da will mit seinen Haaren prangen
> und diesen mit der Stirn und jene mit der Wangen
> der eine rühme sich der falschen Freundschaft Brunst
> und jener lobe Gelt, ich rühme mich der Kunst.«
>
> (Werke, 1650, II, Auff Herrn Bencken Nahmens-Tag)

Das Werk von Sibylla Schwarz umfaßt zum großen Teil Gelegenheitsdichtung zu Geburtstagen, Hochzeiten und Begräbnissen. Für den Barockdichter bestand kaum ein Unterschied zwischen dieser Gebrauchslyrik und der freithematischen Dichtung. In der literaturwissenschaftlichen Forschung wurde der Gelegenheitsdichtung bisher kaum Beachtung geschenkt. Damit blieb auch ein großer Teil des literarischen Schaffens von Frauen unberücksichtigt.

Der besondere Vorzug der Gelegenheitsdichtung (und auch der religiösen Dichtung) lag für Frauen darin, daß keine großartigen poetisch-rhetorischen Kenntnisse erforderlich waren und auch kein umfangreiches Wissen, wie es zum Beispiel die beliebten zeitgenössischen historischen oder exotischen Romane verlangten. Geburten, Geburtstage, Hochzeiten und Begräbnisse waren Ereignisse, die im unmittelbar weiblichen Erfahrungsbereich lagen. Auf dem Weg zur literarischen Tätigkeit der Frau bedeutet die Gelegenheitsdichtung einen wichtigen Schritt. Sie dürfte im ganzen auch für die Geschichte der Frau interessante Aufschlüsse bieten.

Seit dem siebzehnten Jahrhundert ist mit einer wachsenden Zahl von Gelegenheitsdichterinnen zu rechnen, wenn auch kaum gedruckte Sammlungen aus dem siebzehnten Jahrhundert vorliegen. Der Druck war nicht zuletzt eine Frage der Finanzierung. Da Kunst vor allem noch Hofkunst war und fürstliches Mäzenatentum für diese Dichterinnen kaum in Frage kam, blieb – wenn nicht ein anderer Förderer auftrat – nur die Familie übrig. Zu den Raritäten aus dieser Zeit gehört das bisher unbeachtet gebliebene schmale Werk von Susanna Elisabeth Zeidler, einer Pastorentochter. Ihr *Jungferlicher Zeitvertreiber*, der vor allem religiöse und Gelegenheitsdichtung enthält, erschien 1686 und wurde vermutlich mit Unterstützung der Familie und einer adligen Mäzenin, der das Werk dediziert ist, gedruckt.

Ein Indiz für die Zunahme dichtender Frauen, aber auch für die Anfeindungen, denen sie ausgesetzt waren, sind die Angriffe von zwei populären Satirikern um die Mitte des siebzehnten Jahrhunderts. Johann Lauremberg, Professor für Dichtkunst in Rostock, wetterte in niederdeutschen Knittelversen dagegen, »dat ock Derens [Derns = Mädchen] Poetische Windeyer legen« (Viertes Scherzgedicht, 1652). Statt dem Bruder Hochzeitsgedichte zu schreiben, sollten sie lieber am Spinnrad sitzen oder anderen häuslichen Arbeiten nachgehen. Joachim Rachel brachte in seinem Feldzug gegen das poetische Frauenzimmer neben der Vernachlässigung der Hausarbeit ein zweites Argument vor: die Gefährdung der Sittlichkeit. Er präsentierte Sappho als sittenloses Schreckgespenst für jede keusche Jungfrau und gab die Empfehlung, »Drumb wünsche nicht, daß die, so vorsteht deinem Hause, / Mit Versen sich bemüh' und in Poeten mause ... Zuletzt kein Männerwitz hat bey den Weibern Art / Den Männern nur gehört die Feder und der Bart« (Teutsche Satyrische Gedichte, VIII, 1664). Überhaupt hatte er es darauf angelegt, die weiblichen Vorbilder zu disqualifizieren, wie sie zum Beispiel schon Sibylla Schwarz in ihren Gedichten aufzählt, so die Musen, Minerva, die Dichterin Thais und die gelehrte Anna von Schurmann. Übrigens blieb trotz Rachels Vernichtungsschlag gegen Sappho ihr Name bis ins achtzehnte Jahrhundert ein begehrter Titel für dichtende Frauen, wenn er auch schließlich durch seinen häufigen Gebrauch bedeutungslos wurde.

Mit solchen Angriffen hatten sich die Dichterinnen selbst auseinanderzusetzen, wie in ihren Werken nachzulesen ist. Zuerst bei Sibylla Schwarz, die sich dagegen mit dem Hinweis auf ihren häuslichen Fleiß verteidigte. Um Anfeindungen zu entgehen, wollte sie ihr Werk unter einem Pseudonym veröffentlichen, was ihr früher Tod überflüssig machte.

Eine praktische Lösung fand Susanne Elisabeth Zeidler, die gleich auf dem Titelblatt vermerkte, daß ihre Gedichte »bey häußlicher Arbeit« entstanden waren. Vorausgeschickte Gedichte vom Vater, dem dichtenden Bruder und dem zukünftigen Gatten bestätigen ihre Tugendhaftigkeit. In der Vorrede zu ihrem Buch rechtfertigt sie den Druck unter anderem mit dem Hinweis darauf, daß die Sammlung nur als Andenken für ihre Freunde gedacht sei, da sie wegen ihrer Verheiratung nun den Heimatort verlasse.

Das erinnert an die Sonetten- und Liedersammlung von Catharina von Greiffenberg. Ihr Onkel schreibt dort in einer Vorbemerkung, daß die Sammlung ohne Catharinas Wissen zum Druck befördert wurde und zwar als ein Andenken zum Zeitvertreib ihrer Jugend. Hans Rudolph von Greiffenberg hatte sich allerdings in seiner Nichte und späteren Gattin getäuscht. Catharina von Greiffenberg, die ihr Leben ursprünglich ganz der *Deoglorie* widmen wollte, legte auch als Ehefrau die Feder nicht aus der Hand. Die Tatsache, daß man noch eher der unverheirateten Frau wegen ihrer geringeren häuslichen Belastung die dichterische Tätigkeit zugestand, bezeugt noch im achtzehnten Jahrhundert eine Autorin, die ihrer Sammlung ein Verteidigungsgedicht, *Die Poetische Eh-Frau,* anhängte (Magdalena Sibylla Rieger, Geistlich- und moralischer auch zufälliger Gedichte neue Sammlung, 1746).

Vivant litteræ, vivant fœminæ in Orbe
Litteratæ!

Lebt holde Musen lebt / gelehrtes Frauen-Zimmer
Vor Eurem Glantze stirbt auch wohl der Männer Schimmer /
Lebt / was Gelehrsamkeit auf dieser Erden liebt /
Lebt / wer der Tugend sich zum Eigenthum ergiebt!
Ich sage mehr kein Wort / und dennoch denck ich immer /
Lebt holde Musen lebt / gelehrtes Frauen-Zimmer

Johann Caspar Eberti,
Eröffnetes Cabinet deß gelehrten Frauen-Zimmers (1706)

Bevor das literarische Hervortreten von Frauen im achtzehnten
Jahrhundert weiter verfolgt werden soll, ist ein Blick auf die
Entwicklung der Frauenbildung im Zusammenhang mit den politischen und sozialen Ereignissen notwendig. Trotz konservativer
Kritiker wie Lauremberg und Rachel stieg seit Mitte des siebzehnten Jahrhunderts in Deutschland die Zahl der Schriften, die bei
sorgfältiger Abwägung von Fragen der Sittlichkeit und Häuslich-
keit eine insgesamt positive Einstellung gegenüber der weiblichen
Bildung einnehmen. Zwischen 1657 und 1727 lassen sich mindestens achtzehn Schriften und Dissertationen zu diesem Thema
nachweisen. Sie hatten zwar vorerst keine praktischen Konsequenzen, signalisieren aber den Beginn einer neuen Phase.
Für den Einschnitt um die Mitte des siebzehnten Jahrhunderts
sind einmal die politischen Ereignisse verantwortlich. Die Been-
digung des Dreißigjährigen Krieges ermöglichte Deutschland
den Anschluß an die europäische Entwicklung; daher über-
rascht nicht der vielfach patriotische Impuls der Schriften: Man
wollte nun beweisen, daß »Teutschland weder den hochtraben-
den Spaniern, noch den ehrgeitzigen Welschen oder aufgeblase-
nen Franzosen« mit gelehrten Frauenzimmern nachstand.
(Paullini, Hoch- und Wohlgelahrtes Teutsches Frauen-Zimmer,
1712, S. 3.)
Ein wichtiger Impuls wurde durch eine sozioökonomische Ver-
schiebung gegeben. Der Ausgang des Dreißigjährigen Krieges
stärkte das Territorialfürstentum, das zur Eintreibung seiner
zahlreichen Gebühren und Steuern einen immer größer wer-
denden Beamtenapparat benötigte. Außerdem drängten viele
Bürgerliche in die subalternen Verwaltungspositionen, da wegen der Zerstörung der Städte und der Zunftschranken kaum
andere Berufsmöglichkeiten bestanden. Es war nun vor allem
diese ständig wachsende Beamtenschaft der territorialen und
städtischen Verwaltungen, die im letzten Drittel des siebzehn-

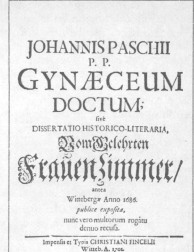

JOHANNIS PASCHII
P. P.
GYNÆCEUM
DOCTUM;
sivè
DISSERTATIO HISTORICO-LITERARIA,
Vom Gelehrten
FrauenZimmer/
antea
Wittebergæ Anno 1686.
publice exposita,
nunc vero multorum rogatu
denuo recusa.
Impensis et Typis CHRISTIANI FINCELII
Witteb. A. 1701.

Titelblatt einer Dissertation
von 1686 über das
›Gelehrte Frauenzimmer‹

ten Jahrhunderts eine neue Form des geselligen Lebens entwikkelte; sie war an der höfischen Lebensform orientiert und bedeutete eine Abgrenzung gegenüber den unteren Schichten. Das französische Vorbild war der *homme galant,* den Thomasius in seiner Leipziger Vorlesung 1687 vorstellte. Die neue Form des geselligen Lebens schloß auch die Frauen ein. Erneut wurde zum Zweck der kultivierten Geselligkeit und der damit veränderten Ansprüche an die Frau die Ausbildung ihrer geistigen Fähigkeiten wünschenswert. Daher erschienen als Autoren der oben erwähnten Plädoyers für die gebildete Frau seit der Wende zum achtzehnten Jahrhundert auch die sogenannten *Galanten;* der bekannteste wurde Johann Christian Lehms mit seiner Schrift *Teutschlands galante Poetinnen* (1715), der eine Vorrede mit dem Titel beigegeben ist, »Daß das Weibliche Geschlecht so geschickt zum Studieren / als das Männliche«.

Die Beamtenschaft wurde neben Handels- und Bildungsbürgertum die führende Schicht in der bürgerlichen Emanzipationsbewegung und ließ dabei ein paar galante ›Federn‹ zugunsten der moralisch-rationalen Richtung. Einen wichtigen Beitrag im Entwicklungsprozeß bürgerlichen Selbstbewußtseins leisteten die seit Anfang des achtzehnten Jahrhunderts erscheinenden *Moralischen Wochenschriften.* Diese nach englischem Vorbild gegründeten vernunftfrohen Journale verbreiteten die Ideen und Maximen der Aufklärung in weiteren Kreisen. Sie verschärften die Abgrenzung zur »verderbten« höfischen Lebensform, indem sie ihr bürgerliche Moral und Tugend entgegensetzten. In diesem Sinne popularisierten sie auch die bereits in den gelehrten Abhandlungen vertretene These, daß Bildung die Sittsamkeit der Frauen befördere und nicht umgekehrt verhindere.

Die Frauenbildung wurde nun zur Angelegenheit des aufgeklärten Bürgertums und erhielt damit – nach der Beschränkung auf einzelne Gruppen wie Adel, Patriziat, Gelehrte und Pastoren – im achtzehnten Jahrhundert allmählich ein breiteres Fundament. Für die bürgerlichen Advokaten der Frauenbildung stand von Anfang an fest, daß für Frauen kein Anspruch »auf öffentliche Ämter« bestand; ihr Bildungskonzept zielte auf die gebildete Ehe- und Hausfrau.

Ein typisches Beispiel für das literarische Hervortreten der Frau in dieser Übergangsphase ist die 1720 publizierte Gedichtsammlung von Susanna Margaretha von Kuntsch. Sie war die Tochter und später auch die Frau eines Hofbeamten. Ihre Sammlung enthält hauptsächlich Gelegenheitsdichtung zu Ereignissen im Verwandten- und Bekanntenkreis. Die Gelegenheitsdichtung wurde gerade von der Beamtenschaft im Rahmen der neuen Geselligkeitskultur gepflegt. Für die Entfaltung weiblichen Selbstbewußtseins haben ihre Gedichte insofern Bedeutung, als in ihnen auch ihre private Erfahrung als Frau und Mutter Ausdruck findet. Gedichte und Grabschriften auf ihre toten Kinder lassen ihre Ergebung in das gottgewollte Schicksal, aber auch ihre seelische Not deutlich werden.

Die Sammlung der Gedichte wurde nach ihrem Tod von einem Enkel herausgegeben, die Vorrede stammte von *Menantes*. Hinter diesem Pseudonym verbarg sich Christian Friedrich Hunold, ein galanter Dichter, der allerdings zu diesem Zeitpunkt bereits vom sinkenden Schiff der galanten Dichtung auf das neue Flaggschiff der moralisch-rationalen Literatur umgestiegen war. Seine Vorrede zu den Gedichten von Susanna Margaretha von Kuntsch kann als programmatisch für die Entwicklung des Frauenbildes im frühen achtzehnten Jahrhundert bezeichnet werden. Es heißt dort über die Dichterin:

»Denn diese mit allen Tugenden ausgerüstete Dame ist zugleich in der geistlichen und weltlichen Historia wohl erfahren gewesen, hat eine hübsche Bibliothec darinnen gehabt, die lateinische Sprache verstanden, Moral und Politische Schrifften beständig gelesen, und durch die 47 Jahre rühmlich geführte starcke Haushaltung sich eine ungemeine Klugheit und Wissenschaft in der Oeconomie erworben.«

Bildung, Tugend und hausfrauliche Tüchtigkeit, in dieser For-
mulierung hat das von der Renaissance ausstrahlende Ideal der
gelehrten Frau bereits seine Verbürgerlichung erfahren.

Hunolds Vorrede macht weiter deutlich, daß um 1720 in seinen
Kreisen die literarischen Bestrebungen der Frau im Bereich der
religiösen und Gelegenheitsdichtung bereits akzeptiert wurden.
Was die verliebten und galanten Gedichte betraf, so verlangte er
allerdings, daß Frauen nicht »allzu verliebt« schreiben, nicht
gleich vielen Männern die Poesie »zur Magd der Wollust« machen sollten. Daß solche Forderungen keineswegs unbegründet
waren, belegen noch Gedichtsammlungen von Frauen aus den
dreißiger und vierziger Jahren des achtzehnten Jahrhunderts, in
denen schlüpfrige Verse neben Tugendbeteuerungen stehen.
Überhaupt zeigen einige Sammlungen mit ihrer für das frühe
achtzehnte Jahrhundert charakteristischen drastischen und der-
ben Sprache, daß die Frauen vom Ideal der *schönen Seele* noch
weit entfernt waren.

> Wohnt Witz in einer Männerstirne,
> So hat auch dieser Satz sein Recht:
> Es saß dem weiblichen Geschlecht
> Kein Spinngeweb in dem Gehirne.
>
> Christiana Mariana von Ziegler,
> Vermischete Schriften (1739), S. 58

Die Konsolidierungsphase der Aufklärung zwischen 1725 und
1740 ist mit dem Namen eines Mannes verbunden, der sich
besonders um die Frauenbildung bemühte und – mit noch
deutlich patriotischem Impuls – das literarische Hervortreten der Frauen förderte: Johann Christoph Gottsched. In seiner
moralischen Wochenschrift *Die Vernünftigen Tadlerinnen*
(1725–1727), in der die meisten mit Frauennamen unterzeichne-
ten Artikel von ihm selbst stammten, heißt es:

»Ich brenne vor Neid, wenn ich die französischen Gedichte der
Madame Deshoulieres lese, und dabey bedenke, daß Deutschland
noch nichts aufzuweisen habe, was man den Franzosen in diesem
Stücke entgegen setzen könnte. Wir haben zwar hie und da kleine
Proben, die Verstand und Lebhaftigkeit genug zeigen. Wir haben
auch einige Dichterinnen aufzuweisen, die zu Anfang des vorigen
Jahrhunderts gelebet haben. Allein wo haben wir ein neues Buch

Die
Vernünftigen
Tadlerinnen.
Der erste Theil.

Leipzig und Hamburg
Verlegts Conrad König.
1738.

Titelseite der von
Johann Christoph Gottsched
herausgegebenen
Wochenschrift
(Nachdruck der Erstausgabe
von 1725)

aufzuweisen, welches von einer einzigen Poetinn verfertiget worden? Und so lange dieses nicht geschiehet, müssen wir deutschen
Nymphen (welch eine Schande ist das!) den Französinnen noch
immer den Vorzug lassen.« (27. Stück)

Gottscheds Aufruf folgten in den dreißiger und vierziger Jahren
zahlreiche Frauen. Wichtig ist erstens, daß sie sich fast alle in
ihren Gedichtsammlungen in irgendeiner Form zur Gleichberechtigung äußerten, daß sie also ihre Sache selbst in die Hand
zu nehmen begannen, und zweitens, daß es nach den einzelnen
früheren Versuchen nun erstmals zu einer gewissen Solidarität
unter ihnen kam.
Gelehrte und Dichter hatten schon immer einen regen Briefwechsel gepflegt. Nun machten sich Dichterinnen mit gereim-
ten Briefen untereinander bekannt und sandten sich gegenseitig
ihre poetischen Zeugnisse zu. Die Briefe wurden zum Teil in
den Gedichtsammlungen veröffentlicht. So korrespondierte
zum Beispiel Mariana Ziegler mit der vom Dichter Johann
Christian Günther gelobten Frau Breßler aus Breslau, ebenso
Anna Helena Volckmann mit der Ziegler oder die Zäunemann
aus Erfurt mit der schlesischen Dichterin Gutemund, die Frau

Walther mit der Frau Löber etc. Solche Kontakte hatten eine
wichtige Funktion, sie trugen zur gegenseitigen Unterstützung
und Selbstbehauptung bei. Man konnte sich den Ärger über die
Lästerer weiblicher Poesie von der Seele reden und sich gegenseitig zum Widerstand ermuntern, wie das zum Beispiel
in einem Brief von Anna Helena Volckmann an Mariana
Ziegler nachzulesen ist:

»Wenn uns das Manns-Volk höhnt, ich ziehe gleich vom Leder,
Wenn der und jener spricht: Ihr schlechten Tauben ihr,
Wie hoch verfliegt ihr euch, was nehmen Weiber für;
Wenn mancher Pinsel sagt, wir pflegten nachzumahlen,
So will ich mich bemühn, die Tadler zu bezahlen [...]
Frau! Weltberühmte Frau, der Eifer nimmt mich ein,
Auf, laß diß frevle Volck nicht sonder Straffe seyn.
Zeigt sich kein scharffer Stahl an unsern tapffern Seiten,
So laß uns diesen Schwarm mit unserm Kiel bestreiten.«
(Erstlinge Unvollkommener Gedichte, 1736, S. 11 f.)

In der Literaturgeschichtsschreibung und in Anthologien blieb
dieser Bereich weiblicher Literatur bisher völlig ausgespart. Erwähnung fand allenfalls Luise Adelgunde Gottsched. Sie
schrieb zwar auch Gedichte, machte sich aber vor allem als
Dramatikerin einen Namen und nicht zuletzt als unermüdliche
Hilfskraft ihres Mannes, was allein schon die Überlieferung ihres Namens in der Literaturgeschichte gesichert hätte.
Zwei Frauen sind aus dem Kreis der Frühaufklärung hervorzuheben, die zu ihrer Zeit als die *berühmten Z* gefeiert wurden:
Christiana Mariana von Ziegler und Sidonia Hedwig Zäunemann.
Mariana Ziegler lebte in Leipzig, damals das *Klein-Paris, die
Stadt der Weltleute und der Mode.* Sie führte ein relativ unab-
hängiges Leben, wie es nur eine vermögende Witwe, die sie war,
führen konnte, ökonomisch weder vom Vater noch vom Ehemann abhängig. Sie war die erste von einer deutschen Universität gekrönte Dichterin und das erste weibliche Mitglied der
Leipziger *Deutschen Gesellschaft*, eine der Nachfolgeorganisa-
tionen der Sprachgesellschaften, die sich um die Wende zum
achtzehnten Jahrhundert an verschiedenen Orten gebildet hatten und sprach- und literarhistorische Forschungen mit natio-
naler Zielsetzung verfolgten. Beide Ereignisse waren von großer
Wichtigkeit, denn das literarische Leben spielte sich immer
noch in diesen Kreisen ab. Eine literarische Öffentlichkeit begann sich gerade erst zu formieren.
Vor der Leipziger Gesellschaft hielt Mariana Ziegler 1730 einen

Vortrag zum Thema: »Ob es dem Frauenzimmer erlaubt sey, sich nach den Wissenschaften zu bestreben.« Es war das *erste* weibliche Plädoyer für die Frauenbildung in deutscher Sprache. Bereits im Vorbericht zu ihrer ersten Gedichtsammlung von 1728 hatte sie sich mit einem interessanten Problem befaßt, der Frage, warum Frauen an Höfen und in Städten häufig bessere Rednerinnen als Männer, ihnen aber im Schreiben unterlegen sind. Die Gründe lagen nach ihrer Meinung in der spezifisch weiblichen Sozialisation: was das Schreiben betraf, so mangelte es den Frauen an der nötigen Unterrichtung, ihre Eloquenz dagegen ergab sich aus der stärkeren gesellschaftlichen Orientierung der Mädchenerziehung. Aus der Entwicklung vom pedantischen Gelehrtentum zur geselligen Bildungskultur, die sich im achtzehnten Jahrhundert vollzog, schien Frauen damit erstmals ein Vorteil zu erwachsen.

In ihrem Vortrag vor der Leipziger *Deutschen Gesellschaft* hatte Mariana Ziegler den Griff der Frau nach »Amt und Würden« ausgeschlossen, vielleicht war das eine listige Konzession an das Männergremium. In ihren Gedichten gibt es bereits Ansätze, die über das von der Aufklärung sanktionierte Konzept der gebildeten Ehe- und Hausfrau hinausgehen, so in dem *Lob des weiblichen Regiments*, einer seitenlangen Aufzählung der weiblichen Leistungen auf künstlerischem, wissenschaftlichem, militärischem und politischem Gebiet.

Bereits einen Schritt weiter ging die eine Generation jüngere Sidonia Zäunemann (1714–1740), die den Anspruch auf den männlichen Wirkungsbereich nicht nur expressis verbis vortrug, sondern auch schon in die Tat umzusetzen versuchte. Nicht das normale Frauenleben mit Gesprächen über Mode, Kinder, Küche und Klatsch, wie sie es einmal beschrieb, interessierte sie, sondern die Welt der öffentlichen, das heißt männlichen Angelegenheiten. In ihren Gedichten kündigt sich das zunächst als Absage an die nur private Gelegenheitsdichtung an:

> »Soll Trau-Ring, Wiege, Leichenstein
> Nur bloß der Lieder würdig seyn?«
>
> (Poetische Rosen in Knospen, S. 371)

So beginnt ihr Gedicht an die am Rhein stehenden Husaren, die Prinz Eugen befehligte; es bescherte ihr immerhin ein persönliches Schreiben des Prinzen und machte sie berühmt.

Sidonia Zäunemann reiste allein zu Pferde in Männerkleidung, unternahm Bergwerksbefahrungen, bemühte sich um Kontakte mit Gelehrten. Auf die Gründung der Universität Göttingen

Jacob Wilhelm Feuerlein,

S. THEOLOGIÆ DOCTOR,

und auf der Königl. Groß-Brittannischen und Churfürstl. Braunschweig-Lüneburgischen
Georg-Augustus-Universität,

PROFESSOR PRIMARIVS, h. t. PRO-RECTOR,
und **SACRI PALATII CAESAREI COMES,**

Entbietet dem geneigten Leser seine Dienste und freundlichen Gruß.

Die Academischen Würden gehören nicht allein für gelehrte und wolverdiente Männer, sondern es hat auch das Frauenzimmer, wenn Selbiges durch stattliche Proben gründlich erlangter Wissenschaften sich hervor gethan, daran einen gerechten und billigen Anspruch. Ich will anietzo nicht sol cher Personen weiblichen Geschlechts gedencken, deren gelehrten Häuptern der Doctor-Hut nach ihren Verdiensten aufgesetzet worden sondern nur 3 y 3 berühmte Poetinnen nahmhafft machen, welche aus Kaiserlicher Gewalt mit dem Poeten-Crantz gezieret worden. Eine vornehme Engeländin traf Elisabeth Johanna VVestonia, so sich meistens in Teutschland aufgehalten, und deren zierliche Lateinische Gedichte und Briefe Georg Martin von Baldhofen ein Schlesier in 3 Theilen herausgegeben, wurde von Paulo Melissio, einem Francken, Comite Palatino Caesareo, Equite aurato, Cive Romano, Churfürstl. Pfälzischen Rath und Bibliothecario, einem vortrefflichen Poeten, novo exemplo, wie Er Selbst an VVestoni im schreibt, a.1601. mit dem Lorbeer-Crantz beehret. So ist auch die hochberühmte Frau Christiana Mariana von Ziegler wegen Ihrer unverg leichlichen Teutschen Gedichte von der Löblichen Philosophischen Facultät zu Wittenberg krafft der Comitivae Palatii Caesarei zu einer Kaiserlichen-gekrönten Poetin erkläret worden.

Demnach da Ihro Römische Kaiserliche Majestät da riger von Seiner Königlichen Majestät Georg dem Andern, König in Groß-Brittannien, Franckreich und Irrland, Beschützer des Glaubens, Herzog zu Braunschweig und Lüneburg, des H. Römischen Reichs Erz-Schatzmeister und Churfürsten, unsern allergnädigsten König, Churfürsten und Herrn, auch Rectore Magnificentissimo, gestiffteten Georg-Augustus Universität unter andern Kaiserlichen Privilegiis auch dieses allermildest ertheilet, daß dem Pro-Rectorat die Würde eines Comitis Palatini Caesarei einverleibet seyn soll, krafft welcher die jedesmaligen Pro-Rectores Kaiserliche Poeten zu crönen, und Selbigen alle Vorrechte und Freyheiten, so gekrönte Poeten jemals und irgend gehabt, zu ertheilen berechtiget sind; und dann

die Edle und Tugend-belobte Jungfer Sidonia Hedwig Zeunemännin aus Erfurt gebürtig,

so wol durch viele vortreffliche Teutsche Gedichte, so Sie dem großen GOTZ, Hohen Regenten und Helden, auch würdigen Personen zu Ehren, mithin zu Beförderung der Tugend verfertiget, großen Ruhm erworben, als auch hiesige Universität gleich nach Ihrer feyerlichen Einweihung mit einer wolgesetzten Ode beehret, so hat dieser Academische Senat aus einem Bewegen einhellig beschlossen, diese hochberühmten Poetin, auf obbe sagte Kaiserliche Privilegia gegründeten Fug und Recht, als eine durch sonderbare Gaben hervorleuchtende Poetin und Herrn, auch Sacrati Poeten zu erheben :

Wie dann, vermöge der Kaiserl. allergnädigst mir verliehenen Macht und Gewalt, ich oben-benannter und zu Ende eigenhändig unterschriebener Comes Palatinus Caesareus hiermit wolgedachte

Edle und Tugend-belobte Jungfer Sidonia Hedwig Zeunemännin

zu einer Kaiserl. gekrönten Poetin ernenne und erkläre, und Ihr alle damit verknüpfte Vorrechte und Freyheiten, deren ein Kayser lich gekrönter Poet an irgend einem Ort zu erfreuen haben mag, ertheile, worüber gegenwärtige Urkund ausgefertiget, mit hiesiger Universität Insiegel bekräfftiget und von mir eigenhändig unterschrieben. So geschehe Göttingen den 3. Januarii 1738.

(L. S.)

Ernennungsurkunde Sidonia Hedwig Zäunemanns
zur kaiserlich gekrönten Poetin,
ausgestellt durch die Georg-August-Universität, Göttingen

schrieb sie ein Lobgedicht, das ihr als zweiter Frau den Titel der
Kaiserlich gekrönten Poetin einbrachte. Schleiermachers zehntes Gebot in seinem *Katechismus der Vernunft für edle Frauen*
(1798), »Laß dich gelüsten nach der Männer Bildung Kunst,
Weisheit und Ehre«, war für sie schon durchaus selbstverständlich. In einem Brief an die *Hamburgischen Berichte* von 1737
beklagt sie sich:

»Unsere ecklen Deutschen sind noch nicht gewohnt, denen Weibspersonen eine Übung in freien Künsten zu verstatten. Ihre öffentlichen Lehrsäle dürfen von unserm Geschlecht ebenso entheiligt
werden, als die Moscheen derer abergläubischen Muselmänner. Ein
Frauenzimmer, das nach Weisheit trachtet, muß ihren Haß so sehr
empfinden, als kaum in England ein catholischer Prätendente.«
(S. 419)

Versuch in Scherzgedichten.

MOLIERE:
Jeunes Beautés, laissez-vous enflammer:
Soûpires librement pour un Amant fidelle,
Et braves ceux, qui voudroient vous blâmer.

Dritte, veränderte Auflage.

Halle im Magdeburgischen,
Verlegt von Carl Hermann Hemmerde. 1766.

Titelblatt
der anonym veröffentlichten
Scherzgedichte
von Johanne Charlotte Unzer

Um diese Zeit hielt der Literaturprofessor Gottsched seine Vorlesungen zu Hause ab, damit seine Frau – hinter halb geöffneter Tür – zuhören konnte. Die Lehrsäle blieben Frauen noch lange verschlossen, daran änderten auch zwei Doktorpromotionen von Frauen im achtzehnten Jahrhundert nichts, von denen zumindest die zweite (Dorothea Schlözer, 1787) eher Posse als Ernst war. In ihrem Unabhängigkeitsstreben war Sidonia Zäunemann so konsequent, daß sie die Ehe ablehnte. In einem Gedicht entlarvt sie sie als Institution, in der sich die Frau ihre *Versorgung* mit ihrer *Unterdrückung* erkauft. In dieser Form hatte das vor ihr noch keine Frau zu sagen und zu veröffentlichen gewagt. Wieland nannte sie später eine »halbe Amazon und Maitresse eines Sächsischen Herzogs« (Briefe I, 1963, S. 83). Eine nach Unabhängigkeit strebende Frau! Das war und blieb die zugleich moralisch verwerfliche Frau. Ob die Behauptung stimmt, wird sich kaum noch herausfinden lassen. Fest steht, daß sie sich besonders um fürstliche Unterstützung bemühte, um darauf eine dichterische Existenz zu gründen. Für sie gab es noch kaum eine andere Wahl. Der berufliche Weg war ihr versperrt, von einem literarischen Markt konnte noch nicht die Rede sein, und mit bürgerlicher Gelegenheitsdichtung war allenfalls ein Taschengeld zu verdienen. Überhaupt zeigt ihr Beispiel, daß es für eine Frau in der bürgerlichen Gesellschaft des achtzehnten Jahrhunderts keine unabhängige Existenzmöglichkeit gab, wenn sie unverheiratet blieb. Sie konnte nur im Elternhaus leben wie Sidonia Zäunemann oder bei Verwandten als Haus- und Kindermädchen; war sie katholisch, stand ihr wenigstens noch der Weg ins Ordensleben offen.

> Ich glaube, daß, wenn ebenso viel Frauen Schriftstellerinnen wären, als Männer es sind, und wir nicht durch so tausend Kleinigkeiten in unserer Haushaltung herabgestimmt würden, man vielleicht auch einige gute darunter finden würde, denn wie wenige gute gibt es nicht unter den Autoren ohne Zahl.
>
> Charlotte von Stein an Charlotte Schiller (24. November 1798)

Sidonia Zäunemann hatte einmal dem Tadel eines Geistlichen, warum sie keine geistlichen Lieder schreibe, entgegengehalten:

»Mein Beruf verlangt dieß nicht / Und zum Scheine geistlich schreiben, fordert nicht der Christen Pflicht.« (S. 596)

Gegen die thematische Einschränkung schreibender Frauen wandte sich auch eine junge Dichterin, die um die Jahrhundertmitte auftrat: Johanne Charlotte Unzer. Mit ihren scherzhaften Liedern über Liebe, Wein und Geselligkeit brach sie in die männliche Domäne der anakreontischen Lyrik ein. Sie verstand sich dabei durchaus als Vorreiterin ihres Geschlechts und wünschte sich, »ihre Schwestern« zu ermuntern, nicht nur erbauliche Verse zu dichten. Bei ihrem couragierten Vorgehen (wenn auch anonym und mit der Versicherung, daß sie nur Wasser trinke) spielte der familiäre Rückhalt eine nicht unbedeutende Rolle: Charlotte Unzer war in einem Klima der Geselligkeit aufgewachsen, und ihr Ehemann dichtete ebenfalls anakreontische Verse.

Ihre späteren *Sittlichen und zärtlichen Gedichte*, in denen sich empfindsame und rationale Züge mischen, beeinflußten eine Dichterin, die in den sechziger Jahren des achtzehnten Jahrhunderts berühmt wurde: Anna Louisa Karsch. Sie nahm einige Themen der Unzer erneut auf (*Über die Vorsehung*, *Über den Nachruhm*) und erwähnte sie auch ausdrücklich. Übrigens kannte Anna Louisa Karsch auch die Ziegler und bedauerte in einem Gedicht, daß sie bereits völlig in Vergessenheit geraten sei.

Anna Louisa Karsch begann wie viele Dichterinnen vor ihr als religiöse und Gelegenheitsdichterin. Berühmt wurde sie vor allem mit Heldenliedern (wie bereits die Zäunemann), sie besang die Erfolge Friedrichs II. im Siebenjährigen Krieg. Ihr Name drang bis nach Berlin, 1761 holten sie Gönner in die Hauptstadt. Dort geriet sie unvermittelt zwischen die literarischen Fronten. Die schlichten persönlich-bekenntnishaften Züge ihrer Dichtung fanden die Anerkennung der literarischen »Zurück-zur-Natur«-Bewegung. Ihre Freunde Gleim, Ramler und Sulzer zählten aber noch antike Metren und Mythologie zum unerläßlichen Werkzeug eines Poeten und wollten ihr das so schnell wie möglich vermitteln. Anna Louisa Karsch, geblendet vom Ruhm und der Anerkennung, die ihr zuteil wurden, ließ sich leicht beeinflussen. Sie versuchte, es jedem recht zu machen. In vielen Gedichten aus der Berliner Zeit ist ihre ursprüngliche Stimme nicht mehr erkennbar. Hinzu kam, daß sie stets auf Gelegenheitsdichtung angewiesen war; denn sie lebte – als erste Frau in Deutschland – vom Ertrag ihrer literarischen Produktion. Die oft sehr schnell hingeworfene Gebrauchslyrik wurde in ihre Gedichtsammlungen mit aufgenommen, um die Adressaten der Gelegenheitsgedichte als Subskribenten anzulocken. In der Literaturgeschichte brachte ihr das manchen abschätzigen Seitenhieb ein; sie erschien als wertlose Dichterin und komische Person. Aber Anna Louisa Karsch war eine mutige und beherzte Frau, die sich auch von ihrem bewunderten König, Friedrich II., nicht einschüchtern ließ. Als sie ihn einmal an sein Versprechen erinnerte, sie zu unterstützen, und er ihr daraufhin zwei Taler schickte, sandte sie diese mit folgendem Epigramm zurück:

> »Zwei Thaler gibt kein großer König,
> Denn sie erhöhen nicht mein Glück,
> Nein, sie erniedern mich ein wenig;
> Drum geb' ich sie zurück.«

Ein Ereignis ist hier noch hervorzuheben, das sicher mit den Erfolgen der Unzer und Karsch zusammenhängt: 1764 erschien die *erste* Anthologie, die ausschließlich Frauengedichte enthielt: *Gesammelte Frauenzimmer Gedichte.* Die Anthologie war auf mehrere Folgen geplant, wurde aber vermutlich nach den ersten beiden Folgen nicht fortgesetzt. Der mutige, den literarischen Markt aber falsch einschätzende Herausgeber blieb anonym.

Das literarische Interesse und die literarische Tätigkeit der Frau wurden in der zweiten Hälfte des achtzehnten Jahrhunderts nicht von der Lyrik, sondern vom Roman beherrscht. Nach englischem Vorbild, vor allem den Romanen Richardsons, entwickelte sich der empfindsame Roman zum Mittel bürgerlicher Selbstdarstellung. Er brachte den Bereich der familiären Welt zur literarischen Geltung und war damit besonders geeignet, eine wachsende weibliche Leserschaft anzusprechen und auch den produktiven Anteil der Frauen an der Literatur zu begünstigen. In der zweiten Jahrhunderthälfte trat eine Reihe von Romanautorinnen hervor. Als erste machte 1771 Sophie La Roche mit dem *Fräulein von Sternheim* Furore. 1783 gab sie auch als erste Frau eine Zeitschrift für Frauen heraus: *Pomona. Für Teutschlands Töchter*. Gegenüber einem männlichen Konkurrenzunternehmen setzte sie sich folgendermaßen ab: »*Das Magazin für Frauenzimmer* [Herausgeber war der Gymnasiallehrer David Christoph Seybold] ... zeigt meinen Leserinnen, was deutsche Männer uns nützlich und gefällig achten. Pomona wird ihnen sagen, was ich als Frau dafür halte.«

Entgegen ihren Erwartungen wurde es ein wirtschaftlicher Mißerfolg. Sie mußte das Erscheinen der Zeitschrift bereits im nächsten Jahr einstellen. Zwar trug die wachsende weibliche Leserschaft in der zweiten Jahrhunderthälfte erheblich zur Konsolidierung des literarischen Marktes bei, aber das Geschäft mit der Literatur, die Magazine, Almanache, Zeitschriften und Verlage blieben in Männerhand. Von den 37 Zeitschriften und Journalen, die sich zwischen 1767 und 1799 vor allem an ein weibliches Lesepublikum richteten, wurden nur vier, einschließlich Sophie La Roches *Pomona*, von Frauen redigiert (Lachmanski, Deutsche Frauenzeitschriften, 1900, S. 33 f). Eine der wenigen erfolgreichen Ausnahmen im Verlagsgeschäft war Friederike Helene Unger, die den Verlag ihres Mannes nach dessen Tod weiterleitete und auch selbst Frauenromane schrieb.

Schiller nahm in seine zahlreichen Journale und Almanache viele weibliche Beiträge, vor allem auch Gedichte auf. Er betrachtete die Autorinnen als seine Schülerinnen und berichtete Goethe über die Fortschritte *seiner Damen*. Am 30. Juni 1797 ließ er vernehmen: »Ich muß mich doch wirklich darüber wundern, wie unsere Weiber jetzt, auf bloß dilettantischem Wege, eine gewisse Schreibgeschicklichkeit sich zu verschaffen wissen, die der Kunst nahe kommt.« Diese sicher wohlmeinende Äußerung enthüllt zugleich die Problematik solcher Förderung. Letztlich ging es ihm um die Erziehung zu *seiner Kunstauffassung* und die Verbreitung seiner ästhetischen Ansichten auch mittels der Frauenliteratur. Entsprechend ›schillerten‹ seine Schützlinge. Zu ihnen gehörte u. a. Sophie Mereau, der es in den neunziger Jahren gelang, sich eine selbständige Schriftstellerinnenexistenz aufzubauen. Ihr Beispiel zeigt, daß schreibende Frauen noch immer die seltsamsten Vorwürfe hören mußten, aber auch die passenden Antworten fanden. Auf die Bemerkung Clemens Brentanos, es sei »für ein Weib sehr gefährlich zu dichten, noch gefährlicher, einen Musenalmanach herauszugeben«, schickte sie ihm die ironische Erwiderung:

»Gewiß ziemt es sich eigentlich gar nicht für unser Geschlecht, und nur die außerordentliche Großmut der Männer hat diesen Unfug so lange gelassen zusehen können [...]
Aber für die Zukunft werde ich wenigstens meine Zeit nicht mehr verschwenden, und wenn ich mich je genötigt sehen sollte, zu schreiben, nur gute moralische oder Kochbücher zu verfertigen suchen.« (20. 1. 1803)

Von den Schriftstellerinnen der zweiten Jahrhunderthälfte ist noch Sophie Albrecht hervorzuheben. Ihr lyrisches Werk ist insgesamt sehr uneinheitlich. Einflüsse der Empfindsamkeit mischen sich mit denen des Sturm-und-Drang (Rückgriff auf Bibelsprache, phantastische Bildersprache). In einigen Gedichten hat sie, wie wohl kaum eine Frau zuvor, ihre Gefühle ohne gesellschaftliche Rücksichtnahme ausgesprochen, ihr Unbehagen am Bestehenden und dabei auch zu einer eigenwilligen Rhythmik und Sprachgebung gefunden. Nicht unwichtig ist, daß sie auch ein Leben führte, das den bürgerlichen Normen nicht gehorchte. Sie war Schauspielerin und damit trotz der schwierigen Existenzbedingungen in diesem Beruf unabhängiger als die meisten Frauen.

> Der Mann ist nicht bloß der Mann seiner Frau,
> er ist auch ein Bürger des Staates;
> die Frau hingegen ist nichts,
> als die Frau ihres Mannes.
>
> Heinrich von Kleist,
> Brief an Wilhelmine Zenge (Mai 1800)

Vor dem Übergang ins neunzehnte Jahrhundert ist die Entwicklung der Frauenbildung und damit auch des Frauenbildes im achtzehnten Jahrhundert kurz zusammenzufassen. Der

Begriff des ›gelehrten Frauenzimmers‹ wurde zum Schimpf-wort wie später der des ›Blaustrumpfs‹. Man wünschte sich das Frauenzimmer nicht mehr *gelehrt*, sondern *gebildet*. Gellert, ein vielgelesener Damenautor, brachte das in seinem Brief an Demoiselle Lucius zum Ausdruck:

»Vor gelehrten Frauenzimmer erschrecke ich, weil ich fürchte, daß sie etwas anders sind, als sie *seyn sollen*; aber Frauenzimmer von ihrem Charakter, die über die weiblichen Pflichten, die sie erlernen, sich durch das Lesen guter Bücher den Verstand aufheitern und das Herz edler bilden, diese achte ich sehr hoch.« (4. April 1761)

Die Forderung, neben den geistigen Rechten nun auch die Rechte des Herzens zur Geltung zu bringen, hatte aber von Anfang an ambivalente Züge. So antiquiert die Vorstellung vom ›gelehrten Frauenzimmer‹ inzwischen war, man schickte sich nun an, das berühmte Kind mit dem Bade auszuschütten: die Ausbildung des Gefühls ging auf Kosten der Geistesbildung. Ansätze, mit dem Gleichheitspostulat Ernst zu machen, wurden wieder zurückgenommen. Dabei spielte das Werk Rousseaus, seine Bestimmung, wie die Frau sein sollte, eine entscheidende Rolle, vor allem sein konservatives Modell der Mädchenerzie-hung, wie es der *Emile* (1762) formuliert:

»Die Erziehung der Frauen sollte sich immer auf den Mann bezie-hen. Zu gefallen, für uns nützlich zu sein, uns zu lieben und unser Leben leicht und angenehm zu machen: das sind die Pflichten der Frau zu allen Zeiten, und das sollten sie in ihrer Kindheit gelehrt werden.«

Rousseaus Konzept findet sich in den zahlreichen Abhandlun-gen über die Mädchenerziehung wieder, die in der zweiten Hälfte des achtzehnten Jahrhunderts erschienen, wobei die spe-zifisch deutsche Variante vor allem in der Betonung der häusli-chen Pflichten lag.
Gegen Ende des Jahrhunderts hatte sich eine polaristische Ge-schlechterphilosophie entwickelt, die die ökonomische Tren-nung von Erwerbs- und Familiensphäre in der bürgerlichen Ge-sellschaft ideologisch absicherte. In der säuberlichen Trennung von *weiblicher* und *männlicher* Sphäre war das Recht der Frau auf Selbstbestimmung untergegangen und aus der ›Not‹ der so-zialen Realität die besondere ›Tugend‹ der Frau gemacht. Fast alle führenden Männer des deutschen Geisteslebens haben in der zweiten Jahrhunderthälfte zu dieser Entwicklung beige-

tragen. Goethe schrieb in einem Xenion über die wachsende Spezialliteratur für Frauen und Kinder:

»Immer für Frauen und Kinder! Ich dächte, man schriebe für Männer.
Und überließe dem Mann Sorge für Frau und für Kind.« (Nr. 357)

Dieser Auffassung Goethes entsprechen viele seiner Frauengestalten. Sie verkünden das Ideal der in ihren Grenzen bleibenden, stillwirkenden Weiblichkeit. Wie die Prinzessin im *Torquato Tasso* (I, 1) besitzen sie neben Jugend und Schönheit gerade so viel Geist, um kluge Männer zu verstehen. Schiller dachte ebenso. In seinem *Lied von der Glocke*, den Gedichten *Würde der Frauen* und *Macht des Weibes* fand er für Rolle und Platz der Frau die passenden Worte: Der Mann »*stürzet* sich *wagend* ins Leben« – »und drinnen waltet die *züchtige* Hausfrau«; »Männer richten nach Gründen, des Weibes Urteil ist seine Liebe«. Eine Überschreitung der *weiblichen* Sphäre, die Schiller immerhin in seiner *Jungfrau von Orleans* beschrieb, mußte die Frau mit dem Verzicht auf die Rechte des Herzens bezahlen. Der Philosoph Fichte wußte der ›weiblichen Liebe‹ in seiner *Deduction der Ehe* eine besonders aparte Nuance zu geben:

»Liebe ist also die Gestalt, unter welcher der Geschlechtstrieb im Weibe sich zeigt. Liebe aber ist es, wenn man um des Andern willen, nicht zufolge eines Begriffes, sondern zufolge eines Naturtriebs sich aufopfert.« (Sämtl. Werke, 1845, Bd. III, S. 3107)

Solchen Definitionen der Weiblichkeit und ihrer Bestimmung setzte am Ende des Jahrhunderts der Spätaufklärer Hippel seine Vorschläge zur *Bürgerlichen Verbesserung der Weiber* (1792) entgegen. Ausgangspunkt seines Programms war die Überlegung, daß die Französische Revolution auf halbem Wege stehen geblieben sei und die Menschenrechte sich im wesentlichen als Mannesrechte durchgesetzt hätten. Er forderte die Beseitigung der politischen und vor allem erzieherischen Benachteiligung der Frau: »Die Scheidewand höre auf! Man erziehe Bürger für den Staat, ohne Rücksicht auf den Geschlechtsunterschied, und überlasse das, was Weiber als Mütter, als Hausfrauen wissen müssen, dem besonderen Unterricht!«

Daß in Europa Männer und Weiber zwei verschiedene Nationen sind, ist hart. Die einen sittlich, die andern nicht; das geht nimmermehr! – ohne Verstellung. Und das war die Chevalerie. Diese wenigen Worte sind sehr wahr, enthalten viel Unglück und viel Schlechtes. Es schreibt einmal einer solch Buch.

Rahel Varnhagen, Buch des Andenkens (1833), S. 312

In Frankreich hatten die Frauen während der Revolution für ihre Rechte gekämpft. Olympe de Gouges veröffentlichte *Die Deklaration der Rechte der Frau und Bürgerin* (1792), und Mary Wollstonecraft verkündigte in England ihre *Verteidigung der Rechte der Frau* (1792). In Deutschland fehlten vorerst solche Initiativen von weiblicher Seite, aber immerhin trat um die Jahrhundertwende eine Generation ungewöhnlicher Frauen auf. Indem die Romantik die bürgerliche Gesellschaft in Frage stellte, unterminierte sie auch das bürgerliche Frauenbild. Caroline Schlegel-Schelling, Dorothea Schlegel-Veit, Rahel Varnhagen und Bettina von Arnim setzten mit ihrem eigenwilligen Denk- und Lebensstil neue Maßstäbe für weibliche Selbständigkeit und Unabhängigkeit, wenn sie sie auch letztlich nicht alle durchhalten konnten, wie zum Beispiel Dorothea Schlegel-Veit. Nicht von ungefähr mangelte es auch Friedrich Schlegels *Lucinde* (1799), die das neue Ideal beschwor, am konkreten gesellschaftlichen Hintergrund.

Die Romantisierung der Welt, das bedeutete die Verwandlung des ganzen Welt- und Lebensgefühls und die Vermischung sämtlicher Kunstformen und Wissenschaften. Die *Romantikerinnen* haben diesem Konzept entsprechend kein geschlossenes literarisches Werk geschaffen (eine Ausnahme machte später im Vormärz Bettina von Arnim mit ihrem politischen und sozialen Engagement). Ihr Wirkungsraum war der literarische Salon, ihre originelle Produktivität entfaltete sich in ihren Gesprächen, ihren Briefen und geistreichen Aphorismen.

Mit der romantischen Bewegung verbunden sind zwei Dichterinnen, die um die Wende zum neunzehnten Jahrhundert hervortraten. Louise Brachmann und das Stiftfräulein Karoline von Günderode, die zärtlich geliebte Freundin Bettina von Arnims. Beide nahmen sich selbst das Leben; ein unglückliches Liebeserlebnis war für beide wohl nur der äußere Anlaß. Die österreichische Schriftstellerin Karoline Pichler schrieb in einem Nachruf auf Louise Brachmann: »Aus allen Dichtungen sprach ein Ton stiller Wehmut und jene Geistesstimmung, welche in der wirklichen Welt und dem alltäglichen Leben nicht allein keine Befriedigung, sondern steten Stoff zum Klagen findet.« Louise Brachmann und auch Karoline von Günderode waren zutiefst romantisch in ihrem Ungenügen am Bestehenden. Beide suchten unter anderem Halt und Orientierung im Mythos. Die Günderode beschwor in ihren Gedichten und Phantasien neben den Mythen vergangener Kulturen das archaische Griechenland; Louise Brachmann schrieb über ihre Seelenfreundin *Antigone,* die mit ihrer Tat der Liebe (Begräbnis des Bruders) gegen das *männliche Gesetz* (Kreon) verstieß und zugrunde ging. Verbindungen zu den frühromantischen Bemühungen um eine neue, qualitativ andere Kultur werden von hier aus deutlich. Der Rückgriff auf den Mythos, auf das archaische Griechenland hat zur frühromantischen Aktualisierung des Androgynen-Gedankens beigetragen, ein Konzept, das die geschlechtliche Polarisierung zugunsten eines übergeordneten Allgemein-Menschlichen aufhob und eine Kritik der ausschließlich am männlichen Prinzip orientierten Gesellschaft bedeutete.

Ob es wohl erlaubt ist, an die lyrischen Gedichte einer Frau Ansprüche zu machen? Ich wage nicht, hierauf mit Ja zu antworten. Höchstens darf man verlangen, daß die Gedichte, die sie im Inhaltsverzeichnis verspricht, wirklich im Buch stehen.

Friedrich Hebbel, Kritische Arbeiten (1839), in: Werke, 1. Abt. X, S. 383

Das neunzehnte Jahrhundert brachte eine ständig wachsende Zahl von Schriftstellerinnen. Viele Frauen versuchten, sich eine Existenz als Schriftstellerin aufzubauen, um ökonomisch unabhängig und damit selbständig zu werden. »Die Frauen sind eine Macht in unserer Literatur geworden; gleich den Juden begegnet man ihnen auf Schritt und Tritt«, so notierte der Junghegelianer Robert Prutz 1859 in seiner *Deutschen Literatur der Gegenwart.* Prutz sah den Eifer, mit dem sich Frauen (wie auch Juden) das Gebiet der Literatur erobert hatten, sozialpsychologisch motiviert: da sie noch nicht zu ihren vollen Menschenrechten gelangt seien, bedeutet literarische Betätigung für sie die Möglichkeit, »für ihre verkannten Rechte zu kämpfen«, zum anderen »Trost und Entschädigung zu finden für die Leiden und Ungerechtigkeiten des Lebens« (II, S. 252).

Prutz nannte hier die beiden Möglichkeiten, sich gegen eine ungenügende Realität zu behaupten: die Tendenzdichtung, welche die gesellschaftliche Benachteiligung und Unterdrückung durchschaubar machte, ein Ziel, das die Frauen in der Aufklärung und erneut im Vormärz verfolgten; eine andere Möglichkeit war der Weg in den Mythos, wie bei der Günderode, oder der Weg in die Religion und Natur, wie im siebzehnten Jahrhundert etwa bei der Greiffenberg. Diesen Weg ging erneut Annette von Droste-Hülshoff, die zu den Großen in der Literatur des neunzehnten Jahrhunderts zählt. Sie sah dabei *in* die Natur hinein wie niemand zuvor. Ihren »Scheit« stieß sie »drei Spannen in den Sand«, und dann stieg sie hinab:

> »Vor mir, um mich der graue Mergel nur;
> Was drüber, sah ich nicht! doch die Natur
> Schien mir verödet, und ein Bild erstand
> Von einer Erde, mürbe, ausgebrannt;
> Ich selber schien ein Funken mir, der doch
> Erzittert in der toten Asche noch,
> Ein Findling im zerfallnen Weltenbau.
> Die Wolke teilte sich, der Wind ward lau;
> Mein Haupt nicht wagt ich aus der Hohl zu strecken,
> Um nicht zu schauen der Verödung Schrecken,
> Wie Neues quoll und Altes sich zersetzte –
> War ich der erste Mensch oder der letzte?«

(Die Mergelgrube)

Die »still versponnene Klausnerin [...] schwarzes Seidenkleid, schmales altjüngferliches, von Ringellöckchen eingerahmtes Gesicht« (Pfeiffer-Belli, 1954, S. 520), so erschien sie in zahlreichen Literaturgeschichten des neunzehnten und zwanzigsten Jahrhunderts. Annette von Droste-Hülshoff war ein zartes, wohl frühzeitig etwas kränkelndes Kind, aber erfüllt von starkem Selbstbewußtsein, trotzig und zuweilen aggressiv. Sie hatte eine äußerst erregbare Subjektivität und Phantasie, ein zutiefst romantisches Ungenügen an der ihr vorbestimmten Rolle im gesellschaftlichen Kreis ihres Standes. Innerer Widerstand – aber doch kein äußerer Bruch mit den Konventionen? Die Droste fügte sich nicht restlos. Aus der unglücklichen Verwirrung, die eine Doppelfreundschaft in ihrer Jugend hervorrief, erwuchs ihr die Gewißheit, daß sie einen ihren Ansprüchen genügenden Partner in ihren Kreisen nicht finden konnte. Sie war – und darin beruht ihr Widerstand – nicht bereit, sich und ihre Ansprüche zu opfern. In einem zwischen 1820 und 1825 entstandenen Roman-Fragment, das autobiographische Züge trägt, heißt es: »Doch mein ruheloses, törichtes Gemüt hat so viele scharfe Spitzen und dunkle Winkel, das müßte eine wunderlich gestaltete Seele sein, die da so ganz hineinpaßte.« Und später: »Mein Gott, wenn ich des Menschen Frau werden müßte, ich könnte unmöglich lange leben. [...] Nein, sterben würde ich wohl vielleicht nicht, aber verkrüppeln an jeder Kraft des Geistes, alle Gedanken verlieren, die mir lieb sind; halbwahnsinnig, eigentlich stumpfsinnig würde ich werden.« (Ledwina, in: Werke, ⁶1970, S. 838 f und 877)

Der Verzicht auf die Konvenienzehe, ein ›normales‹ Frauenleben mithin, bedeutete die Existenz als jederzeit verfügbare Familientante, wie ihr Gedicht *Auch ein Beruf* schildert, aber es bedeutete auch die Behauptung ihrer individuellen Persönlichkeit. Sie gewann zumindest einen kleinen Freiraum, ihren Neigungen nachzugehen, soweit das ihr Stand zuließ. Sie zog sich nicht entsagungsvoll aus der Welt zurück, wie dies so oft in Frauenbiographien nachzulesen ist. Annette von Droste-Hülshoff liebte die Einsamkeit, aber nur ›zu Zeiten‹, wie es ihre berühmte Kollegin aus dem 17. Jahrhundert, Catharina von Greiffenberg, in einem Gedicht beschreibt. Sie reiste, hatte auch zahlreiche Freundschaften mit Frauen, die nicht zum gesellschaftlichen Kreis ihres Standes gehörten und die ihr sehr viel bedeuteten, so zum Beispiel mit der lebenslustigen und kunstverständigen Sibylle Mertens-Schaaffhauser, der Tochter eines Kölner Bankiers, oder mit der damals bekannten Schriftstellerin Adele Schopenhauer, Tochter der berühmten Johanna Schopenhauer und Schwester des Philosophen, eine ungemein geistvolle Frau.

Die Jahre um 1840 waren geprägt durch ihre Freundschaft und Liebe zu dem siebzehn Jahre jüngeren Levin Schücking, ein Scandalon, das sorgfältig vertuscht wurde. Schücking, der ihr literarisches Talent erkannte, sie zum Arbeiten drängte, konnte sie literarisch beraten. Für die Droste war das sehr wichtig, denn bisher hatte sie sich um Fragen des literarischen Marktes nicht gekümmert, nie für ein öffentliches Publikum geschrieben; in ihren Kreisen schrieb man nicht für Geld. Sie hatte noch das gleiche Bewußtsein, das aus Vorworten und Einleitungen von Dichterinnen aus dem siebzehnten und frühen achtzehnten Jahrhundert spricht: daß man nie an eine Veröffentlichung gedacht, nur auf guter Freunde Zuraten, den Druck erwogen habe etc. Diese ihre Unbekümmertheit hatte auch viel zum Mißerfolg ihrer ersten Gedichtausgabe von 1838 beigetragen, die in der literarischen Öffentlichkeit unbeachtet blieb. Ein großer Erfolg war dagegen die Ausgabe von 1844; die Gedichte, zum großen

Teil während ihres gemeinsamen Aufenthalts mit Schücking auf der Meersburg entstanden, waren sorgfältig ausgewählt und zusammengestellt und die Sammlung durch Vorabdrucke im *Stuttgarter Morgenblatt* vorbereitet. Das literarische Verhältnis Schücking–Droste war aber nicht einseitig. Die Droste war maßgeblich an den literarischen Anfängen Schückings beteiligt, wie er selbst in seinen Lebenserinnerungen vermerkte.

Annette von Droste-Hülshoff trug Umbruch und Zerrissenheit ihrer Zeit in sich selbst aus. Sie hatte Furcht vor sich selbst, aber auch den Mut, sich dem Unterbewußten – Doppelgänger und Dämon – zu stellen. Bis ins zwanzigste Jahrhundert hinein erscheint das Unterbewußte, Verdrängte als Dämon in vielen Gedichten von Frauen, so in delle Grazies *Teufelsträumen* oder in Thekla Lingens Gedicht *Ohnmacht:* »Du Ungeheuer,/Zehrend Feuer du!/Was streckst du lechszend deine Zunge aus?« (Am Scheideweg, S. 43) Der Dämon vereinigte alles, was eine Frau, solange sie eine Dame war, sich nicht einzugestehen wagte: erotisches Verlangen, Sinnlichkeit und Leidenschaft.

In den Gedichten und Balladen der Droste begegnen noch romantische Züge, dennoch ist ihr Werk unverwechselbar und einzigartig: ihre ins Detail gehende Naturbeobachtung, ihre von magischer Intensität beherrschte Sprache, die starke, eigenwillige Rhythmik ihrer Lyrik. Parallelen gibt es zu einer zwanzig Jahre jüngeren englischen Dichterin, mit der sie das Todesjahr gemeinsam hat: Emily Brontë. Die Droste war ihren Zeitgenossen so weit voraus, daß man sie noch bis zum Ende des neunzehnten Jahrhunderts als Heimatdichterin betrachtete. Fontane nannte ihre Gedichte »ohne vollendeten Ausdruck, ja oft geradezu formlos, schwerfällig, bummelig« (zit. n. Heselhaus, A. v. Droste-Hülshoff, 1971, S. 335).

Gegenüber den gewaltigen politischen und sozialen Umwälzungen der dreißiger und vierziger Jahre nahm die Droste eine Abwehrhaltung ein. Kritik gegenüber ihrem Stand, der Gesellschaft übte sie nur privat, nicht öffentlich. Das war ein nachhaltiger Einfluß ihrer Erziehung: Politik war für adlige Mädchen ein Tabu-Thema. In ihrem Gedicht *An die Schriftstellerinnen in Deutschland und Frankreich* warnte sie vor Tendenzdichtung: »Einsam steigt der Aar aus Alpengründen«; eine Absage an die ›George Sands‹, aber auch an die Biedermeierinnen.

Dem Reich der Freiheit werb' ich Bürgerinnen.

Louise Otto, Frauenzeitung 1849, Nr. 1

Ausgelöst durch die Pariser Julirevolution von 1830 wehte in den dreißiger und vierziger Jahren durch Deutschland eine frische liberalistische Brise. Nach den Befreiungskriegen 1813–14 war die Reaktion angetreten; nun forderte man erneut politische, religiöse und moralische Freiheit. Damit kam auch die Frage der Frauenemanzipation wieder auf den Tisch. In Anknüpfung an die frühromantische Initiative und den Saint Simonismus verkündete das *Junge Deutschland* sein neues Frauenideal. Die Heldinnen waren George Sand in Frankreich, Rahel Varnhagen und Bettina von Arnim in Deutschland. Doch, so stark und frei man sich die Frau auch wünschte, das Frauenbild der *Jungdeutschen* war zwiespältig. Beim Plädoyer für die ›Emanzipation des Fleisches‹ überging man geflissentlich die ungleiche soziale und rechtliche Lage der Frau. Zu den Heldinnen gehörte übrigens auch Charlotte Stieglitz. Sie hatte Selbstmord begangen, um durch die seelische Erschütterung das Genie ihres Mannes freizulegen. Theodor Mundt setzte ihr »Ein Denkmal« (1835).

Unter den literarisch hervortretenden Frauen in dieser Zeit gab es einige, die zwar gegenüber den emanzipatorischen Bestrebungen distanziert blieben, aber dennoch das traditionelle Rollenbild der Frau aufbrachen, und zwar durch politisches und soziales Engagement, was immer noch als Männersache galt. Dazu gehören die beiden Dichterinnen Louise von Plönnies und Kathinka Zitz-Halein. Louise von Plönnies veröffentlichte 1844 ihren ersten Lyrikband. Es war die erste Gedichtsammlung, in der sich eine Frau fast allen aktuellen Problemen ihrer Zeit stellte, den politischen und sozialen Ereignissen, der Frage des technischen Fortschritts, zu dem sie sich in ihrem Eisenbahngedicht positiv äußerte (1835 erste Eisenbahnfahrt), wie auch später Louise Otto in ihrem Gedicht *Einst und Jetzt*.

Louise von Plönnies fand bei ihren Zeitgenossen außerordentliche Beachtung, war aber bereits Ende des Jahrhunderts vergessen. Literaturgeschichten erwähnen nicht mehr ihren Namen. Sie hatte als Übersetzerin begonnen. Ihre ebenfalls 1844 veröffentlichte Sammlung französischer, englischer, amerikanischer, niederländischer und flämischer Lyrik berücksichtigt auch zahlreiche Dichterinnen. Der englischen Dichterin Laetitia E. Landon, die Selbstmord beging, widmete sie später einen Sonettenkranz, in dem sie neben Sappho auch die deutschen Dichterinnen Brachmann, Günderode und Droste erwähnt.

Als Kritikerin politischer, sozialer und kirchlicher Zustände trat in den vierziger und fünfziger Jahren Kathinka Zitz-Halein hervor. In einem Frauen gewidmeten Gedichtzyklus erinnerte sie unter anderem an französische und polnische Freiheitskämpferinnen.

Das Bedeutsame der Vormärz-Epoche: Frauen entwickelten nicht nur ein politisches und soziales Bewußtsein, sie handelten auch, beteiligten sich aktiv am Freiheitskampf wie Emma Herwegh, Mathilda Franziska Anneke oder Marie Kurz. Sie begannen, die Sache der Frau selbst in die Hand zu nehmen, mit zäher Energie, bis es im zweiten Drittel des Jahrhunderts zum Durchbruch der Frauenbewegung kam. Entscheidenden Anteil hatte daran zum Beispiel Louise Otto. Sie trat zuerst mit mutigen Aufklärungsschriften über das soziale Elend der Arbeiterinnen hervor, die sie noch mit Männernamen unterschreiben mußte. Sie schrieb politische und emanzipatorische Gedichte und gab eine Frauenzeitschrift heraus. Eine politische Wochenschrift redigierte Louise Aston; sie erschien während der Revolutionsunruhen in Berlin vom 1. November bis Dezember 1848. Sie veröffentlichte darin ihre politischen Gedichte und Beiträge mit vollem Namen. In ihren emanzipatorischen Gedichten, 1846 unter dem Titel *Wilde Rosen* veröffentlicht, schilderte sie ihr Leben und ihre Befreiung aus einer erzwungenen Ehe.

Der Schwerpunkt der literarischen Produktion lag nicht auf dem Gebiet der Lyrik, sondern auf dem des Romans. Es erschienen zahlreiche wichtige Emanzipationsromane, die die gesellschaftliche Rollenteilung in Frage stellten. In ihrem Zentrum stand immer wieder das Problem der Konvenienzehe, das die Rechtlosigkeit der bürgerlichen Frau in der Gesellschaft entlarvte. Frauen waren nach dem geltenden Recht nicht nur politisch unmündig, sondern auch hinsichtlich ihres Eigentums und des Eigentums ihrer Person. Sie gingen von der Vormundschaft des Vaters in die Vormundschaft des Mannes über oder eines sonstigen männlichen Verwandten. Sie konnten keine Rechtsgeschäfte tätigen, kein Eigentum erwerben und über kein Eigentum verfügen. Sie waren damit formal handlungsunfähig wie Kinder oder Leibeigene; eine Existenz außerhalb »des Hauses« stellte sie vor schier unüberwindliche Schwierigkeiten. Nach der politischen Zäsur von 1849 wurden die progressiven Ansätze, wie sie sich in den Emanzipationsromanen des Vormärz zeigten, wieder zugunsten des konventionellen Frauenromans zurückgenommen, der die *weibliche Sphäre* erneut verklärte.

Wie Prutz 1859 feststellte, war die Zahl der literarischen Frauen in der ersten Jahrhunderthälfte enorm gestiegen, aber »die

Macht in der Literatur« hatten sie sicher nicht. Die erneut einsetzende Reaktion machte wichtige Ansätze rückgängig: indem Frauen zum Beispiel verboten wurde, als Redakteure zu arbeiten, hatten in allen literarischen Zeitschriften und Journalen allein Männer das Sagen. In Literaturwissenschaft und Literaturkritik entwickelte sich eine auf dem geschlechtsspezifischen Rollenbild basierende Kritik. Ein breitgefächertes Spektrum typisch weiblicher und typisch männlicher Eigenschaften wurde aufgefahren, das sich bis in Literaturgeschichten der Gegenwart hinüberrettete. So schrieb Ernst Alker über Annette von Droste-Hülshoff: »Seltsame Laune der Natur vermischte in ihr Weibliches mit Männlichem [...] kreuzte ihr heißes frauliches Empfinden und ihre aufgeschlossene Mütterlichkeit mit männlichem Tatwillen und soldatischer Fernsucht« (Deutsche Literatur im 19. Jahrhundert, [2]1961, S. 385).

Die auf der Grundlage einer hypostasierten weiblichen *Natur* und *Bestimmung* gebildeten Kriterien dienten der Sicherung bestehender Herrschaftsstrukturen. Schriftstellerinnen wurden wie die Schafe in *Rechte* und *Schlechte* aufgeteilt: in solche, die in den von Natur und Sitte gezogenen Grenzen blieben, und in die sogenannten emanzipierten, von der Natur abgefallenen Weiber. Dabei blieb diese Einteilung, was den literarischen Wert betraf, häufig unerheblich, da man Frauen ohnehin in die Schublade ›für bescheidene Ansprüche‹ steckte.

> Alle Probleme der heutigen Frau als Künstlerin und Arbeiterin sind gesellschaftliche Probleme, darum fordern sie allein gesellschaftliche Lösungen – alles andre von ›Natur‹ und ›Bestimmung‹ usw. ist Wortgeschwätz. Was wissen wir davon? Was wissen wir von unserer Bestimmung oder den Absichten der Natur?... Wir wissen nur von gesellschaftlichen Bestimmungen und Irrungen; von gesellschaftlichem Werden und Sein; ihm wurde das, was man von Natur begriff, neben- und untergeordnet.
>
> Lu Märten, Die Künstlerin (1919), S. 106

Der sich im neunzehnten Jahrhundert rasch entfaltende Industriekapitalismus hatte inzwischen in Deutschland die Zahl der erwerbstätigen Frauen sprunghaft ansteigen lassen. Mit ihrem Eintreten in die Berufssphäre mußte aber die Ideologie, die Frauen auf ihre Rolle als Hüterinnen des Heimes festlegte, ins

Wanken geraten. Frauen, die auf dem Arbeitsmarkt die recht-
losesten und am schlechtesten bezahlten Kräfte waren, mußten
für ihre Rechte eintreten und kämpfen. Auf diese Weise aktuali-
sierte die soziale Frage die Frauenfrage und wurde zur Frauenbewegung. Einen wichtigen Beitrag dazu leistete, wie bereits
erwähnt, Louise Otto. Sie gehörte zu den Gründerinnen des
ersten deutschen Frauenvereins 1865. Forderungen des bürgerlichen Flügels waren vor allem Recht auf Schul- und Berufsaus-
bildung, um die ökonomische Unabhängigkeit der Frau zu si-
chern. Auf dem sich abzweigenden proletarischen Flügel wurde
neben Verbesserung der weiblichen Arbeitsbedingungen die
völlige Gleichberechtigung vor dem Gesetz gefordert; diese gehörte seit 1890 zum sozialdemokratischen Programm, was die
proletarische Arbeiterinnenbewegung mit der sozialdemokratischen Partei verband. Es erschienen die wichtigen theoretischen
Arbeiten von Bebel *(Die Frau und der Sozialismus)*, von Engels
*(Der Ursprung der Familie, des Privateigentums und des Staa-
tes)* und Clara Zetkin *(Die Arbeiterinnen- und Frauenfrage der
Gegenwart)*.
Am Ende des neunzehnten Jahrhunderts waren endlich alle
Schichten von Frauen, die oberen, mittleren und unteren, in den
Emanzipationsprozeß einbezogen. In diesem Zusammenhang
ist von Bedeutung, daß neben bürgerlichen Frauen nun auch
Frauen aus der Arbeiterschicht zu schreiben begannen, wenn
auch ganz vereinzelt und weniger mit literarischen Ambitionen
als mit agitatorisch-didaktischen Absichten. Es waren vor allem
Lebensbeschreibungen und -erinnerungen. Eine Ausnahme auf
dem Gebiet der Lyrik war Emma Döltz. In ihren schlichten Ver-
sen gab sie immer wieder der Hoffnung auf ein besseres Dasein
Ausdruck.
Um die Jahrhundertwende trat eine Dichterin auf, die sowohl ins
neunzehnte als auch ins zwanzigste Jahrhundert gehört, Isolde
Kurz (1853–1944). Sie hat ein schmales, aber bedeutendes lyri-
sches Werk hinterlassen, das heute selbst in grundlegenden
Anthologien nicht berücksichtigt ist. Manches in ihrem Leben
und Werk erinnert an Annette von Droste-Hülshoff, wie zum
Beispiel die Vorliebe für Darstellungen des Unterbewußten, der
Wachträume und Halluzinationen, die sie vor allem in die süd-
liche Landschaft, ihren Lebensraum, projizierte: *Die Geister
der Windstille* oder *Mittagsspuk* heißen zwei Gedichte. Was
Herkunft und Elternhaus betraf, so gab es zwischen beiden
Dichterinnen allerdings große Gegensätze. Die Eltern von
Isolde Kurz hatten sich während der 1848-Revolution für die
demokratische Seite eingesetzt, und sie wuchs in fast unbe-

grenzter Freiheit auf. Isolde Kurz war ein wildes, selbstbewußtes Mädchen, litt aber sehr unter der spießbürgerlichen Umwelt in Tübingen, der Stadt ihrer Kindheit. Ihre so ganz ungewöhnliche Erziehung durch die Mutter, ihr freies Benehmen, ihre seltsame Kleidung (die Mutter verachtete jegliche Mode) verwickelte sie in einen ständigen Kleinkrieg mit den Bürgern der Stadt, den anderen Kindern, die mit Steinen nach ihr warfen. Sie haßte die Konventionen und fühlte sich besonders als Mädchen benachteiligt: »Zu verschlafen Erdenleid/ist zu kurz die Ewigkeit«, läßt sie im Gedicht *Am jüngsten Tag* die Tochter zur Mutter sagen, während Vater und Bruder schon längst aufgestanden sind.

Als Spielkameraden hatte sie ihre drei Brüder; dennoch fühlte sie sich isoliert. Als Ersatz schuf sie sich ein *Traumland* und einen *Traumgenoß*, mit dem sie reden konnte. *Immer zu zweien*, heißt ein Gedicht, in dem sie ihre Jugendjahre in Tübingen und die Jahre in Italien schildert. Immer wieder spricht sie in ihren Gedichten von diesem Zwillingsbruder, der ihr ebenbürtig, aber getrennt von ihr ist oder sie zu spät findet. Sie fühlte sich als Zu-früh-Gekommene. Sie stellte neue Ansprüche: »Nein, nicht vor mir im Staube knien!« heißt es in einem Gedicht, in dem sie die hinter solcher Ritterlichkeit lauernde Verachtung und Grausamkeit gegenüber der Frau entlarvt. Bei ihr findet sich bereits die Einsicht, daß die Emanzipation der Frau auch die Lösung des Mannes von seiner traditionellen Rolle verlangt.

Isolde Kurz war von ihrer Mutter erzogen worden, da in ihrer Jugendzeit Mädchen der Besuch der höheren Schule noch nicht erlaubt war. Im zweiten Drittel des neunzehnten Jahrhunderts hatte sich das geändert. Es gab höhere Mädchenschulen, und um die Wende zum zwanzigsten Jahrhundert erfolgte die Zulassung der Frauen zum Hochschulstudium. Bereits in den neunziger Jahren des neunzehnten Jahrhunderts hatten in Zürich die ersten deutschen Frauen promoviert, darunter Ricarda Huch, die später als freie Schriftstellerin arbeitete. Frauen begannen auch allmählich Berufe zu ergreifen, die bisher nur Männern vorbehalten waren (unterstützt auch durch die Kriegsereignisse). Sie engagierten sich zunehmend im öffentlichen und politischen Leben; 1919 setzten sie ihr aktives und passives Wahlrecht durch.

Im Verlauf dieser Entwicklung hatten Frauen stärker als je zuvor ihre Rolle in der Gesellschaft reflektiert; sie entdeckten ihre eigene Geschichte, auch in der Literatur. Neben wichtigen Sammelwerken der Literaturhistoriker, wie Adalbert von Hanstein oder Heinrich Groß, erschien 1898 von Sophie Pataky das Lexikon *Frauen der Feder*, das die schriftstellerischen Bemühungen der Frau seit 1840 katalogisierte. Frieda von Bülow erinnerte in der Zeitschrift *Die Zukunft* an die fundamentale Benachteiligung der schreibenden Frau in der Literaturkritik:

»Goethe sagt einmal: ›Der Alte verliert eins der größten Menschenrechte: er wird nicht mehr von Seinesgleichen beurtheilt.‹ Dieses große Menschenrecht hat die dichtende Frau, so weit es sich um eine öffentliche Kritik handelt, noch nie besessen.« (Jg. 7, 1898/99, Bd. 26, S. 26)

Auch hier traten nun Veränderungen ein. Bereits 1889 hatte zum Beispiel Henriette Bissing eine Untersuchung über Amalie von Imhoff-Helvig, eine Dichterin des achtzehnten Jahrhunderts, vorgelegt. Gabriele Reuter, die 1895 mit ihrem Roman *Aus guter Familie,* einer Darstellung der bürgerlichen Rechtlosigkeit der Frau, reüssierte, schrieb beachtenswerte Monographien über Marie von Ebner-Eschenbach (1904) und Annette von Droste-Hülshoff (1905).

1914 entstand eine kleine Schrift über die Probleme der *Künstlerin*, die wegen des Ersten Weltkriegs erst 1919 erscheinen konnte. Sie enthält eine Fülle scharfer Beobachtungen über die Benachteiligung der Künstlerin, und zwar in der Ausbildung (kein offener Zugang zu allen Schulen und Akademien), in den geschlechtsspezifischen Rollenerwartungen (Familie und Mutterschaft, Doppelbelastung) und in der Disqualifizierung von Künstlerinnen als zweitklassig (von Natur minderwertig). Alle Probleme werden rigoros in den gesellschaftlichen Kontext gerückt und ihre gesellschaftliche Lösung gefordert: »alles andre von ›Natur‹ und ›Bestimmung‹ usw. ist Wortgeschwätz« (S. 106). Die Verfasserin der Schrift war Lu Märten, die aus der Frauenbewegung kam und sich dann der sozialistischen Bewegung anschloß. Ihre kleine provokative Schrift blieb völlig unbeachtet und ist heute wiederzuentdecken als deutscher Beitrag neben dem berühmten Essay von Virginia Woolf *A Room Of One's Own* (1928).

Um die gleiche Zeit feierte der sich parallel zur Emanzipationsbewegung durch die Jahrhunderte ziehende Antifeminismus seine zweifelhaften Triumphe, in brutaler Offenheit bei Möbius, der Frauen des physiologischen Schwachsinns bezichtigte (1901) und sich damit das eigene Urteil sprach, versteckter bei Weininger, der in seiner Untersuchung *Geschlecht und Charakter* (1903) von einer Mischung des männlichen und weiblichen Prinzips im Menschen ausging, aber für *weiblich* letzten Endes nur Eigenschaften wie *alogisch* und *amoralisch* übrigließ. Als traumatische Angstreaktion auf die gleiche Rechte fordernde Frau und als soziales Alarmsignal häuften sich in den Werken der Literatur Frauen in den traditionellen Rollen der Verführerinnen und Verderberinnen: Lulu war erstanden, die Frau als *bewußtloses* Geschlechtswesen.

Reiß dir die Maske vom Gesicht!

Thekla Lingen, Am Scheideweg (1898)

Bei den Dichterinnen, die um die Jahrhundertwende in großer Zahl auftraten, vermischen sich Einflüsse der Frauenbewegung, des Naturalismus und Gegennaturalismus. Veränderungen der Gesellschaft und Veränderungen weiblichen Selbstverständnisses sind in ihren Gedichten ablesbar. Die Auseinandersetzung mit den traditionellen Rollenfixierungen von Mann und Frau, mit bürgerlichen Bindungen und moralischen Gesetzen wird in einer bisher nicht gekannten Offenheit thematisiert; auf der Suche nach neuen Perspektiven und Orientierungen gelangen sie – zunächst ansatzweise – zu neuen Ausdrucksformen. Themen aus den spezifisch weiblichen Erfahrungsbereichen wie Geburt und Mutterschaft treten häufig auf ebenso wie das Gefühl weiblicher Solidarität *(Schwester, komm mit)* und das Thema der Frauenliebe, das bereits Marie von Najmájer behandelt hatte.
Erst vor dem Hintergrund der gesamten lyrischen Produktion dieser Zeit wird eine Erscheinung wie Else Lasker-Schüler nicht nur verständlich, sondern auch in ihrer Größe deutlich:

»Masterpieces are not single and solitary births; they are the outcome of many years of thinking in common, of thinking by the body of the people, so that the experience of the mass is behind the single voice.«

Das schrieb Virginia Woolf in ihrem Essay *A Room of One's Own,* in dem sie die Lage der weiblichen Autoren untersuchte. Sie machte deutlich, daß die verbesserten sozialen und Bildungsmöglichkeiten der Frauen nicht nur die Zahl der schreibenden Frauen, sondern auch die der genuinen Dichterinnen erhöhte.
Else Lasker-Schüler brachte das sinnliche Verlangen der Frau in einer ihr eigentümlichen Vorstellungswelt und Sprache zur Geltung und zugleich mit eigenem Lebensanspruch. Daneben gab es allerdings auch Gedichtsammlungen, in denen Frauen ein

Frauenlyrik unserer Zeit

Herausgegeben
von

Julia Virginia

Mit 8 Bildnissen

Zweite Auflage

Verlegt bei Schuster & Loeffler
Berlin und Leipzig
1907

Bild weiblicher Erotik entwarfen, das männlichen Projektionen entsprach. Hier wurden geschlechtsspezifische Wünsche und Erwartungen männlicher Leserkreise ausgenutzt und mit kühlem Blick auf die Marktlage produziert. In diesen Rahmen gehört zum Beispiel Marie Madeleine, deren Werke mehrfach aufgelegt wurden und sich bereits 1977 wieder eines Nachdrucks erfreuten.

Was den Umfang der weiblichen Lyrik um die Jahrhundertwende betrifft, so ist er beachtlich. Es erschienen zahlreiche Frauenlyrik-Anthologien, darunter 1907 zum ersten Mal eine Sammlung, die von einer Frau ausgewählt worden war (Julia Virginia). Mit Ausnahme des Werkes von Else Lasker-Schüler ist diese Lyrik-Produktion bisher kaum zur Kenntnis genommen worden. Zwar muß ein Teil als heute nicht mehr lesenswert eingestuft werden; dennoch wäre insgesamt eine erneute Auseinandersetzung damit notwendig, vor allem, da sich im Zusammenhang mit der neuen Frauenbewegung wieder eine verstärkte Hinwendung von Frauen zur Lyrik erkennen läßt.

Auffällig ist, daß viele Dichterinnen von zeitgenössischen Kritikern als ›nervös‹ bezeichnet wurden. Zu untersuchen wäre, ob damit ein Hinweis auf ein gemeinsames Stilmerkmal gegeben ist. Tatsächlich findet sich bei vielen Dichterinnen eine ganz ähnliche Ausdrucksweise, die vielleicht als ›subjektiv-pathetisch‹ zu charakterisieren ist. Sie zeigt sich beispielsweise schon in Gedichten Sophie Albrechts und Louise Brachmanns und

scheint auf äußerste Empfindlichkeit und Verletzbarkeit hinzu-
weisen, wie sie das Gefühl der Schutzlosigkeit hervorrufen
kann; darauf deuten etwa einige Gedichte Maria Janitscheks.

Nach diesen wichtigen Ansätzen zu Beginn des Jahrhunderts
lassen sich bis in die dreißiger Jahre Versuche von Dichterinnen
erkennen, spezifisch weibliche Erfahrungen in die Lyrik einzubringen, so zum Beispiel auf ganz eigenwillige Weise bei Gertrud Kolmar, ebenso bei Elisabeth Langgässer, deren lyrisches
Werk in seiner Bedeutung noch zu erschließen ist. Bei ihr verbindet sich ein starkes weibliches Selbstbewußtsein mit der
Vorstellung von einer notwendig *neuen Kultur*. 1933 gab sie
eine Anthologie von Frauenlyrik heraus. In der Einleitung erinnerte sie unter anderem an Annette von Droste-Hülshoff und
bezeichnete es als Sendung der Dichterin im neunzehnten Jahrhundert, »Seelenhüterin eines Zeitalters zu sein, das den Blick
für die Totalität verloren hatte, weil es glaubte, Vernunft mit
Intuition bezahlen zu müssen, und sich furchtsam zu verengen,
zu spezialisieren strebte, Einsicht und Intellekt verwechselte
und die dürre Weide der Fachwissenschaft immer mehr ab-
grenzte gegen das *profanum vulgus*, den Urgrund des Lebens«
(S. 12). Elisabeth Langgässer griff wie die Romantiker – sie
knüpfte auch an Gedanken Bachofens und Simmels an – auf die
dionysische matriarchalische Antike zurück; der Mythos von
Demeter wird in ihrer Dichtung lebendig in seiner Verbindung
zum Wechsel der Jahreszeiten. Später in der Nachkriegsdich-
tung bezog sie den christlichen Kosmos ein, mit der Rose (Maria) als Erlösungssymbol. Elisabeth Langgässer, die Halbjüdin,
und Gertrud Kolmar, die Jüdin: beide konnten unter der natio-
nalsozialistischen Diktatur seit den späten dreißiger Jahren
nicht mehr publizieren.

Im Dunkel blieb bisher auch der Anteil von Frauen an der
antifaschistischen Literatur. Berta Lask schrieb zum Beispiel
nach ihren frühen von Expressionismus und Frauenbewegung
beeinflußten Gedichten, die in dieser Anthologie berücksichtigt
wurden, zahlreiche Agitprop-Gedichte, die in den Zeitschriften
der revolutionären Arbeiterbewegung erschienen, ebenso wie
die Texte von Hedda Zinner, die hier in der Sammlung mit
einem Gedicht aus dem Jahr 1935 vertreten ist. An Klara Blum
ist in diesem Zusammenhang zu erinnern, deren Gedichte in
Westdeutschland bisher keine Beachtung fanden. Sie lebte während des Krieges in Moskau und seit 1948 in China. Ihre Gedichte verbinden feministisches Bewußtsein mit Engagement
für die Unterdrückten und Unfreien. Sie hat die chinesische
Motiv- und Bilderwelt in ihre Gedichte einbezogen.

> Denn von oder über die Frau zu sprechen kann im-
> mer wieder hinauslaufen auf oder verstanden werden
> als eine Wiederaufnahme des Weiblichen ins Innere
> einer Logik, die es in der Verdrängung, unter der
> Zensur, genauer in Verkennung festhält. Mit anderen
> Worten, es gilt nicht eine Neue Theorie auszuarbei-
> ten, deren Subjekt oder Objekt die Frau wäre, son-
> dern der theoretischen Maschinerie selbst Einhalt zu
> gebieten, ihren Anspruch auf Produktion einer viel
> zu eindeutigen Wahrheit und eines viel zu eindeu-
> tigen Sinnes zu suspendieren.
>
> Luce Irigaray, Der ›verrückte‹ Diskurs der Frauen (1976)

Die Ansätze zu einem feministischen Bewußtsein in der Lyrik,
wie sie in Deutschland seit der Jahrhundertwende erkennbar
sind, wurden durch die Hitlerdiktatur verschüttet. Der Einschnitt war so gravierend, daß für die junge Generation nach
dem Krieg kein Anknüpfungspunkt gegeben war. Der ideologi-
sche Mißbrauch der Begriffe ›Frauenkultur‹ und ›Frauendichtung‹ im Dritten Reich schloß im Gegenteil eine solche Anknüpfung geradezu aus. Allerdings gab es von seiten der älteren
Generation einen Vorstoß in diese Richtung. Oda Schaefer, deren lyrisches Werk von den literarischen Entwicklungen der
dreißiger Jahre geprägt ist, veröffentlichte 1957 eine Anthologie
Frauenlyrik seit 1900, mit der sie die Tradition ins Bewußtsein
rückte. Damals ›unzeitgemäß‹, forderte sie die Besinnung auf
die ›weiblichen Kräfte‹. Im gleichen Jahr fand eine Tagung der
Deutschen Akademie für Sprache und Dichtung zum Thema
»Das Besondere der Frauendichtung« statt, auf der neben Oda
Schaefer auch Ilse Langner und Marie Luise Kaschnitz referier-
ten (Jahrbuch 1957, S. 59–76). Dabei zeigten vor allem die Beiträge Oda Schaefers und Marie Luise Kaschnitz' eine Gefahr,
die ›weiblicher‹ Selbstbesinnung innewohnen *kann*: die un-
historische Übernahme alter Polarisierungen und damit ›neuer‹
alter Einschränkungen. Sie trafen die Dichterin – »Die Liebes-
beteuerung und die Liebesklage scheinen der vornehmlichste
Gegenstand der weiblichen Dichtung zu sein« (Marie Luise
Kaschnitz) »Das Überwiegen starker intellektueller Begabung
bei einer Dichterin ist gefährlich« (Oda Schaefer) –, aber auch
Frauen generell: »Frauen sind unberechenbare, inkommensura-
ble Wesen« (Oda Schaefer). Diese Äußerungen zeigen, wie Vorstellungen der männlich dominierten Gesellschaft über ›weibliche Natur‹ von den Dominierten, den Frauen, verinnerlicht
wurden. Weibliche Selbstbesinnung darf heute nicht mehr die

Orientierung an überholten historischen Strukturen bedeuten, das Setzen ›neuer‹ alter Normen. Sie muß im Gegenteil die Befreiung von diesen Normen meinen, den Mut zu einer neuen ›Offenheit‹, die Entdeckung neuer Erfahrungs- und Wahrnehmungsweisen und ihre *uneingeschränkte* Darstellung in der Literatur.

Seit den sechziger Jahren, verstärkt dann seit Beginn der siebziger Jahre zeigte sich im Zusammenhang mit der Frauenbewegung bei Autorinnen der jüngeren Generation ein Ansatz, mit neuem Selbstverständnis Empfindung, Erfahrung, Beobachtung und Phantasie in die Literatur einzubringen. Es könnte, wenn der Mut zur ›Offenheit‹ bleibt, eine Literatur entstehen, die neue Perspektiven *menschlicher* Existenz öffnet.

Die vorliegende Neuausgabe ist ein nur wenig veränderter Abdruck der Originalausgabe. Einige Daten wurden ergänzt bzw. korrigiert und Druckfehler verbessert.

Bochum, im September 1985   *Gisela Brinker-Gabler*

DEUTSCHE DICHTERINNEN
VOM 16. JAHRHUNDERT BIS ZUR GEGENWART

ELISABETH VON BRAUNSCHWEIG-LÜNEBURG
(1510–1558)

Elisabeth gehörte zu dem kleinen Kreis humanistisch gebildeter Frauen, wie sie die europäische Renaissance im fünfzehnten und sechzehnten Jahrhundert hervorbrachte. Sie war
eine umsichtige Regentin, Kämpferin für die Reformation, verfaßte politische und religiöse Schriften und dichtete geistliche
Lieder.
Ihre Eltern waren der katholische Kurfürst Joachim I. von
Brandenburg und eine dänische Prinzessin, die sich später
der Lehre Luthers anschloß. Elisabeth wurde als Fünfzehnjäh-
rige mit dem vierzig Jahre älteren katholischen Herzog Erich I.
von Braunschweig-Lüneburg verheiratet. Nach dem Tod ihres
Mannes (1540) leitete sie bis zur Mündigkeit ihres Sohnes die
Regierungsgeschäfte und führte die Reformation ein. An ihre
Untertanen schrieb sie einen »Christlichen Sendebrief«
(1545), für ihren Sohn verfaßte sie – als erste Frau – ein Lehr-
buch zur Führung der Regierungsgeschäfte, ihrer Tochter
Anna Maria widmete sie anläßlich der Hochzeit »einen freunt-
lichen und mutterlichen unterricht« über den Ehestand. Ihr
letztes Werk, ein Trostbuch für Witwen, erschien 1556.
1545 übergab sie ihrem Sohn die Regierungsgeschäfte und
ging eine zweite Ehe ein. In der Folgezeit kam es mehrfach zu
Auseinandersetzungen mit ihrem Sohn, der zum Katholizis-
mus übertrat. Religionskämpfe führten zeitweilig zur Verban-
nung Elisabeths nach Hannover, wo sie in dürftigsten Verhältnissen mit der Tochter Katharina lebte. Während dieser Zeit
schrieb sie religiöse Lieder, um »sich und ander zu trosten
vnter dem creuze«. Dabei ging sie häufig von bekannten
evangelischen Kirchenliedern aus, deren Grundgedanken sie
auf ihre Situation bezog und variierte. 1557 verheiratete ihr
Sohn seine Schwester Katharina heimlich mit einem katholischen Burggrafen; Elisabeth wurde daraufhin gemütskrank
und starb ein Jahr später.

LEBENSBERICHT

*Im thon Ich dannck dir lieber
herre das du mich hast erlost*

Ey gott mein lieber herre
Lob dich beidt tag vnnd nacht,
Ich will dich auch thun ehrenn,
Sieh, du hast mich gebracht
Ach schwerlich aus Mutterleibe
Bin ich in anngst getzelt[1]
Ehe dem teuffell zu leide
Getauft wie es dir gefelt[2]

Im ehestanndt bin ich begebenn
Dem edelenn herrenn mein,
Inn kranngkheit thet ich lebenn,
Ahnn[3] furcht thet ich nicht sein.
Creutz, Jammer vnnde schmertze
Was mir alltzeit empor,
Ich schrei zu gott vonn hertzenn,
Dem vngelück kam zuvor.

Nach meiner seel gestandenn,
Auch nach dem leibe mit gewalt,
Vom wortt mich enthaltenn
Treibenn die da waren erkalt.
Mein trew thet mir denn schadenn,
Das redt ich vberlaut,
Das ist In nicht geratenn,
Ich bin ins herrenn hut.

Ich thett auch ernnstlich regirenn,
Im lanndt woll funftzehenn jar,
Thet weinig hoffirenn,
Das redt ich ganntz offennbar.
Der teuffell war ausgelassenn,
Wie menniglich ist bekannt,
Dennoch hielt reine straßenn,
Das lanndt gudt ruhe fanndt.

[1] Zelt;　[2] gefällt;　[3] ohne

Gottes wortt thett ich liebenn
Vnnd brachts inn das Lanndt,
Viell thetenn sie mir zuschiebenn
Vncost inn meine Hanndt.
Dennoch nach gotts gefallenn
Klinget hir doch gottes wortt
Vnnd gehet hirin mit schalle
Vnnd ist allein mein trewer hortt.

Die arbeit ist nit zu ertzellen,
Der ich getragenn viell,
Thett mich auch ofte fellenn,
Meins schreibenn war kein ziell.
Dennoch thet ichs ertragenn
All zu derselbenn stundt,
Auf gots ergetzung thet ichs wagenn,
Mein hertz ist gar verwundt.

Einvnnddreißig jar im lannde
Bin ich gewesenn hir,
Trotz das mit warheit Jemande
Aufleg noch beweiß auf mich,
Was erbarkeit entgegenn,
Das ich getriebenn hedt
Mit schwerenn vnnd mit liegen[1]
Das thet des teuffels sath.

Von Jederman ich geplaget wardt,
Mein Creutz ist stets vermerdt,
Das thett allein die bose[2] ardt,
Vnnderthan[3] ganntz vngelertt,
Ir trewe sie vergaßenn,
Entzogenn mir das brodt,
Es war In nicht geheißenn,
Der herr der halff aus nott.

Mein diener vnnd gesinde
Vergaßen pflicht vnnd eide,
Handeltenn mit mir geschwinde
Vnnd thetenn mir groß verdrieß.

[1] Lügen; [2] böse; [3] Untertanen

Im Creutz thetenn sie nit pleibenn
Entzundenn mir mein Bett[1],
Noch feilt mir nicht leibe,
Der herr thet mich errettenn.

Inn gottes willenn mich ergeben,
Claget Im mein elenndt,
Nach seinem willenn lebenn,
Denn armen aus meiner Handt
Ach mocht ich dene gebenn
Nach meines hertzenn beger,
Mit meinem Sohn gar ebenn
Lebenn ahn zannck vnnd beschwer.

Hiemit so will ich endenn,
Ertzalt mein Creutz vnnd nott.
Erhalt mich inn deinen hendenn,
Mein herr schepfer vnnd gott.
From vnderthan mir beschere,
Du edeler erloser mein,
Zu deines nahmens ehre
Vnnd laß mich dannckbar sein.
                                        Amen.

[1] Über dieses Ereignis heißt es in einem
anderen Gedicht Elisabeths:
»Unnglück mir meinen schaden thett, /
Im fewrigen Bett /
Thet mich mein gott erhaltenn«

NEUJAHRSLIED
FÜR IHRE TOCHTER KATHARINA

Allein gott in der hohe sei ehr
Vnnd dannck fur seine gnade,
Der mir das frewlin Catharina zart
Zum tochterlin hat begnadet,
Inn seiner furcht sie lebet gar,
Getzieret mit gotseligkeit ist war,
Zu seinem lob vnnd ehrenn.

Das dannck ich gott in ewigkeitt
Vnnd preise seine gnade,
Die groß wolthat mir ertzeiget hat,
Lobet Ine ahnn alle maße,
Sie hilfft mir tragenn das Creutze schwer,
Lest die welt nicht abwendenn sich,
Das wollest Ir, herr, betzalenn.

O Jesu Christ Sohnn eingebornn
Deines himelschenn vaters,
Erbarm dich der verlassenn weisenn[1]
Vmb Ires gehorsambs willenn,
Gib Ir from gemahell der dich furchtet,
Mit langem lebenn sie segne,
Als ein gott vnnd vater der weisenn[1].

Ey heiliger geist du troster gut,
Du allerheilsamester troster,
Sterck sie vorthann Inn gottesfurcht
Bei Christo selig zu pleibenn,
Auf erdenn sie nit liebers hat
Als dich vnnd mich mein her vnnd gott,
Das wirt Ir nicht gerewenn.

Ich lobe preise anbete dich,
Inn gotseligkeit sie wachset,
Denn hohemut vnnd pracht sie verachtet,
Vleisset[2] sich deins vnnd meins willens,
Darumb mein gott und herr segne sie
Vnnd bis Ir herr vnnd vater alletzeit
Hir vnnd ewig Amenn.

Liebes kindt gehorche mir,
Deiner Mutter, das rathe ich dir
Wilt dich ann die welt nit keren,
Liebe mich vnnd ehre got den herren,
Das laß bei dir pleibenn war,
Das wunsch ich dir zum Newenn Jar.

[1] Waisen;   [2] befleißigt

Für I und J steht in älteren Texten *nur* ein Buch-
stabe; in diesem und in den folgenden Gedichten
wurde die Schreibweise von I und J der heutigen
angeglichen.

ANNA OVENA HEUERS.

ANNA OVENA HOYERS
(1584–1655)

»Hans Ovens Tochter Anna«, wie es triumphierend im Refrain eines ihrer Lieder durch alle Verse hindurch erklingt, war eine Frau von unbeugsamem Selbstbewußtsein und fanatischer Wahrheitsliebe.

Sie wurde als Tochter des Astronomen Hans Oven in Kolden-büttel in Holstein geboren, sprach Latein und Griechisch und las Hebräisch. Nach dem frühen Tod ihrer Mutter wurde sie, kaum fünfzehn Jahre alt, mit dem begüterten Hermann Hoyer verheiratet, mit dem sie fünf Kinder hatte. Erst nach dem Tod ihres Mannes (1622) engagierte sie sich in den religiösen Auseinandersetzungen der Zeit. Sie verurteilte die intolerante Lehre und die Lebensweise der Geistlichen in ihrer Heimat und schloß sich der Wiedertäuferbewegung an. Sie begann religiöse und politische Pamphlete zu verfassen, schrieb Briefe, didaktische und satirische Dichtungen sowie religiöse Lieder. Ihre kräftigen, volkstümlich klingenden, oft ungeschliffenen Verse der satirischen und didaktischen Dichtung erinnern ebenso wie die viel schwungvolleren und im Vers flüssigeren religiösen Lieder an die Dichtung des sechzehnten Jahrhunderts.

In wirtschaftliche Not geraten und von ihren Freunden verlassen, mußte Anna Hoyers später ihr Gut zu Hoyersworth verkaufen und kam 1632 über Hamburg nach Schweden, wo sie bei der Witwe Gustav Adolfs, Marie Eleonore, Aufnahme fand. Sie starb 1655, weltfeindlich und in mystische Vorstellungen versunken, auf dem Gut Sittwick, das ihr die Königinwitwe geschenkt hatte. Eine Auswahl ihrer Dichtungen erschien 1650 in Amsterdam. Das Buch wurde vielerorts verbrannt, da sie als Häretikerin galt. Eine in Stockholm aufbewahrte Handschrift enthält noch zahlreiche unveröffentlichte Lieder.

AUFF / AUFF / ZION /

1.
Auff / auff Zion /
Vnd schmück dich schon[1] /
Singe das Hosianna,
Frölich Psallier /
Es singt mit dir /
Hanns Ovens Tochter Anna.

2.
Nun kompt das Lamb
Auß Davids stamb /
Singe das Hosianna,
Will trösten dich /
Des frewet sich /
Hanns Ovens Tochter Anna.

3.
Nah' ist die zeit
Der Herrlichkeit /
Singe das Hosianna;
An diesem heil /
Hat mit ihr theil /
Hanns Ovens Tochter Anna.

4.
Auff / auff Jungfraw'n
Geht auß zuschaw'n /
Singet das Hosianna;
Der Breut'gamb kümmt /
Ihr seiten[2] stimmt /
Hanns Ovens Tochter Anna.

5.
O Ihr Jüngling /
Seyd guter ding /
Singe das Hosianna,
Ihr Alten mit /
Weil euch drumb bitt
Hanns Ovens Tochter Anna.

6.
Von hertzen grund /
Auß vollem mund /
Singet das Hosianna:
Beid Arm und Reich /
Es singt mit euch
Hanns Ovens Tochter Anna.

7.
Es frewe sich /
Vnd sey willig
Zu sing'n das Hosianna,
Was leb't auff Erd /
Denn das begehrt
Hanns Ovens Tochter Anna.

8.
Nemet die Laut /
Erfreut die Braut /
Singet das Hosianna;
Ihr traurigkeit
Setzt weit beyseyt /
Hanns Ovens Tochter Anna.

9.
Alles unglück
Weich nun zurück /
Singet das Hosianna;
Der Fried floriert /
Frölich Psalliert /
Hanns Ovens Tochter Anna.

10.
Hallelujah,
Die hülff ist nah' /
Singet das Hosianna:
Frölich im Herrn
Ist immer gern
Hanns Ovens Tochter Anna.

1 schön; 2 Saiten

11.

O scheinend' Sonn /
Voll freud und Wonn /
Singe das Hosianna,
An diesem tag /
Führt nicht mehr klag
Hanns Ovens Tochter Anna.

12.

Ihr mein drey Söhn
Macht laut gethön /
Singet das Hosianna:
Ihr Töchter beid /
Auch frölich seyd /
Mit ewrer Mutter Anna.

13.

Jesu des Herrn
Lob zu vermehrn /
Singet das Hosianna:
Auff Seiten spiel /
Macht freuden viel /
Mit ewrer Mutter Anna.

14.

Ew'r hertz bewegt /
Ew'r lippen regt /
Singet das Hosianna,
Frölich Psalliert /
Vnd Intonirt /
Mit ewrer Mutter Anna.

15.

Rühmet den Herrn /
Stets nah' und fern /
Singet das Hosianna;
In frölichkeit
Sein lob außbreitt
Hanns Ovens Tochter Anna.

16.

Sie Musicirt /
Sie jubilirt /
Sie sing't das Hosianna,
Den Herrn erhebt /
So lang sie lebt /
Hanns Ovens Tochter Anna.

LIEDLEIN VON DEN GELT-LIEBENDEN
WELT-FREUNDEN.
GESTELLET DURCH A.O.H.

Im thon des 130 Psalms.
Zu dir von Hertzen grunde /

1.

Geldt und Welt-Freund vertrawen /
Ist wie auff sandich grund /
Ein hohes Schloß zu bawen /
Exempel machens kund /
Das sie sehr unbeständig /
Vnd wanckelmütig sind /
Wenn das Glück wird abwendig.
Ihr keiner sich dann findt.

2.
Wir wissn in guten Tagen /
Wann das Glück scheint lieblich /
Von keinem Feind zu sagen
Freund / Freund / nennt jeder sich /
Man thut uns hoch erheben /
So lang der Beutel voll /
Vnd wir in Ehren schweben /
Glaub mir ich weis es wol.

3.
Wir seynd lieb und wilkommen
Allwo wir uns hinkehrn
Vnd werden angenommen /
Als wann wir Engel wehrn[1]
Mit Reverentz fein zierlich
Setzt man uns oben an /
Præsentirt uns manirlich /
Viel dienst und Freunschafft an.

4.
Huth zücken sich tieff neigen /
Die Händlein küssen auch /
Krum bücken und Knie beugen
Ist der Welt-Freund gebrauch /
Wer sich daran wil kehren /
Ist mehr dann halb vexirt /
Traw nicht auch wann sie schweren[2]
Ihr Freundschafft ist probirt.

5.
Man lest sich Bruder nennen /
Will stehn getrewlich bey /
Vnd sich nicht von uns trennen /
Wie groß die Noth auch sey /
Ja den Leib will man wagen /
Nicht allein Guth und Gelt /
Sind das nicht groß Zusagen?
Also gehts in der Welt.

---

[1] wären; [2] Schwören

6.

Mancher verheist darneben /
Daß er uns dienen woll'
Nicht allein weil wir leben /
Sondern sein Freundschafft soll
Bleiben bey unsern Erben /
Eydtlich er sichs verpflicht. /
Ein Narr mag darauff sterben /
Ich traw den Worten nicht.

7.

Sie folgen nicht im Wercke
Wer sich darauff verlest /
Der ist nicht klug das mercke /
Solch Zusag gehn nicht fest /
Ich hab vor wenig Jahren
Dergleichen angehort[1] /
Itzt muß ichs auch erfahren /
Das man vergist der Wort.

8.

Noth lehrt die Freund recht kennen /
Im Fewr Goldt scheinbar wird /
Freund soll man niemand nennen
Man hab ihn dann probirt /
O Trübsal Edle Probe /
Du zeigst mir meinen Freund /
Machst auch drumb ich dich lobe /
Mir offenbar den Feind.

9.

Im Creutz bleibt nicht verborgen /
Wo Feindschafft steckt verdeckt /
Auch wird in Noth und Sorgen /
Getrew Freundschafft erweckt /
Im Glück kan mans nicht lernen
Gleich wie man nicht erkennt
Bey Sonnenschein die Sternen
Am hohen Firmament.

[1] angehört

10.

Im Sommer findt man Schwalben /
Zu Winter sind sie weit /
Also Freund allenthalben /
Auch in Glückseligkeit /
Wann das Glück herrlich blühet
Sind viel Freund umb uns her /
Ein jeder sich bemühet /
Vns zu erzeigen Ehr.

11.

Viel der Schwalben Gesellen /
Sehr offt bey uns einkehrn /
Vnd sich gantz freundlich stellen /
Sind frölich mit uns gern /
Wenn alles wol gerahten /
Vnd gedeckt ist der Tisch /
Wol schmecken unser Braten /
Die Freundschafft helt[1] sich frisch.

12.

Wirds aber unklar Wetter /
Schneyt uns Vnglück ins Haus /
So verleurt[2] sich der Vetter /
Die Freunde bleiben auß /
Frembd stelt sich auch der Schwager
Vnd kompt zu uns nicht mehr /
Wenn unser Supp ist mager /
Vnd unser Weinfaß lehr.

13.

Die offt fröliches Muhtes /
Mit uns gewesen seyn /
Vnd im Wolstand viel gutes
Haben genommen ein /
Seh'n wir im Vnglück fliehen /
Vnd für uns ubergehn /
Den Huth in Augen ziehen /
Wenn sie uns kommen seh'n.

[1] hält;   [2] verliert

14.

So pflegts die Welt zu machen /
Sehr freundlich sie sich stelt /
Wenn in all unsern Sachen
Fortun[1] sich zu uns helt /
Kehrt aber die den Rücken /
Bald wendt die Weldt sich auch /
Helfft uns mit untertrücken
Also ist ihr Gebrauch.

15.

Diß ich vor wenig Jahren /
Sehr wol empfunden hab /
Darumb laß ich sie fahren /
Scheid' von der Freundschafft ab /
All ihr zusag sindt Lügen /
Ihr Lieb ist Heucheley /
Ihr Halten ist Betriegen
Vnd eitel Schelmerey.

Trauvv vvol hat mich vexiret /
Glaub leicht auch mannigmal /
Sie haben mich geführet
Vom Berg herab ins Tahl /
Mein Pferd hinweg geritten /
Itzt muß ich gehn zu Fuß /
Narrn man nach alten Sitten /
Mit Kolben[2] lausen muß.

K.
K. VV. K.
K.

Kinder VVerdet Klug.
Exempel sind genug
An A. O. H. und mehr /
Seht euch nur wol umbher /
Vnd folget meiner Lehr.

---

[1] Fortuna = Glück
[2] Keulen, urspr. Waffe,
dann Abzeichen für Narren wie Kappe

Sibylla Schwarz.

SIBYLLA SCHWARZ
(1621–1638)

Sibylla Schwarz stammte aus einer angesehenen Familie in Greifswald (Pommern). Als sie mit siebzehn Jahren starb, hinterließ sie ein umfangreiches Werk, deutlich geprägt vom Kriegsgeschehen, das ihr kurzes Leben vom ersten bis zum letzten Tag überschattet hatte. Eine gelehrte Privaterziehung vermittelte ihr sehr früh umfassenden Wissensstoff. Sie begann vermutlich mit zehn Jahren Gedichte zu schreiben. In ihrem Werk beschwert sie sich häufig über die Angriffe unverständiger Leute, vermutlich die Bürger Greifswalds, nach deren Meinung sich eine Jungfrau nicht mit der Dichtkunst beschäftigen sollte. Unterstützt wurde sie dagegen besonders von ihrem Bruder Christian und ihrem Lehrer und späteren Herausgeber ihres Werks, S. M. Gerlach.

Sibylla Schwarz schrieb die damals übliche Gelegenheitsdichtung zu Geburts-, Hochzeits- und Begräbnistagen, ferner Gedichte und Sonette, die sich mit Themen des Todes, der Freundschaft und Liebe befassen, eine Nachdichtung der ›Daphne‹, ein ›Susanna‹-Dramenfragment und eine biographisch gefärbte Schäfererzählung. Häufig erwähnt sie in ihren Gedichten ihr geliebtes Fretow, ein Landgut des Vaters. Dort hatte sie längere Zeit mit ihren Geschwistern, Verwandten und der Freundin Judith Tank gelebt. Sie übersetzte auch Gedichte aus dem Holländischen (»Lob der Verständigen und Tugendsamen Frauen«). Ihr Vorbild waren die Werke von Opitz. Sie bemühte sich, seinen Anweisungen zur Dichtkunst zu folgen, die er in seiner für die deutsche Literatur richtungsweisenden Poetik (1624) gab. Seit dem Tod der Mutter half sie den beiden Schwestern im Haushalt. Für die Dichtung blieben ihr oft nur die Nachtstunden. Sie starb am Hochzeitstag der zweitältesten Schwester an einer Darminfektion.

1650 erschien ihr Werk in zwei Bänden. Der Wunsch nach einem Pseudonym wurde durch ihren vorzeitigen Tod überflüssig. Die positive Beurteilung ihrer Dichtungen durch den berühmten Morhof in seinem *Unterricht von der Teutschen Sprache und Poesie* (1682) machte ihren Namen einem weiteren Publikum bekannt und sorgte für ihren Platz in literarhistorischen Werken bis ins neunzehnte Jahrhundert. In neueren Sammelwerken wird sie nur noch selten erwähnt.

AUFF IHREN ABSCHEID
AUSS GREIFFSWALD, GESANG

Weil dann der Unholdt gäntzlich mir
Zum Greiffswald nicht will lenger leiden,
So bleibt dennoch mein Hertz alhier,
Undt wirdt sich nimmer von euch scheiden!

Wohin gedenckstu dann mein Sinn?
Ist doch Europa gantz voll Kriegen,
Es ist ja warlich kein Gewinn,
Von einem stets zum andern fliegen.

Zu Fretow wehr es gut genug,
Da Phebus mit den Töchtern[1] sitzet,
Drüm wirt auch Fretow in das Buch
Der greisen Ewigkeit geschnitzet.

Da wehr ich fro undt ausser leit,
Da wolt ich lesen, tichten, schreiben,
Undt so den Nachrest meiner Zeit
Mit ohnverfälschter Trew vertreiben.

Itzt aber wil die Kriegerey
Zu Fretow keinen Menschen dulden,
Kein Ort ist von den Straffen frey,
Die ich undt du, undt der vorschulden[2].

Ich sag und klage für undt für,
Das manche lange Nacht verflossen,
Seit das ich auß der Frewden Thür
Bin gantz und gahr hinauß gestoßen.

Was klag ich aber, weiß ich doch
Das meiner Augen heisse Zähren
Nicht lindern dieses schwere Joch,
Noch meinem Elend mögen wehren.

Dan Trauren machet nur Verdruß;
Laß alle rauhen Winde wehen,
Laß sterben, wer da sterben muß,
Was wündscht man viel den Todt zusehen?

---

[1] Phoebus = Apollo, Gott der Dichtkunst;
Töchter = Musen;   [2] verschulden

Dem Menschen ist gesetzt ein Ziel,
Das kan er auch nicht überschreiten,
Drüm ruff nur nicht den Todt zu viel,
Er schleicht dir nach zu allen seiten.

Was Odem bläst wirt nun geplagt,
Kein Mensche fült itzund genügen;
Man hört nicht mehr das einer fragt:
Wo mag der Weg nach Fretow liegen?

Nun gute Nacht, mein Vaterlandt!
Da weylandt große Lust zu schawen,
Ich muß mich nun Neptunus Handt,
Undt Thetis[1] saltzen Schoß vertrawen.

Gehab dich wol, du werte Schar
Der Schwieger- und der Schwägerinnen!
Wer wirt nun mit euch übers Jahr
Ins Dannenholtz spatzieren künnen?

Wans euch nun geht, wie ihr begehret,
Wen euwer Weinen wirt zu Lachen,
So denckt dan auch eins ohn beschwert;
Was mag doch unsre Lybis[2] machen.

[1] griechische Meernymphe;   [2] Spitzname für Sibyl

IST LIEB EIN FEUR

Ist Lieb ein Feur, und kan das Eisen schmiegen,
bin ich voll Feur, und voller Liebes Pein,
wohrvohn mag doch der Liebsten Hertze seyn?
wans eisern wär, so würd eß mir erliegen,

wans gülden wär, so würd ichs können biegen,
durch meine Gluht; solls aber fleischern seyn,
so schließ ich fort: Eß ist ein fleischern Stein:
doch kan mich nicht ein Stein, wie sie, betriegen.

Ists dan wie Frost, wie kalter Schnee und Eiß,
wie presst sie dann auß mir den Liebesschweiß?
Mich deucht: Ihr Herz ist wie die Loorberblätter,

die nicht berührt ein starcker Donnerkeil,
sie, sie verlacht, Cupido[1], deine Pfeil;
und ist befreyt für deinem Donnerwetter.

LIED

O Phebus laß dein blicken /
eß will sich iezt nicht schicken /
du mußt mir trawrig seyn /
Schau wie auff meinen Wangen
die Wasser-Perlen hangen /
alß Zeugen meiner Pein!

Ihr Himmel nembt mit Schmerzen
doch meine Noht zu Herzen!
Du schönes Firmament /
Verender dich geschwinde /
Weil ich kein Labsal finde /
und bin so voll Elendt!

Nun muß ich das bald meiden /
und kan mich nicht mehr weiden /
An dem / daß meinen Sinn
kan unverbrüchlich binden;
So bald kan Lust verschwinden /
Sie fleugt wie Rauch dahin.

Der welcher herzlich liebet /
wird iederzeit betrübet /
und hat doch solchen Sinn /
daß er kann alles leiden; /
Doch wenn er sich muß scheiden /
so stirbt er gahr dahin.

[1] Liebesgott, Amor

EIN GESANG WIEDER[1] DEN NEIDT

Hatt zwar die Mißgunst tausendt Zungen /
Und mehr dan tausend ausgestreckt /
Und kompt mit macht auf mich gedrungen /
So werd ich dennoch nicht erschreckt;
Wer Gott vertrawt in allen dingen /
Wird Weldt / wird Neidt / wird Todt bezwingen.

Hör ich gleich umb und umb mich singen
Die sehr vergifftete Siren[2];
So soll mich dennoch nicht bezwingen
Ihr lieblichs Gifft / und hell gethön;
Ich will die Ohren mir verkleben /
Und für sie frey fürüber[3] schweben.

Gefellt dir nich mein schlechtes Schreiben /
Und meiner Feder edles Safft /
So laß nur balt das Läsen bleiben /
Eh dan es dir mehr unruh schafft.
Das / was von anfang ich geschrieben /
Wird kein verfalschter Freund belieben.

Weistu mich gleich viel für zuschwetzen /
Von meiner Leyer ab zustehen;
So soll mich doch allzeit ergetzen
Das Arbeitssahme müssig gehen:
Laß aber du dein Leumbden bleiben /
Damit du mich meinst auff zureiben.

Ich weiß es ist dir angebohren /
Den Musen selbst abholt zu sein /
Doch hat mein Phoebus nie verlohren /
Durch deine List / den hellen Schein:
Die Tugend wird dennoch bestehen /
Wen du / und alles wirst vergehen.

...

1 wider;
2 Meerwesen der griech. Sage = Verführerin;
3 vorüber.

Vermeynstu / daß nicht recht getroffen /
Daß auch dem weiblichen Geschlecht
Der Pindus[1] allzeit frey steht offen /
So bleibt es dennoch gleichwohl recht /
Daß die / so nur mit Demuth kommen /
Von Phoebus werden angenommen.

Ich darf nun auch nicht weitergehen /
Und bringen starcke Zeugen ein;
Du kanst es gnug an disem sehen /
Daß selbst die Musen Mägde sein:
Was lebet soll ja Tugendt lieben /
Und niemand ist davon vertrieben /

Gantz Holland weiß dir für zusagen
Von seiner Bluhmen[2] Tag und Nacht;
Herrn Catzen[3] magstu weiter fragen /
Durch den sie mir bekannt gemacht:
Cleobulina[4] wird wol bleiben /
Von der viel kluge Federn schreiben.

Was Sappho für ein Weib gewesen
Von vielen / die ich dir nicht nenn /
Kanstu bey andern weiter lesen /
Von den ich acht und fünffzig kenn /
Die nimmer werden untergehen /
Und bey den liechten Sternen stehen.

Sollt ich die Nadel hoch erheben /
Und über meine Poesey /
So muß ein Kluger mir nachgeben /
Daß alles endlich reisst entzwey;
Wer kan so künstlich Garn auch drehen /
Das es nicht sollt in Stücken gehen?

Bringt alles her auß allen Enden /
Was je von Menschen ist bedacht /
Was mit so klugen Meister Händen
Ist jemahls weit und breit gemacht /
Und laß es tausend Jahre stehen /
So wird es von sich selbst vergehen.

---

[1] Sitz der Musen; [2] Anna Maria von Schurmann (1607–1678), niederländische Künstlerin und Gelehrte; [3] Jacob Cats (1577–1660), niederländischer Dichter und Staatsmann; [4] Tochter eines der sieben Weltweisen (Cleobulus von Lindus, um 600 v. Chr.), soll gedichtet haben und besonders geschickt im Verfassen von Rätseln gewesen sein.

Wo ist Dianen Kirch geblieben?
Des Jupters Bild ist schon davon;
Sind nicht vorlengst schon auffgerieben
die dicken Mauren Babilon?
Was damahls teuer gnug gegolten /
Wird jetzt für Asch und Staub gescholten.

Doch daß / was Naso hat geschrieben /
Was Aristoteles gesagt /
Ist heut bey uns noch überblieben /
Und wird auch nicht ins Grab gejagt /
Sie leben stets und sind gestorben /
Und haben ewigs Lob erworben.

Was uns die Schar der Klugen lehret /
Wird heut noch der Feder Macht /
Auff Fama[1] Pfeiffen angehöret
Und uns zur Nachricht fürgebracht /
Ihr Lob wird weit und breit erschallen /
Bis alles wird zu Boden fallen.

Laß nur / O Neid! dein Leumbden bleiben /
Ich weiß es ohn dich mehr als wol /
Wen ich nicht mehr Poetisch schreiben /
Undt dieses hinterlassen soll.
Ich wil mich in die Zeit wol schicken /
Du solt mich doch nicht unterdrücken.

Ich wil hinfüro GOTT vertrawen /
Von dem soll sein mein Tichten all /
So kan mich auch für dir nicht grawen /
Drum sag ich billig noch einmahl:
Wer GOTT vertrawt in allen Dingen /
Wird Weldt / wird Neidt / wird Todt bezwingen.

[1] Ruhm

Schau hier am Stand Verstand die Edleste der Frauen
das Engel-Tugend-Bild den Wunder-Kunst-Pallast:
Jedoch in GOtt nur hatt Ihre Ruh und Rast:
Wer mehr wil Ihres Ruhms mag Ihre Schrifften schauen.

Aus ünendlicher Devotion gesetzt von
L. Stockflethen Kirchen-Rath u. Superint:

CATHARINA REGINA VON GREIFFENBERG
(1633–1694)

Als 1662 Catharina von Greiffenbergs »Geistliche Sonnette/ Lieder und Gedichte« erschienen, feierte sie der Nürnberger Kunstrichter und Poet Sigmund von Birken als »Teutsche Uranie«, »deren zart-schöne Hände auf der Himmlischen Dichterharffe nur lauter-unvergleichlich zu spielen« verstünden.

Catharina von Greiffenberg entstammte dem protestantischen Landadel Österreichs. Seinem am Geist der Renaissance orientierten Bildungsideal gemäß erhielt sie eine sorgfältige Erziehung durch die Mutter und vor allem den Onkel, Rudolph Freiherr von Greiffenberg, der ihr den früh verstorbenen Vater ersetzte. Er war es auch, der den Druck ihres ersten Buchs veranlaßte, damit sie sich später einmal, wie er im Vorwort schreibt, an den Zeitvertreib ihrer Jugend erinnern könne, wenn sie »in mehrerm Glück und Vergnügung leben/auch vielleicht mit anderen Sorgen und Geschäfften beladen seyn« würde. Die Gedichte waren in den Jahren religiöser Erweckung entstanden, ausgelöst durch den Tod der jüngeren Schwester 1651, aber auch durch Gewissensnöte, denn ihr Onkel wünschte seit längerem, sie zu ehelichen. Zwei Jahre später gab sie schließlich ihren Widerstand auf und wurde seine Frau. Zu den inneren Spannungen kam die Ungunst der äußeren Verhältnisse. Der Druck der Gegenreformation hatte für die Protestantin wirtschaftliche, standes- und konfessionspolitische Konsequenzen. Sie mußte nicht nur den Glauben, sondern auch ihr Gut und Recht verteidigen. Wie viele protestantische Adlige verließ sie schließlich den Stammsitz der Familie, Burg Seyssenegg, und ging 1680, nach dem Tod ihres Mannes, für immer ins Nürnberger Exil. Der Wohnungswechsel bedeutete für sie auch die Aufhebung der jahrelangen geistigen Isolation auf dem Land. Neben ihrer Sonetten- und Liedersammlung veröffentlichte sie später die »Siegs-Seule«, ein national gefärbtes Epos, das während der Türkenkriege 1663/66 entstand und mehrere »Andachtsbücher«, die besondere Anerkennung fanden und sie zu Lebzeiten berühmt machten. Sie gehörte Birkens »Pegnesischem Blumenorden« an und war das erste weibliche Mitglied in Zesens »Deutschgesinnter Genossenschaft«.

GEGEN AMOR

Der kleine Wüterich mag mit den Pfeilen spielen
und tändeln, wie er will: er gewinnet mir nichts ab,
weil gegen seine Pfeil ein Demant[1] Herz ich hab.
Er machet mich nicht wund, ich darf nit Schmerzen fühlen.

Er mag mit tausend List auf meine Freyheit zielen.
Ihm ich, dem blinden Kind, ein Zucker-Zeltlein gab:
er meint', es wär mein Herz. O leicht-geteuschter Knab!
Ich will mein Mütlein noch an deiner Einfalt kühlen.

Schau, wie gefällt dir das! trotz, spräng mir diesen Stein
mit deinem goldnen Pfeil. Der Lorbeer soll mich zieren,
nicht deine Dornen-Ros' und Myrten-Sträuchelein.

Du meinst es sey nur Scherz, ich wolle mich vexiren.
Nein! nein! die süße Ruh soll mir das Liebste seyn,
mein dapfers Herz soll nichts als Ruh und Freyheit spüren.

[1] Diamant

GOTT-LOBENDE FRÜLINGS-LUST

Jauchzet / Bäume / Vögel singet! danzet / Blumen / Felder lacht!
springt / ihr Brünnlein! Bächlein rauscht! spielet ihr gelinden
Winde!
walle / Lust-bewegtes Träid[1] süsse Flüsse fliest geschwinde!
opffert Lob-Geruch dem Schöpffer / der euch frisch und neu
gemacht!

jedes Blühlein sey ein Schale / drauff Lob-Opffer ihm gebracht /
jedes Gräslein eine Seul / da sein Namens-Ehr man finde.
an die neu-belaubten Ästlein / Gottes Gnaden-Ruhm man
binde!
daß / so weit sein Güt sich strecket / werd' auch seiner Ehr
gedacht.

[1] Getreidefeld

Du vor alles / Menschen Volck / seiner Güte Einfluß Ziele!
aller Lieblichkeit Genießer; Abgrund / wo der Wunderfluß
endet und zu gut verwendet seinen Lieb-vergulten Guß.

Gott mit Hertz / Hand / Sinn und Stimm / lobe / preiße /
dicht' und spiele.
Laß / vor Lieb' und Lobes-Gier / Muht und Blut zu Kohlen
werden /
lege Lob und Dank darauff: Gott zum süssen Rauch auf
Erden.

AUF DIE FRUCHTBRINGENDE HERBST-ZEIT

Freud'-erfüller / Früchte-bringer / vielbeglückter Jahres-
Koch /
Grünung-Blüh und Zeitung-Ziel / Werkbeseeltes Lustver-
langen!
lange Hoffnung / ist in dir in die That-Erweisung gangen.
Ohne dich / wird nur beschauet / aber nichts genossen noch.

Du Vollkommenheit der Zeiten! mache bald vollkommen
doch /
was von Blüh' und Wachstums-Krafft halbes Leben schon
empfangen.
Deine Würkung kan allein mit der Werk-Vollziehung
prangen.
Wehrter Zeiten-Schatz! ach bringe jenes blühen auch so hoch /

schütt' aus deinem reichen Horn hochverhoffte Freuden
Früchte.
Lieblich süsser Mund-Ergetzer! lab' auch unsern Geist zugleich:
so erhebt mit jenen er deiner Früchte Ruhm-Gerüchte.

zeitig die verlangten Zeiten / in dem Oberherrsçhungs-Reich.
Laß die Anlas-Kerne schwarz / Schickungs-Aepffel safftig
werden:
daß man Gottes Gnaden-Frücht froh geniest und isst auf Erden.

ÜBER MEIN UNAUFHÖRLICHES UNGLÜCK

Ach ungerechtes Glück! hast du denn schon vergessen
dein alte Wankel-Art und steten unbestand /
daß du mich also quälst mit unermüdter Hand?
ist denn der wechsel aus / der dich so lang besessen?

wilst du mein Herzen Blut durch thränen außher pressen.
du lösest nur der freud' / und nicht des Elends / band.
ach leider Ich versink in diesem Jammer strand.
es ist die Unglücks Flut zu tieff / und nicht zu messen.

Ich siehe keine Hülf und Rettung aus der Noht
vor mir das Meer / die Berg' auf seiten / ruckwerts Feinde.
wann seine wunder-Macht mir nicht erzeigt mein GOtt /

so ists mit mir geschehn; doch / hab' ich den zum Freunde /
es geh' auch wie es woll / so bin ich schon vergnügt.
Ein dapfers Herz auch wol im grösten Unglück siegt.

AUF DIE RUHIGE NACHT-ZEIT

1.
Sternen-bunter Himmels-Thron /
und du Mond der Nächte Kron!
leuchtet / weil den Sonnen-Strahl
uns benimmt der Erden Ball.

2.
Stillheit / der Gedanken Grab!
stelle Sorg' und Grämen ab.
Stille / stille / still' in mir /
alle Herzbewegungs-Gier!

3.
Nun die Musik in der Lufft
schläfft in holer Bäume Klufft /
ruht und kommet mir nit für
in der Gott-Erhebungs Gier.

4.
Süsser Gottes-Gnaden-Safft
der auch schlaffend Glück verschafft!
fliesse mir in Träumen ein /
meiner Wolfahrt Schein und Seyn!

5.
Schatten / Freund der Ruhigkeit!
Nacht / du Müh'-Ergetzungs-Zeit!
ir solt nie so dunkel seyn
daß ihr blendt der Ehren-Schein.

6.
Und du meiner Ruhe Ruh /
Herzen-Herrscher / komm herzu /
sey du selbst mein schlaff-Gemach:
gib / daß ich dir schlaffend wach.

7.
Meine Augen / schliesset euch /
seit an Ruh-Gebährung reich!
aber du / mein Geist / betracht /
lobe Gott um Mitternacht!

Jungferlicher Zeitvertreiber

Das ist

Allerhand

Teudsche

Gedichte/

Bey
Häußlicher Arbeit/ und stiller Einsam-
keit verfertiget und zusammen getragen
Von
Susannen Elisabeth Zeidlerin.

Gedruckt im Jahr Christi
1686.

SUSANNA ELISABETH ZEIDLER
(um 1686)

Der Vater von Susanna Elisabeth Zeidler war Pastor in der kleinen Ortschaft Fienstedt, die zur Grafschaft Mansfeld gehörte, ihr Bruder ein zu seiner Zeit bekannter Satiriker. Sie veröffentlichte 1686 einen »Jungferlichen Zeitvertreiber«, der hauptsächlich Gelegenheitspoesie und geistliche Dichtung enthält.

Ihr Vater schickte dem Buch das folgende Widmungsgedicht voraus:

> Wie liebste Tochter du der Tugend dich ergeben /
> Und iederzeit geführt ein züchtig Leben /
> So hastu ebenfalls die Musen auch geliebt !
> Und in der Dichterkunst dich sonderlich geübt.
> Wie dieses Büchlein weist. Wann deine Hand verrichtet
> Ein euserliches Werck / da hat zugleich gedichtet
> Das Hertz ein feines Lied: Hast also nichts versäumt
> An Haus-Arbeit / wenn dein Poetengeist gereimt
> Nun dicht und trachte was zum Himmel führt zu singen.
> Das wird dir Gottes Huld und Seelenfreude bringen.
> Der grobe Zotenreim / darob das Weltkind lacht
> Zeucht unterwerts das Hertz / ich wünsch ihm böse Nacht.

GOTTFRIED ZEIDLER

AN EINEN BEKANNTEN FREUND

Er höre werther Freund / was sich unlängst begeben /
Als ich bey Sonnenschein in unserm Garten saß /
Da sah ich in der Lufft ein kleines Vöglein schweben /
Das senckte sich zu mir hernieder in das Gras.

Ich fieng es eilend auff / mich dessen zu bedienen /
Stat eines Botens / doch es war mir zugeschwind:
Denn ehe ich michs versah / so schwermten unsre Bienen /
Indessen flogs davon / gleich wie der schnelle Wind.

Da war mein Anschlag aus: Was (dacht ich) kanstu machen /
Es ist nu allzuspät / der Bote ist schon fort /
Der mir kan dienlich seyn in so geschwinden Sachen /
Und mir den kleinen Brieff hintragen an den Ort.

Wo Fürst Apollo selbst hat seinen Sitz genommen /
Und wo Minerva kehrt zusampt den Musen ein /
Dahin auch mancher Freund der Pierinnen[1] kommen /
und mein Herr – – itzt wird anzutreffen seyn.

Was kan ich nu dafür das mirs nicht angegangen /
Wie ichs bey mir bedacht? Die Schuld ist itzt nicht mein /
Werd' ich den fliegenden Postreuter wieder fangen /
So soll er alsbald in seinen Diensten seyn.

Und über Berg und Thal sich eylend zu Ihm schwingen /
Und wenn er ihm den Gruß und Brief hat zugestellt /
So soll er uns von Ihm auch wieder Zeitung bringen /
Obs ihm noch wohl ergeht / und wie es ihm gefällt.[2]

...

[1] Pieriden = Beiname der Musen
[2] Die Stropheneinteilung ist im Original nicht vorgegeben;
es handelt sich um eine poetische Epistel (Briefgedicht), eine bis ins
19. Jahrhundert übliche Dichtungsform.

BEGLAUBIGUNG DER JUNGFER POETEREY

Rhapsodius[1] glaubt nicht das Jungfern Verse machen:
Wie solte man nu nicht der falschen Meynung lachen?
Wie / wenn man sagte / das hochzeitliche Gedicht /
Das Rhapsodus gemacht / ist seine Arbeit nicht.

Ist dieses müglich / so kan jenes auch geschehen.
Hat denn Herr Rhapsodus dergleichen nie gesehen?
Ihr Musen Söhne denckt / ihr seyd es gar allein /
Bey denen Phoebus zeucht mit seinen Künsten ein.

O nein / ihr irret euch: Die Pallas pflegt desgleichen
Kunst / Weißheit und Verstand uns Nimphen darzureichen.
Sind wir gleich nicht an Kunst und Gaben gar zu reich /
Noch euch / ihr Phoebus Volck in allen Stücken gleich.

(Denn dieses ist gewiß / das läßt man wol passiren /
Das euch die freye Kunst vortrefflich kan bezieren /
Dazu euch euer Fürst Apollo Anlaß giebt /
Wenn ihr von Jugend auf Parnassus[2] Hügel liebt.)

So werdet ihr doch diß nicht gäntzlich leugnen können /
Das Gott und die Natur uns ebenmäßig gönnen
Was euch gegeben ist / und das uns offtmahls nicht
Das Tichten / sondern nur die Zeit dazu gebricht.

Es fehlt uns nicht an Witz / und andern guten Gaben /
Nur das man nicht dazu Gelegenheit kan haben.
Wenn man uns so wie euch / die Künste gösse ein /
So wolten wir euch auch hierinnen gleicher seyn.

[1] gr. fahrender Sänger;   [2] Sitz der Musen und Dichter

Margaretha Susanna
von Kuntsch,
Gebohrne Försterin.

MARGARETHA SUSANNA VON KUNTSCH
(1651–1716)

Als Tochter eines Hofbeamten bekam Margaretha Susanna von Kuntsch in ihrer Jugend zeitweise Unterricht in der lateinischen und französischen Sprache sowie in »anderen guten Wissenschaften«. Seit 1669 lebte sie, mit einem Hofrat verheiratet, in Eisleben, später in Altenburg. Nach ihrem Tod gab ihr Enkel, Christoph Gottlieb Stockmann, ihre Gedichte heraus.
Margaretha Susanna von Kuntsch schrieb zahlreiche Gedichte auf den Tod ihrer Kinder. Von ihren vierzehn Kindern, acht Söhnen und sechs Töchtern, überlebte nur eine Tochter.

AN EINEN GUTEN FREUND /
WELCHER MIT DER KÖNIGIN ANNA[1] EXEMPEL
DER WEIBER UNBESTÄNDIGKEIT
BEWEISEN WOLTE

Der Weiber Unbestand ist noch nicht gnug bewiesen /
Wenn Englands Anna nur zum Beyspiel dienen soll /
Drum wird / geehrter Freund / dich dieses nicht verdriessen /
Wenn dieser kleine Brieff ihr Thun entschuldgen soll.

Schau die Regierung an / die sie bißher geführet /
Thuts nicht ihr kluger Sinn gar vielen Männern vor?
Sie zeigte ihre Treu / wo sichs mit recht gebühret /
Wenn Ludwig als ein Mann so Schaam als Treu verlohr.

Sie hieß in aller Welt das Wunder dieser Zeiten /
Man wuste keine Frau / die iemahls so regiert /
Sie kunte um das Lob mit vielen Helden streiten /
Weil sie sich ie so klug als tapffer aufgeführt.

Der Friede krönte sie / sie war die Lust des Landes /
Ihr dreyfach grosses Reich war unter ihr recht frey /
Die Völcker freuten sich des angenehmen Bandes /
Weil ihre Königin drey Cronen würdig sey.

Die Nachbarn liebten sie / weil ihre Feinde bebten /
Europa hielte sie vor ein vollkomnes Gut /
Weil durch sie Könige und Fürsten ruhig lebten /
Ja ieder Theil der Welt wust ihren Löwen-Muth.

Kurtz / was der gröste Held und König kan erlangen /
Das traf man wundersam bey unsrer Anna an /
Es kont ihr hohes Haupt mit solchen Gütern prangen /
Die kaum der zehnde Mann mit Müh erlangen kan.

Das machte ihre Treu und ihr beständigs Wesen /
Und daß sie selbst regiert / dahero irrstu dich /
Mein Freund / indem dein Brief das Widerspiel läst lesen /
Es ist ein falscher Rath / nicht sie / veränderlich.

[1] Königin Anna Stuart (1665–1714)

Fürwahr du schlägst dich selbst mit deinen eignen Worten /
Weil du von Annen schreibst / was Männer doch gethan /
Was Bullingbrock [2] verübt / und dessen Schand-Consorten /
Geht nicht die Königin und ihr Gemüthe an.

Sie hat es zwar versehn / daß sie zu viel getrauet /
Doch mein / wer ist wohl frey vor übertünchter List /
Da viele Könige auf Diener Treu gebauet /
Die endlich zum Betrug und Falschheit worden ist.

Ich wolte also wohl mit besserm Rechte sagen /
Das weibliche Geschlecht sey standhafft / fromm und treu /
Man könte über euch mit mehrerm Grunde klagen /
Daß kaum von hunderten ein Mann beständig sey.

Allein ich will das nicht / ich schone dein Geschlechte /
Da du / geehrter Freund / voll Treu und Ehrlichkeit /
Und mache diesen Schluß: Die Treue heist mit Rechte
Bey Manns- und Weibes-Volck die gröste Seltenheit.

Hiemit beschliesse ich die wenigen Gedancken /
Gefallen sie dir nun / so ändre deinen Sinn;
Doch wirst du auch gleich nicht von deiner Meynung
wancken /
So wisse / daß ich dir mit Treu ergeben bin. [2]

[1] Bolingbroke = engl. Staatsmann und Schriftsteller (1678–1751)
[2] s. Anm. 2, S. 98

AUF DEN TOD DES FÜNFTGEBORNEN
SÖHNLEINS,
DEN KLEINEN CHRISANDER,
ODER C. K. DEN 22. NOVEMBER 1686

Alß dort Timantes[1] Agamemnons Schmertz /
Da Iphigenien man opfern wolte /
Und wie sein Vater Hertz
Sich drob gequählet / bilden solte /
Da zog er einen Flohr
Desselben Antlitz vor.

Und zeigte damit an /
Es könne seinem Pinsel nicht gelingen /
Wie kläglich er gethan /
Recht lebhafft durch die Fahrben rauß zu bringen.
Warum? der Hertzens-Stoß
Sey gar zu starck und groß.

Was ist ein eintzig mahl /
Man stelle Agamemnon mich entgegen /
Mich / der des Würgers Stahl
Das neundte Kind hat müssen nun erlegen /
Indem worauf mit Lust
Ich hofft / ins Grab gemust.

Zwung ein so tapfrer Held /
Ein König der gewohnet zu regieren /
Der damahls wolt ins Feld
Ein Kriegs-Heer gegen seine Feinde führen /
Durch sein sonst tapfres Hertz
Nicht einen solchen Schmertz?

Ja traut der Künstler sich
Nicht zu / da er sonst künstlich war in schildern /
Durch seines Pinsels Strich
Der Eltern Schmertz bey Kinder Tod zu bilden /
Daß er vielmehr verdeckt /
Was ihre Seel erschreckt /

---

[1] Timanthes, griechischer Maler von der Insel Samos

Wer giebet mir denn Muth /
Wer will mir meine Feder künstlich schärffen /
Wie jetzo wall't mein Blut /
Auf dieses Blatt mit Worten zu entwerffen /
Die ich ein Weib nur bin /
Ach! hier erstarrt mein Sinn.

Die Hand erzittert mir /
Die Feder will mir ihren Dienst versagen /
Es schüttert das Papier /
Und kan die Schmertzens-Worte nicht ertragen /
Drum zeuge stummes Leyd
Von meiner Traurigkeit!

Aufgedeckter Spiegel

Wunderbarer GOttes Regierung/

an dem
sehr geliebten / recht betrübten / wohlgeübten
Kinde des Glaubens

Job/

Der streitenden Kirche auf Erden/
bey der ihr abgeforderten
Stille / Demuth / und Gelassenheit/
unter der allmächtigen Hand
Des

Allerhöchsten/

Zum täglichen Muster
Ihrer Führung und Ubung
vorgestellt/
und
Aus schuldigster Lieb zu solchen heil-
samen Geheimnuß/ bey gegönnten
neben-Stunden
zu einer Dramatischen Repræsentation
mit gebundenen Zeilen entworffen
von
der Hirtin Daphne.

Sultzbach / Druckts Johann Holst/ 1714.

Titelblatt zum Hiob-Drama
von Anna Rupertina Fuchs

ANNA RUPERTINA FUCHS
(1657–1722)

Anna Rupertina Fuchs war die Tochter eines »Obristen zu Fuß« und einer Holländerin. Früh verwaist – die Mutter starb 1660, der Vater fiel im Türkenfeldzug 1664 – wurde sie vermutlich von Verwandten in Nürnberg aufgezogen. Mit 39 Jahren heiratete sie einen Schulrektor und späteren Stadtprediger in Sulzbach.

Anna Rupertina Fuchs entwickelte schon frühzeitig eine Neigung zur Poesie und brachte es schließlich zu einer solchen Fertigkeit, daß sie »ganze Gedichte ohne eine Feder anzusetzen, machen und hersagen« konnte; so steht es in der Vorrede zu ihren gesammelten »Poetischen Schriften«, die vier Jahre nach ihrem Tod ein Buchhändler herausgab. Sie selbst hatte zu ihren Lebzeiten unter dem Pseudonym »Daphne« veröffentlicht, in Anlehnung an die zeitgenössische Schäfermode, die besonders auch in Nürnberg gepflegt wurde. 1714 erschien ihre Dramatisierung der Hiobsgeschichte und 1720 der »Poetische Gedancken-Schatz«. Zu den Nürnberger Sprach- und Dichtergesellschaften, denen auch Frauen angehörten, hatte sie vermutlich keine Beziehung.

In ihrer Dichtung regt sich bürgerliches Selbstbewußtsein als (häufig moralisch umfunktionierte) Kritik an der politisch-sozialen Wirklichkeit.

DIE ANTWORT

Durchleuchtigster! die Hand so Dero Siegel bricht /
Wird ohne zweiffel auch der Fürstin Gnad zerbrechen /
Wovon die kluge Welt ein stilles Urtheil spricht /
Der Pöbel aber eilt verächtlich laut zu sprechen.

Weil dieser Raserey kein Mensch entlauffen kan;
So bitt und fleh ich hier mich künfftig nicht zu kräncken /
Sie reden mich / mein Kind / mein Schatz / mein Engel an /
Was wird der Frembden Ohr von solchen Titul dencken?

Ich stehe gantz bestürtzt! daß Dero Hoheit Glantz
Die Strahlen seiner Huld auf meinen Schatten strahlet.
Wer Cronen hertzen kan / der wählet keinen Krantz
Den nur die Welcke ziert / der Blumen-Bund gemahlet.

Ist nicht Durchleuchtigster / die Ros' in ihrer Hand?
Warum bemühen Sie sich um die leere Hecke?
Sie seynd es / die die Perl der Printzessinen fand /
Bey leibe: Daß mein Ruß nicht deren Glantz beflecke!

Und / wo gedencken Sie bey dieser Neigung hin?
Die vor des Hofes Aug nicht kan verlarvet bleiben;
Sie wollen / daß ich hier das Ziel der Feder bin /
Die Ihre Feder soll in die Histori schreiben.

Nein / sprechen Sie: die Hand der Grossen reichet weit;
Ist wahr; Wer aber will der Nach-Welt Lippen binden?
Kein Faden ist so klein / der endlich mit der Zeit /
Nicht sein Gewebe wird an klarer Sonnen finden.

Der blinden Leibe Trieb umnebelt ihren Geist:
Der helle Jupiter will hier ein Irrlicht werden:
Der meine Jugend von dem Weg der Tugend weist.
Mag auch ein Adler sich vermählen mit der Erden?

Weil meines Fürsten Aug nicht selber vor sich wacht /
Solt mich darum der Schlaff der Sicherheit bethören?
Ich sage nein: Ich hab viel mehr den Schluß gemacht;
Von Liebe nicht ein Wort gedultig anzuhören.

Hier sendet meine Hand den Diamant zurück:
Der Thränen Ebenbild die weise Muschel-Kinder:
Mir eckelt anzuseh'n mehr solchen Sclaven Strick /
Der meinen Namen macht zu einen armen Sünder.

Des Fürsten Contrefait[1] gehöret keiner Magd /
Es ist nur bloß gemahlt der Hoheit Brust zu küssen:
Weh! wann ein schwacher Kahn sich an die Klippe wagt /
Für der schon mancher Maast die Segel streichen müssen.

Doch bleibet meine Pflicht der Demuth unverletzt /
Daß unterthänigst ich werd Dero Winck verehren /
So ferne kein Befehl sich wider Tugend setzt:
Als der die Mißgeburth der Laster will vermehren.

Ein frembder Schaden macht hier meine Sinnen klug.
An diesen Faden kenn ich meiner Keuschheit Netze /
Die Kette welche Händ der Seelen Wolcken Flug;
Die Dienstbarkeit so mir schrieb schädliche Gesetze.

Ich lebe Sorgen loß weil mein Gewissen frey /
Und seiner Durchleucht Brief ist unverletzt geblieben /
Fragt nun die gantze Welt was mein Verbrechen sey?
Der Fürst hasst seine Magd / warum? Sie will nicht lieben.[2]

---

[1] Konterfei = Bildnis; [2] s. Anm. 2, S. 98

RUH-BEGLÜCKTE EINSAMKEIT

Ruh-beglückte Einsamkeit /
Paradieß der Lebens-Zeit
laß dich von der Daphne grüssen!
Und du schöner Silber-Fluß /
Schenck mir deinen Honig-Guß /
Meine Sorgen zu versüssen!
Zürne nicht / du sanffter Klee!
Wann ich auf und nieder geh'.

Dieser Bäume Schatten-Zelt
Tausend Anmuth in sich hält.
Wer solt unter jenen Linden
Wo der Unschuld Purpur thront
Und des Friedens Scepter wohnt /
Nicht der Sinnen Labsal finden?
Was das Hertz vergnügen kan /
Lächelt hier die Augen an.

Ich erwehle deinen Krantz
Für des Hofes Hoheit-Glantz /
Wo das falsche Wort-Ersinnen
Auf geschminckte List bedacht /
Bis der Geist zum Knecht gemacht:
Hohe Stürtz in hohen Zinnen
Haben vieler Wunsch gefällt
Und verdeckte Netz gestellt.

Leichter ist es hier allein
Der Begierden Herr zu seyn;
Als regieren jene Dächer
Die der Pracht selbst aufgebaut /
Wo die Kunst den Meister schaut
An dem Zierrath der Gemächer:
Da der Armen Thränen-Guß
Allen Kosten zahlen muß.

Deiner Kräuter Balsam-Beth
Wird ja noch ein kleine Stätt
Künfftig meiner Hüten weisen
Da nach wilder Wellen-Bahn
Meiner Sehnsucht schwacher Kahn
Kan der Schickung Ufer preisen:
Wo die Falschheit / Neid und List
Nicht des Lebens Band zufrisst.

Holde Gegend gönne mir
Daß ich öffter komm zu dir /
Und erlaube meiner Heerde /
Daß sie deine Matten schau /
Und von dieser Blumen-Au'
Ihre Zung durchzuckert werde:
Speiß in deinem Bunten-Saal
Morgen sie das erste mal.

Christiana Mariana
von Ziegler
gebohrne Romanus.

CHRISTIANA MARIANA VON ZIEGLER
(1695–1760)

Christiana Mariana Ziegler gehörte der Zeit der Aufklärung an. In ihrem dichterischen Werk setzte sie sich für die Rechte der Frauen ein. Ihr Beispiel ermunterte in der Folgezeit eine ganze Reihe von Frauen, die Feder in die Hand zu nehmen.
Mariana Ziegler war die Tochter einer der angesehensten Familien in Leipzig, die allerdings 1705 ein großes Unglück traf. Ihr Vater, Franz Conrad Romanus, seit 1701 Bürgermeister der Stadt, wurde wegen eines angeblichen Staatsverbrechens zu Festungshaft verurteilt und starb vierzig Jahre später, ohne die Freiheit wiedererlangt zu haben. Als 1728 das erste Buch Mariana Zieglers erschien, hatte sie bereits zwei Ehemänner durch den Tod verloren, ebenso ihre beiden Kinder. Seit 1722 lebte sie wieder in ihrem Elternhaus und führte einen »musikalischen Salon«. Für die Leipziger Gesellschaft war das etwas Neues, da die Pflege der Künste damals noch dem Hofe und dem hohen Adel in Dresden vorbehalten war. Johann Sebastian Bach, seit 1724 in Leipzig, vertonte neun geistliche Cantaten von ihr. Mariana Zieglers Gedichte haben oft eine für jene Zeit nicht selbstverständliche klare und flüssige Diktion; besonders ihre strophisch gebauten Lieder verraten ein bemerkenswertes musikalisches Gespür. Sie veröffentlichte auch Reden, Gespräche, Briefe und Fabeln.
Mariana Ziegler war in literarischen Kreisen zwischen 1730 und 1740 sehr berühmt. Sie wurde das erste weibliche Mitglied der »Deutschen Gesellschaft« in Leipzig und hielt dort eine Rede zum Thema »Ob es dem Frauenzimmer erlaubet sey, sich nach den Wissenschaften zu bestreben«. Sie war auch die erste Frau, die von einer Universität zur Dichterin gekrönt wurde (1733). Ein solcher Einbruch in das Reich akademischer, sprich männlicher Würden war zu ihrer Zeit nur durch männliche Unterstützung möglich. Und die erhielt sie von dem Leipziger Literaturprofessor Johann Christian Gottsched, der sie im Schreiben ermunterte und förderte und sich überhaupt für die Frauenbildung einsetzte.
Ihre Erfolge brachten ihr aber nicht nur Glückwünsche und Lobreden ein. Es wurde manches Spottgedicht auf sie verfaßt, vor allem nach ihrer Dichterkrönung. 1741 ging sie eine dritte Ehe ein und verstummte fortan als Schriftstellerin.

DAS MÄNNLICHE GESCHLECHTE, IM NAMEN EINIGER FRAUENZIMMER BESUNGEN

Du Weltgepriesenes Geschlechte,
Du in dich selbst verliebte Schaar,
Prahlst allzusehr mit deinem Rechte,
Das Adams erster Vorzug war.
Doch soll ich deinen Werth besingen,
Der dir auch wirklich zugehört;
So wird mein Lied ganz anders klingen,
Als das, womit man dich verehrt.

Ihr rühmt das günstige Geschicke,
Das euch zu ganzen Menschen macht;
Und wißt in einem Augenblicke
Worauf wir nimmermehr gedacht.
Allein; wenn wir euch recht betrachten,
So seyd ihr schwächer als ein Weib.
Ihr müßt oft unsre Klugheit pachten,
Noch weiter als zum Zeitvertreib.

Kommt her, und tretet vor den Spiegel:
Und sprechet selbst, wie seht ihr aus?
Der Bär, der Löwe, Luchs, und Igel
Sieht bey euch überall heraus.
Vergebt, ich muß die Namen nennen,
Wodurch man eure Sitten zeigt.
Ihr mögt euch selber wohl nicht kennen,
Weil man von euren Fehlern schweigt.

…

Die, welche sich nur selbst erheben,
Die gerne groß und vornehm sind,
Nach allen Ehrenämtern streben,
Da doch den Kopf nichts füllt als Wind:
Die keine Wissenschaften kennen,
Und dringen sich in Würden ein,
Die kann man wohl mit Namen nennen,
Daß sie der Thorheit Kinder seyn.

Die Männer müssen doch gestehen,
Daß sie wie wir, auch Menschen sind.
Daß sie auch auf zwey Beinen gehen;
Und daß sich manche Schwachheit findt.
Sie trinken, schlafen, essen, wachen.
Nur dieses ist der Unterscheid,
Sie bleiben Herr in allen Sachen,
Und was wir thun, heißt Schuldigkeit.

Der Mann muß seine Frau ernähren,
Die Kinder, und das Hausgesind.
Er dient der Welt mit weisen Lehren,
So, wie sie vorgeschrieben sind.
Das Weib darf seinen Witz[1] nicht zeigen:
Die Vorsicht[2] hat es ausgedacht,
Es soll in der Gemeine schweigen,
Sonst würdet ihr oft ausgelacht.

Ihr klugen Männer schweigt nur stille:
Endecket unsre Fehler nicht.
Denn es ist selbst nicht unser Wille,
Daß euch die Schwachheit wiederspricht.
Trag eines nur des andern Mängel,
So habt ihr schon genug gethan,
Denn Menschen sind fürwahr nicht Engel,
An denen man nichts tadeln kann.

[1] Verstand;   [2] Vorsehung

In der bekannten Melodie:

ALS SIE IHR BILDNISS SCHILDERN SOLLTE

Mein Freund, o! thu dir nicht Gewalt;
Kennst du mich gleich nicht von Gestalt,
Deswegen fasse keine Grillen;
Den Kummer will ich dir bald stillen.
Ich setze schon die Feder an.
Mit dieser wird dir kund gethan:
Du sollst mein Bild in Reimen lesen,
Mein Ansehn und mein ganzes Wesen.
Ich bin nicht klein, ich bin nicht groß,
Ich geh bedeckt und niemals bloß.
Mit aufgeräumten frohen Minen
Such ich der ganzen Welt zu dienen.
Ich bin nicht stark; ich bin nicht schwach;
Mein Fuß ist schnell, kein Ungemach
Setzt meine Seel aus ihren Schranken;
Mein fester Sinn pflegt nicht zu wanken.
Ich liebe Kunst und Wissenschaft,
Und lache wenn man sich vergafft.

AUF EINEN SCHÖNEN UND ARTIGEN PAPAGOY

Es hat dich die Natur recht herrlich ausgeschmücket;
Dein Glanz ist ungemein, man bleibt dabey entzücket.
Man sage was man will von aller Farben Kunst:
Es ist und bleibt fürwahr nur eitler Wörter Dunst.
Ich seh das muntre Grün, mit roth und gelb vermenget;
Wie sich der weisse Strahl mit in den Schnabel dränget;
O Anblick, der fürwahr mir alle Sinnen rührt!
Ihr Künstler, saget frey! seyd ihr nicht überführt,
Die Wirkung der Natur hat euch hier übertroffen?
Ihr schlechten Redner hört, ihr könnt ein gleiches hoffen
Kaum daß sein zartes Ohr sich nach der Stimme richt,
Die nur von ohngefehr ein Wörtchen zu ihm spricht,
So sagt er deutlich noch was man von ihm verlanget.
Die Unschuld redet hier, die nicht mit Worten pranget.

Er speist sein Zuckerbrodt, steigt in dem Baur herum,
Sieht sich in keiner Schrift nach Wort und Einfall um.
Ihn plagt kein schwarzer Neid, er will sich nicht verstellen;
Kann er gleich als ein Hund mit seinem Stimmchen bellen.
Er lacht, er pfeift, er singt, wenn sich die Zunge regt
So wird eine neuer Werth auch an den Tag gelegt.
Wie sollte nicht mein Freund den klugen Vogel lieben?
Wer ihn nur hört und sieht, wird dazu angetrieben.
Ich sorge wahrlich selbst, daß ihn kein Unfall schreckt,
Und daß kein Katzenkopf sich nach dem Bauer streckt.
Mein Papchen lebe wohl, belache alle Thoren.
Die nicht so edel sind in ihrer Art geboren.
Du sprichst dein gutes Deutsch, dein rein gesetzt Latein,
Kanst manchem der es lehrt, darinn ein Muster seyn[1].

[1] Dieser Vergleich ist eine ironische Abrechnung
mit der Überheblichkeit der gelehrten Zeitgenossen.

ODE

Zürne nicht, wenn ich dir sage,
Daß ich dich nicht lieben kann.
Wenn ich Aug und Herze frage,
Giebt es mir die Ursach an:
Amor herrscht gleich den Tyrannen;
Räumt man ihm nur etwas ein,
Sucht er alles zu verbannen,
Was ihm nicht will dienstbar seyn.

Ruh und Freyheit gieng verlohren,
Der Verlust fiel mir zu schwer;
Dazu bin ich nicht geboren,
Nein, mein Ohr giebt kein Gehör.
Kühl die Gluth an andern Blicken,
Was nutzt eine kalte Brust?
Sich an Schnee und Eis erquicken
Bringt dem Herzen schlechte Lust.

Du bist edel von Gemüthe,
Du bist angenehm und schön,
Du bist in der schönsten Blüte,
Jede mag dich gerne sehn.
Dein Verstand, dein ganzes Wesen
Liebt ein Herz das lieben kann;
Ja dein Werth bleibt auserlesen,
Nur ich nehm nicht Theil daran.

Ja ich will mich selbst verdammen,
Mein Herz ist zu felsenfest,
Da im Ursprung deiner Flammen
Es dich gar verschmachten läßt.
Darum muß ich mit dir leiden,
Daß ich dich nicht trösten kann;
Dich und deinen Umgang meiden
Seh ich selbst für strafbar an.

Hoffe nur und sey zufrieden,
Zeit und Stunden ändern sich.
Was der Himmel dir beschieden,
Das erhält er auch vor dich.
Er kann Geist und Herze lenken;
Sieht er meine Unschuld an,
Wird er auch an dich gedenken,
Daß ich dich noch lieben kann.

Dennoch will ich mich vergnügen,
Wenn mein Schicksal widerspricht.
Sollte ja die Hoffnung trügen,
Trügt doch deine Liebe nicht.
Ich kann dich doch niemals hassen;
Denn der erste Blick und Tag
Ließ mich was ins Herze fassen,
Das ich nicht gestehen mag.

DIE DICHTERIN UND DIE MUSEN

Ich meynte bey dem Trieb, den ich gar oft verspührt,
Und der durch Sehnsucht mir den regen Geist gerührt,
Mich noch auf den Olymp beglückt hinauf zu schwingen
Weil auch die Musen dort, als Frauenzimmer singen.
Jedoch mein Hoffen fehlt; ich kann im voraus sehn,
Daß, leider! selbiges unmöglich kann geschehn,
Der Pierinnen[1] Schaar drängt mich von ihren Stufen,
So eifrig und bemüht ich ihr doch zu gerufen,
Aus Eifersucht und Furcht, es möchte nach und nach
Apollo, der sie liebt, zu nicht geringer Schmach,
Und ihrem größten Schmerz, dem fremden Gast daneben
Ein freundliches Gesicht, und holdes Blickchen geben.

[1] Pieriden = Beiname der Musen

Sidonia Hedwig
Zaeunemännin aus Erfurt
Kaÿserl. Gekrönte Poetin.

Stockmar del. et fe.

SIDONIA HEDWIG ZÄUNEMANN
(1714–1740)

Sidonia Zäunemann, die Tochter eines Erfurter Notars, war eine der ersten Frauen, die unter der Einwirkung der Erfolge von Mariana Ziegler aufwuchs. »Ihr Vorbild hat mein Blut erhitzt«, schrieb sie in einem Gedicht.

Ihr Leben und Dichten zeigt den entschlossenen Drang zur Selbstbehauptung. Als ihr Hauptwerk bezeichnete sie die poetische Beschreibung »Das Bergwerk in Ilmenau«, in der sie ihre Fahrt unter Tage schildert. Wohl zu Recht rühmte sie sich, eine der ersten Frauen zu sein, die ein solches Unternehmen wagte. Mut bewies sie auch sonst. Ihre zahlreichen Reisen nach Ilmenau, dem Wohnsitz ihrer Schwester, legte sie allein zu Pferd in Männerkleidung zurück, und das zu einer Zeit, da junge Mädchen kaum unbegleitet über die Straße gehen durften. Eine dieser Reisen endete für sie tödlich. Zeitgenössische Quellen berichten, daß sie bei der Überquerung einer Brücke ins Wasser stürzte.

Sidonia Zäunemann blieb bis zu ihrem frühen Tod unverheiratet und lebte im Haus ihrer Eltern in Erfurt. Ihr Verstoß gegen die »weiblichen Normen«, ihr dichterischer Ehrgeiz und ihr persönliches Unabhängigkeitsstreben mußten Anstoß erregen, nicht nur in den kleinbürgerlichen Kreisen ihrer Heimatstadt. Verteidigung und Rechtfertigung durchziehen ihr Werk wie ein roter Faden.

1738 wurde ihr eine wichtige öffentliche Anerkennung zuteil: die Göttinger Universität krönte sie zur kaiserlichen Poetin. Erst nach dieser Ehrung gab sie ihre erste Gedichtsammlung »Poetische Rosen in Knospen« heraus. 1739 veröffentlichte sie als letztes Werk eine Satire im Geist der Aufklärung.

ANDÄCHTIGE FELD- UND PFINGST-GEDANKEN

Als ich den ersten heiligen Pfingst-Tag
von Erfurt nach Ilmenau reisete, wobey es beständig donnerte,
blitzte, auch zuweilen etwas regnete[1]

Wie vielmahl bin ich schon den Weg allhier geritten,
Und dennoch, Gott sey Lob! ist nie mein Roß geglitten:
Mein Pferd ist nie gestürzt, so scharf ich auch gejagt.
Zwar einmahls machte mich mein Hengst etwas verzagt;
Allein dein starker Schutz ließ mich nicht in den Hecken,
Vielwenger in Gefahr verzagen oder stecken.
Du Höchster! warst mein Schirm, dein Engel brachte mich
Gesund und wohl nach Haus; und darum preis ich dich.
Wenn mich ein Regen-Guß den ganzen Weg geführet,
Daß ich kein trocknes Fleck an Kleid und Leib verspühret;
Wenn mich der Sturm gedreht, so hab ich doch gelacht;
Es hat mir nichts geschadt. Wenn mich die finstre Nacht,
Da kaum vor Dunkelheit die Pfützen zu erblicken,
Mich über Stock und Stein und über schmahle Brücken
Und Berge hingeführt, nahm ich doch nie Gefahr,
Noch Schrecken, oder Furcht, noch Widrigkeiten wahr.
Der finstre Tannen-Wald hat mich gar nicht erschrecket,
Vielmehr sein sanft Geräusch die größte Lust erwecket.
Versuchts, es reiset sich des Nachts in Wäldern schön;
Ich habs erst nicht geglaubt; nun hab ich es gesehn.
Das sonst berufne Fleck läßt mir auch keinen Grauen
Noch Zittern und Gefahr wie etwa andern schauen.
Wenn Blitz und Donner-Knall den Tannen-Wald erfüllt,
Und in denselbigen gesauset und gebrüllt:
Hat man mich vor der Fluth und Donner warnen wollen
So hab ichs nicht geacht. Denn die Gerechten sollen
In Unglück und Gefahr und in der Todes-Pein,
Doch allezeit beherzt und frischen Geistes seyn.
Bey Tage und bey Nacht, zu Hause und in Gründen,
Kan mich die Hand des Herrn stets treffen oder finden:
Drum fürcht ich mich vor nichts. Du mein Imannuel!
Du führst mich stets; durch wen? durch deinen Raphael.
Gott Lob! der führt mich auch an diesem heilgen Tage,
Und schützet mich gewiß vor aller Noth und Plage.
...

[1] Das Gedicht umfaßt im Original 387 Zeilen.

MADRIGAL, ÜBER DIE WIEGE EINES KINDES

Du schläfst in Ruh,
Und bildest dir nicht ein,
Die kleine Wiege werde
Auf dieser schnöden Erde,
Das Vorbild deines größren Schicksals seyn.
Die Wiege wirft dich hin und her:
So wirst Du auch nach mehren Jahren
Des Schicksals Spielwerk wohl erfahren.
Es wird sich stets bemühn,
Dich öfters hin und her zu ziehn.

DAS UNTER GLUTH UND FLAMMEN
ÄCHZENDE ERFURT. DEN 21.TEN OCT. 1736[1]

O! Was erhebt sich vor ein Sturm!
Wie braußt der Wind in unsern Gassen!
Dort wankt ein hochgespitzter Thurm,
Den hunderttausend Wirbel fassen.
Hier kracht ein schwach und mürbes Haus;
Sein Grimm bricht Kalch und Ziegel aus;
Er pfeift durch Gärten und Gebäude.
Entstünd ein Feuer ohngefehr,
Wo nähmen wir jetzt Rettung her;
Wie schlecht wär unsre Sabbaths-Freude!

O weh uns! kaum gedenk ich dran,
So hör ich Feuer! Feuer! schreyen.
Die Funken steigen Himmel an,
Und scheinen uns den Tod zu dräuen.
Die ganze Stadt erschrickt und bebt,
Und was in unsern Mauren lebt,
Erzittert, läuft und eilt zum Retten.
Der stark und ungeheure Wind
Treibt Gluth und Flammen so geschwind,
Als ob sie güldne Flügel hätten.

...

[1] Das Gedicht umfaßt im Original 30 Strophen

Dort trägt mit Seufzen, Ach und Weh
Ein armes Weib ein Bündel Betten,
Und hält es zitternd in die Höh,
Um dieß noch vor der Gluth zu retten.
Hier läuft ein hochbetagter Mann,
Trägt, was er sonst kaum heben kan,
Und suchts in Sicherheit zu bringen.
Da führt und schleift man Kaufmanns-Guth,
Man eilt es möchte sonst die Gluth
Die Waaren allesamt verschlingen.

Reißt Frauenzimmer! reißt die Pracht
Von Achseln, Haupt und Schlaf herunter!
Kommt gebt auf eure Freunde acht,
Und seyd zum Räumen frisch und munter.
Was denkt ihr jetzt ans Feyer-Kleid,
Jetzt da das Feuer Funken speyt,
Und seinen rothen Rachen weiset.
Auf! säumet nicht! helft, wo ihr könnt,
So lang die Gluth euch Zeit vergönnt,
Damit man eure Großmuth preiset.

Das ungeheure Element
Sucht seine Flügel auszubreiten.
Es raßt und tobt, und frißt behend,
Und lodert schon auf allen Seiten,
Der Sturm bläßt heftig in die Gluth,
Und mehret dadurch ihre Wuth,
Und unterhält die tollen Flammen.
Hier sind, wie ist mir doch so bang,
Zu unsers Erfurts Untergang
Zwey Feinde unzertrennt beysammen.

Jetzt steigt ein Regenbogen auf;
O! wäre dieß ein Gnaden-Zeichen!
Vieleicht sieht Gottes Auge drauf,
Und läßt sein Vater-Herz erweichen.
Doch nein! der Sturm bläßt immer mehr;
Er heult und brüllt und wüthet sehr,
Und blendet durch den Rauch die Augen.
Man weiß fast nicht wohin man sieht;
Der heise Dampf, der seitwerts zieht,
Beißt schmerzlicher als scharfe Laugen.

Vor Schrecken kreyset dort ein Weib,
Und muß ihr Kind in Thränen baden.
Hier trägt man einen siechen Leib,
Damit ihm nicht die Flammen schaden.
Wenn jetzt die arme Geren-Stadt[1]
Den Höchsten nicht zum Helfer hat,
So muß sie gänzlich untergehen.
Wofern er nicht dem Wind gebeut,
Dem Feuer wehrt, dem Funken dräut,
So bleibt kein einzig Wohnhaus stehen.

Der Himmel zeigt uns noch einmahl
Den buntgefärbten Regenbogen.
Allein er mindert nicht die Quaal.
Die Gluth kömmt stärker hergezogen.
Der Rauch benimmt der Sonnen-Blick,
Die Luft wird dampfigt, schwarz und dick,
Dort fliegen angeflammte Kohlen;
Sie drehen sich mit Ungestümm,
O Jammer! ihr erhitzter Grimm
Entzündet auch die stärcksten Bohlen.

Hier stürzt ein lodernd Dach herab;
Dort knackt und prasselt ein Gebäude,
Und findet bald ein rothes Grab
Zu des Besitzers gröbstem Leide.
Die Gluth verschont kein steinern Haus,
Sie brennt die schönsten Zimmer aus;
Die stärcksten Mauren müssen springen.
So plötzlich kan die schnelle Gluth
Haus, Bücher, Früchte, Hab und Guth,
Eh man es noch vermeint, verschlingen.

Man sieht, wie sich die Spritzen drehn,
Wie scharf sie mit den Flammen fechten;
Sie geben zischend zu verstehn,
Wie gern sie uns erretten möchten.
Allein umsonst! mir fällt der Muth;
Kein Wasser tilgt die wilde Gluth.
O! könnt man sie mit Thränen zwingen!
Ich weiß, sie wär schon längst gestillt,
Denn was aus unsern Augen quillt,
Wär stark genug sie zu verdringen.

...

1 Erfurt an der Gera

Der Abend kömmt betrübt herbey;
Die Sonne geht ganz traurig unter,
Allein das Feuer herrscht noch frey;
Das matte Volk bleibt gleichfals munter.
Das Stücke wiederhohlt den Knall;
O mehr als fürchterlicher Schall!
O strenges Nacht-Lied, so wir hören.
Ach Schreckens-voller Morgen-Gruß,
Der uns zugleich erinnern muß
Die Augen nach dem Brand zu kehren.

...

Kommt! schaut die Aschen-Hauffen an,
Die gleich den Ziegel-Oefen rauchen.
Man sieht, so weit man sehen kan,
Die Gluth verdeckt und dampfend schmauchen.
O heises Grabmaal einer Stadt,
Die Gott so scharf gezüchtget hat!
Hier überfällt mich Furcht und Grauen.
O soll ich dich mein Ger-Athen
In solchem Jammer-Stande sehn!
Und deine Bürger weinend schauen.

Sucht eure Stätte nur noch nicht,
Nein, sondern sucht zuerst die Gassen,
Der Schutt betrüget das Gesicht;
Sie werden sich kaum finden lassen.
Hier ist ja lauter Wüsteney;
Der Berge sind so vielerley;
Wer will euch eure Wohnung zeigen?
Man geht jetzt nicht durch Strassen hin;
Man muß mit tiefgebeugtem Sinn
Nur über Feuer-Hügel steigen.

Der Höchste schlug; er wird sich auch
Der elend- und betrübten Armen
nach seinem väterlichen Brauch,
Nach seiner Huld und Gnad erbarmen.
Wer aber davon hört und spricht,
Verdamme ja und richte nicht,
Und untersuche sein Gewissen.
Denn so ihr jetzt nicht Busse thut,
So werdet ihr durch Sturm und Gluth
Auf gleiche Art verderben müssen.

JUNGFERN-GLÜCK

Niemand schwatze mir vom Lieben und von Hochzeitsmachen
vor,
Cypripors Gesang und Liedern weyh ich weder Mund noch
Ohr.
Ich erwehl zu meiner Lust eine Cutt- und Nonnen-Mütze,
Da ich mich in Einsamkeit wieder manches lästern schütze.
Ich will lieber Sauer-Kraut und die ungeschmeltzten Rüben
In dem Kloster vor das Fleisch in dem Ehstands-Hause lieben.
Mein Vergnügen sey das Chor, wo ich sing und beten tuhe,
Denn dasselbe wirkt und schafft mir die wahre Seelen-Ruhe.
Will mir den gefaßten Schluß weder Mann noch Jüngling glauben,
Immerhin, es wird die Zeit euch doch diesen Zweifel rauben.
Geht nur hin, und sucht mit Fleiß Amors Pfeile, Amors Waffen,
Und geberdet euch darbey als wie die verliebten Affen!
Dorten stund in einem Carmen[1] auf den Herrn von Obernütz:
Kriegt das schöne Jungfern-Röckgen einen Flecken, Ritz und
Schlitz,
So muß auch der Jungfern Glück und die edle Freyheit weichen,
Und dargegen sucht die Angst sich gar eilend einzuschleichen.
Dieser Vers hat recht gesagt, Jungfern können kühnlich lachen;
Dahingegen manches Weib sich muß Angst und Sorge
machen.
Kriegt die Noth durch Gegen-Mittel eine Lindrung und ein
Loch,
Ey, so währt es doch nicht lange, und man schauet immer noch
Eben so viel Bitterkeit als in Erfurt Mannes Krausen,
Leid und Trübsal, Gram und Pein will die armen Weiber zausen.
Kriegt ein Weib von ihrem Mann manchen Tag ein Dutzend
Mäulgen[2],
Ey! so sagt, was folgt darauf? Über gar ein kleines Weilgen
Brennt des Mannes Zorn wie Feuer, und er schwöret beym
Parnaß:
Frau! ich werde dich noch prügeln, oder stecke dich ins Faß.
Dieser Weiber Noth und Pein will ich mich bey Zeit entschlagen,
Denn so darf kein Herzens-Wurm jemahls meine Seele nagen.
Drum so sag ich noch einmahl; Gute Nacht, du Scherz und
Küssen,
Ich will deine Eitelkeit bis in meine Gruft vermissen.

[1] Carmen = Lied;   [2] Mäulgen = Küsse

Johanna Charlotte
Zieglerin

JOHANNE CHARLOTTE UNZER
(1725–1782)

Als »anakreontisches Mädchen« erregte Johanne Charlotte Unzer um die Mitte des achtzehnten Jahrhunderts Aufsehn. 1751 erschien anonym ihr »Versuch in Scherzgedichten«, in dem sie der anakreontischen Mode huldigte und Lieder von Liebe, Wein und fröhlicher Geselligkeit sang. Gegen die zu erwartende Entrüstung schrieb sie gleich eine Verteidigung im voraus. Darin widersprach sie dem Vorurteil, Frauen hätten nur in »erhabner Art« zu dichten und forderte ihre »Schwestern« zur Nachahmung auf.

Johanne Charlotte Unzer war in Halle aufgewachsen. Sie war die Tochter einer angesehenen Familie, die ein reges gesellschaftliches Leben führte. Der Vater, Johann Gotthilf Ziegler, war Organist und Komponist. Zum Zeitpunkt ihrer ersten Veröffentlichung war sie bereits mit Johann August Unzer verheiratet, einem Arzt und Schriftsteller. Sie folgte ihm 1751 nach Hamburg, später Altona, wo sie auch starb.

Johanne Charlotte Unzers »Scherzgedichte« zeigen die für die Hallesche Anakreontik charakteristische empfindsame Färbung. Das Buch brachte es immerhin auf drei Auflagen (²1753, ³1766). In ihren späteren Gedichten mischen sich empfindsame und rationale Züge. 1754 erschienen »Sittliche und zärtliche Gedichte« (²1766) und 1766 »Fortgesetzte Versuche in sittlichen und zärtlichen Gedichten«.

Diese letzte Ausgabe enthielt Gedichte, die bereits zehn Jahre zuvor entstanden waren und kam nur auf Drängen eines Neffen, der Verleger war, zustande. In der Vorrede schrieb sie, daß ihr später wegen Mutterpflichten, einer schweren, sich über ein Jahrzehnt erstreckenden Krankheit und des Todes zweier Kinder die Muße zum Dichten gefehlt habe.

In der Einleitung zu den »Scherzgedichten« hatte Johanne Charlotte Unzer bereits die »eingeschränkte Lage« der Frau als Dichterin beklagt, ebenso die Einschränkung ihrer Bildung. Den Wunsch, selbst mehr zu lernen, verband sie mit dem Eifer, andere Frauen zum Nutzen und Vergnügen an die Wissenschaft heranzuführen. 1751 veröffentlichte sie den »Grundriss einer Weltweisheit für das Frauenzimmer«, und im gleichen Jahr »Grundriss einer natürlichen Historie und eigentlichen Naturlehre für das Frauenzimmer« (²1767).

NACHRICHT*

Nun, da es Gleim[1] im Scherz geschrieben,
Daß alle Mägdchen Puppen wären;
Hält mancher uns im Ernst für Puppen,
Als wären wir für ihn gedrechselt.
Doch wißt, ihr stolzen Mägdchenkenner,
Ihr kleinen Zwecke kleiner Puppen!
Als die Natur uns euch bestimmte,
Damit ihr mit uns spielen möchtet;
Sah sie euch an als kleine Kinder,
Die noch nicht unterscheiden können.

* Dies ist eine Antwort auf folgendes Gespräch.
   A. So sind die Mägdchen, wie ihr meynt,
      Denn keine Menschen?
   B. Nein, Mein Freund!
   A. Was sind sie denn? Herr Mägdchenkenner!
   B. Lebendge Puppen für die Männer.
[1] Johann Wilhelm Ludwig Gleim (1719–1803),
deutscher Schriftsteller, schrieb u. a. anakreontische Lyrik

DER SIEG DER LIEBE

De Voltaire
– Malheureux! qui n'en parle, qu'en Vers

Ich fühl in der Brust
Die zärtlichsten Triebe,
Den Ursprung der Lust,
Die göttliche Liebe.

Schon siegt der Affect!
Entzückende Schmerzen,
In Freude versteckt,
Erwachen im Herzen.

Es tobt in der Brust,
Bey Seufzern und Thränen,
Ein Vorwitz zur Lust,
Ein treibendes Sehnen.

So oft ich dem Witz
Zu lächeln befehle;
Durchdonnert ein Blitz
Von Schrecken die Seele.

Wie Rosen verblühn,
So schwinden die Kräfte:
Wie Wetter aufziehn,
So schleichen die Säfte.

Doch, dennoch entreißt
Kein Zufall, kein Leiden,
Dem muthigen Geist
Die seligen Freuden.

Verzweiflung bedroht
Die Hoffnung vergebens:
Ich wünsche den Tod,
Zur Rettung des Lebens.

O glücklicher Krieg!
O selige Stunden!
Ich habe den Sieg
Der Liebe empfunden.

DIE SOMMERNACHT

Nein! Nichts übertrifft doch die kühlenden Nächte,
Die Nächte nach hitzigen Tages des Sommers!
Erquickende Wollust durchdringet die Glieder,
                         Und stärkt und belebt!

Verführerisch tönen der Nachtigall Lieder;
Aus jedem Gebüsche schallt Wollust und Liebe;
Es rauschen die schwankenden Äste gelinder,
                         Und hören ihr zu.

Unzählige Blumen verhauchen hier Düfte!
Der wachen Viole, der taumelnden Rose
Balsamische, reine, gesunde Gerüche
                         Erfüllen die Luft.

Am blauen Gewölbe der oberen Lüfte
Erscheinet Diane, im blassen Gewande,
Mit Sternen umgeben, durchjagt sie den Himmel
                Zwar schnell, aber still.

Vom Schlafe verscheuchete Sorgen fliehn, schwindlicht,
Und kommen am Fenster des Nachbars zusammen,
Um gleich mit dem frühesten Strale der Sonne
                Im Zimmer zu seyn.

Der Geizhals mag immer mit Sorgen sich schlagen!
Mir folgen nur wenig und kleinere Sorgen,
Noch sattsam bescheiden in ihrer Verfolgung.
                Die Schultern umhüllt.

Ein durchsichtger Flor. Doch die streitbaren Scherze,
Anakreons, Gleimens und Hagedorns[1] Scherze,
Bekämpfen, besiegen, verjagen die Sorgen,
                Und klatschen sie aus.

Was hör ich? Dort rasselt der Wagen der Sonne!
Wo bist du Diane? In welcher Entfernung
Entfliehst du dem Lärme des kommenden Tages!
                O schmerzliche Flucht!

Nein! Nichts übertrifft doch die kühlenden Nächte!
Und hätt ich des Nachts die Gesellschaft der Freunde,
Die itzt denen Tagen den Vorzug noch geben;
                So lebt ich nur Nachts.

[1] Friedrich von Hagedorn (1708–1754), deutscher Schriftsteller,
schrieb u. a. anakreontische Lyrik

DIE RUHE

Vergebner, heißer Wunsch nach Ruh,
Was sättigt dich? Was stillt die Schmerzen
Des unruhvollen, bangen Herzen?
Was heilt die tiefen Wunden zu?

Auf der Welt ist nichts zu finden.
Reichthum, Ehre, Wollust schwinden,
und uns bleibt, nach dem Genuß,
Ekel und Verdruß.

Umsonst sucht ich ein daurend Glück
In allen Gütern dieses Lebens.
Sie fliehn zu schnell, und, ach! vergebens
Ruff ich, ermüdend, sie zurück.

Meine Jugend, deren Ende
Ich durch Suchen nach verschwende,
Meine beste Zeit verschwand,
Eh ich Ruhe fand.

Allein bey Dir, der meiner Brust
Den Trieb noch schenkte, Dich zu lieben,
Bey Dir, mein Gott, bin ich geblieben,
Du warst, und bist noch meine Lust.

Du, Du wiegest, voll Erbarmen,
In den väterlichen Armen,
O wie sanft! die Herzen ein,
Daß sie ruhig seyn.

Anna Louise
Dürbach

G.F.Schmidt fecit aqua forti. 1763.

A. Chodⁿⁿⁿ

ANNA LOUISA KARSCH
(1722–1791)

Anna Louisa Karsch war die erste Frau in Deutschland, die sich ihren Lebensunterhalt mit Schreiben verdiente und zu ihrer Zeit wohl die berühmteste Dichterin. Sie wurde als Tochter des Pächters und Bauernwirts Christian Dürbach und einer Försterstocher, die bei einer adligen Familie aufgewachsen war, auf dem Bauerngut »Auf dem Hammer« bei Schwiebus in Schlesien geboren. Nach dem frühen Tod des Vaters verlebte sie zunächst unbeschwerte Jahre bei einem Großonkel, der sich um ihre Erziehung kümmerte und ihre Neigung zum Lesen und Schreiben weckte. Vier Jahre später mußte die Zehnjährige zur inzwischen wiederverheirateten Mutter zurück, um Stiefgeschwister zu betreuen und Vieh zu hüten. Lesen konnte sie jetzt nur noch heimlich; ein befreundeter Hirtenknabe versorgte sie mit Lektüre (Volksbücher, Märchen, Robinsonaden). Mit sechzehn Jahren wurde sie mit dem Weber Hirsekorn verheiratet, der sie auf unglaubliche Weise erniedrigte und quälte. Als er sich nach elf Jahren von ihr scheiden ließ, empfand sie dies dennoch nicht als Erleichterung, sondern als große Schande. Mit dem dritten Kind schwanger und völlig mittellos mußte sie sein Haus verlassen. Ein Jahr später heiratete sie den Schneider Karsch, einen Alkoholiker. Mit ihm hatte sie vier Kinder.
Da sie in bitterster Armut lebte, begann sie durch Gelegenheits- und Auftragsdichtung etwas hinzuzuverdienen. Ab 1755 lebte sie in Groß-Glogau und hatte nun auch Gelegenheit zur Lektüre zeitgenössischer Dichtung. Bald war sie regional bekannt, vor allem auch durch patriotische Oden anläßlich der Erfolge Friedrichs II. im Siebenjährigen Krieg. 1761 wurde sie von Baron Kottwitz nach Berlin gebracht. Dort feierte man sie als Naturdichterin und »wiedererstandene Sappho« (Uz, Gleim, Wieland, Herder) und staunte über ihr Improvisationstalent. Sie lernte u. a. Lessing, Mendelssohn, Gleim, Ramler und den Kunsttheoretiker Sulzer kennen und fand zahlreiche Gönner, selbst Friedrich II. gewährte ihr Audienz. Gleim, zu dem sie eine leidenschaftliche, aber unerwiderte Neigung faßte, gab 1764 ihre Gedichte auf Subskription heraus; wenig später konnte er melden: »So viel als Frau Karschin für ihre

Sammlung bekommen hat, kan sich noch kein deutscher Dichter rühmen ...« Wirtschaftliche Not zwang sie aber später immer wieder zur Gelegenheitsdichtung auf Bestellung. Ihre zahlreichen Gedichte erschienen in zeitgenössischen Zeitschriften, Anthologien und vier weiteren Buchausgaben. Sowohl ihre Tochter, Louisa von Klenke, als auch deren Tochter, Wilhelmina von Chezy, waren literarisch tätig.

Goethe schätzte ihre Poesie: »mir ist alles lieb u. werth was treu u. stark aus dem Herzen kommt ...« Herder lobte ihre besten Gedichte als Ausdruck »hoher und starker Naturempfindung«, die »wegen ihrer vielen Originalzüge mehr Verdienst um die Erweckung deutschen Genies als viele Oden nach regelmässigem Schnitt« hätten.

DAS HARZ-MOOS,

als Herr Dohmdechant Freyherr Spiegel zum Diesenberg
etwas Moos vom Harzgebürge mitgebracht hatte.
(Zu Halberstadt den 10ten des Weinmonaths 1761.)

Gott zeigt in seiner Schöpfung-Werke
Sich über unserm Haupt, sich auf der Erde groß;
Er gab der Sonne Glut, er gab dem Löwen Stärke,
Und bildete das kleinste Moos,
Das an dem Harzberg wächst, fein zweigigt wie Cypresse,

Voll kleiner Knospen, untersprengt
Mit etwas Röthe, so, wie junger Mädchen Blässe
Im Antlitz sich mit roth vermengt,
Wenn sie der Jüngling angeblicket;
Die Flur, der Garten und der Wald
Und selbst die Hügel sind geschmücket,

Doch andre Blumen sterben bald,
Das fein gebaute Moos bleibt, wenn sie schon gestorben,
Tief unter Schnee noch unverdorben.
Wie ähnlich ist es mir! tief lag ich unter Gram
Viel schwere Jahre lang, und als mein Winter kam,
Da stand ich unverwelkt und fieng erst an zu grünen.
Ich muste, wie das Moos, dem Glück zum weichen Tritt,
Dem Thoren zur Verachtung dienen.
Einst sterb ich! Doch mein Lied geht nicht zum Grabe mit!

LOB DER SCHWARZEN KIRSCHEN

Des Weinstocks Saftgewächse ward
Von tausend Dichtern laut erhoben;
Warum will denn nach Sängerart
Kein Mensch die Kirsche loben?

O die karfunkelfarbne Frucht
In reifer Schönheit ward vor diesen
Unfehlbar von der Frau versucht,
Die Milton[1] hat gepriesen.

Kein Apfel reizet so den Gaum
Und löschet so des Durstes Flammen;
Er mag gleich vom Chineser-Baum
In ächter Abkunft stammen.

Der ausgekochte Kirschensaft
Giebt aller Sommersuppen beste,
Verleiht der Leber neue Kraft
Und kühlt der Adern Äste;

Und wem das schreckliche Verboth
Des Arztes jeden Wein geraubet,
Der misch ihn mit der Kirsche roth
Dann ist er ihm erlaubet;

Und wäre seine Lunge wund,
Und seine ganze Brust durchgraben:
So darf sich doch sein matter Mund
Mit diesem Tranke laben.

Wenn ich den goldenen Rheinstrandwein
Und silbernen Champagner meide,
Dann Freunde mischt mir Kirschblut drein
Zur Aug- und Zungenweide:

Dann werd' ich eben so verführt,
Als Eva, die den Baum betrachtet,
So schön gewachsen und geziert,
Und nach der Frucht geschmachtet.

Ich trink und rufe dreymal hoch!
Ihr Dichter singt im Ernst und Scherze
Zu oft die Rose, singet doch
Einmal der Kirschen Schwärze!

[1] John Milton (1608–1674), sein Epos ›Paradise Lost‹
behandelt den Sündenfall.

AN GOTT

als sie bey hellem Mondschein erwachte

Wenn ich erwache, denk ich dein!
Du Gott! der Tag und Nacht entscheidet,
Und in der Nacht mit Sonnenschein
Den finstern Mond bekleidet.

Er leuchtet königlich daher,
Aus hoher ungemeßner Ferne,
Und ungezählt, wie Sand am Meer,
Stehn um ihn her die Sterne.

Welch eine Pracht verbreitet sich!
Die Dunkelheit geschmückt mit Lichte
Sieht auf uns nieder, nennet dich
Mit Glanz im Angesichte.

Du Sonnenschöpfer! wie so groß
Bist du im kleinsten Stern dort oben!
Wie unaussprechlich nahmenlos!
Die Morgensterne loben

Dich mit einander in ein Chor
Geschlossen, wie zu jener Stunde,
Da aus dem Chaos tief hervor
Ein Wort aus deinem Munde

Allmächtig diese Welten rief,
Am Firmament herum gesetzet.
Du sprachst, das Rad der Dinge lief,
Und läuft noch unverletzet.

Noch voller Jugend glänzen sie
Da schon Jahrtausende vergangen!
Der Zeiten Wechsel raubet nie
Das Licht von ihren Wangen.

Hier aber unter ihrem Blick
Vergeht, verfliegt, veraltet alles.
Dem Thronenpomp, dem Cronenglück
Droht eine Zeit des Falles!

Der Mensch verblüht wie prächtig Gras,
Sein Ansehn wird der Zeit zum Raube.
Der Weise, der in Sternen las,
Liegt schon gestreckt im Staube!

Ich lese, grosser Schöpfer! dich
Des Nachts in Büchern, aufgeschlagen
Von deiner Hand. O lehre mich
Nach deinem Lichte fragen!

Sey meiner Seele Klarheit, du
Regierer der entstandnen Sterne!
Und blicke meinem Herzen zu,
Daß es dich kennen lerne!

AN DEN DOHMHERRN VON ROCHOW,

als er gesagt hatte,
die Liebe müsse sie gelehret haben, so
schöne Verse zu machen

Kenner von dem saphischen Gesange!
Unter deinem weissen Überhange
Klopft ein Herze, voller Gluth in dir!
Von der Liebe war es unterrichtet
Dieses Herze, aber ganz erdichtet
Nennst du sie die Lehrerin von mir!

Meine Jugend war gedrückt von Sorgen,
Seufzend sang an manchem Sommermorgen
Meine Einfalt ihr gestammelt Lied;
Nicht dem Jüngling thöneten Gesänge,
Nein, dem Gott, der auf der Menschen Menge,
Wie auf Ameishaufen niedersieht!

Ohne Regung, die ich oft beschreibe,
Ohne Zärtlichkeit ward ich zum Weibe,
Ward zur Mutter! Wie im wilden Krieg,
Unverliebt ein Mädchen werden müßte,
Die ein Krieger halb gezwungen küßte,
Der die Mauer einer Stadt erstieg.

Sing ich Lieder für der Liebe Kenner:
Dann denk ich den zärtlichsten der Männer,
Den ich immer wünschte, nie erhielt;
Keine Gattin küßte je getreuer,
Als ich in der Sapho sanftem Feuer
Lippen küßte, die ich nie gefühlt.

Was wir heftig lange wünschen müssen,
Und was wir nicht zu erhalten wissen,
Drückt sich tiefer unserm Herzen ein;
Rebensaft verschwendet der Gesunde,
Und erquickend schmeckt des Kranken Munde
Auch im Traum der ungetrunkne Wein.

AUS DEM BRIEFWECHSEL MIT GLEIM:

DEN 22. JUNY 1761. MORGENS 7 UHR

Freund, zeichne diesen Tag mit einem größern Strich!
Er war doch ganz für dich und mich,
Wir wandelten im Hayn und hörten Vögel singen
In dicken Fichten, wo der Mann das Weibchen hascht.
Gut wars, daß über uns nicht Edens Aepfel hingen,
Indem wir Hand in Hand durch das Gebüsche gingen,
Da hätten du und ich genascht
Und im Entzücken nicht die Folgen von den Bissen
Nur einen Augenblick bedacht:
So hat es Eva einst gemacht,
So machens heute noch Verliebte, die sich küssen –
Bald werd ich nichts zu schwatzen wissen,
Als ewig von dem Kuß. Und meiner Mutter Mann,
Durch den ich ward, ist Schuld daran,
Daß ich so gern von Küssen sing und sage,
Denn er verküßte sich des Lebens schwere Plage.
Allein ich wende mich nun wieder zu dem Tage,
Von dem ich reden will, schreib ihn mit goldnem Strich!
Er war doch ganz für dich und mich . . .

                                        (unvollendet)

DEN 5. DEZEMBER 1790

Den dämmerungsgrauen Rock und auch den Denkdukaten,
Den goldnen Friedrich Wilhelmskopf
Mit kleinen Locken und mit kurzem steifem Zopf:
Die beyde wolltest du entrathen,
Um das Vergnügen, hier zu sein
Beim Feste meiner ersten Stunden?
Dies schmeychelt dich nun wieder ein:
In meinem Herzen; neu verbunden
Werd ich mit deinem Herzen nun.
Denn so ward mir noch nie geschrieben,
Selbst damals nicht, da all mein Thun
Und Denken nur darin bestanden, dich zu lieben,
Du Zauberer Glyphästion.
Wie kalt, wie reisgebündelttrocken,
In welchem allgemeinen Thon
Schriebst du der Sappho, die erschrocken
Bestürzt, betrübt gewesen ist
Und doch bey all dem Leiddurchdringen
Das kalte Brieflein noch geküßt,
Doch warm blieb, Liebe dir zu singen –
Die Zeiten aber sind vorbey.
Schon mancher Herbst und mancher May
Sind unterdessen schon vergrünet und verblühet,
Seitdem die Freundschaftsflamme neu
Zum ersten Mal für dich geglühet.
Erleben wir den Veilchenmond,
Dann hab ich volle dreyßig Lenze
In königlicher Stadt gewohnt.
Am vierundzwanzigsten des Veilchenmonds bekränze
Ich sicherlich mein altes Haupt
So festlich schier, als wie am zweyten –
Da kam dein erster Brief, da hab ich mir erlaubt
Ein Lied von goldnen Zeiten.

SOPHIE ALBRECHT
(1757–1840)

Sophie Albrecht wurde in bürgerlichen Verhältnissen geboren und erzogen. Als ihr Vater, der Medizinprofessor Paul Baumer in Erfurt, 1771 starb und die Mutter plötzlich erblindete (sie ging 1782 aus dem Leben), heiratete sie, noch nicht fünfzehn Jahre alt, den Arzt Friedrich August Albrecht; die Ehe wurde 1796 geschieden. Ihr Mann war eine Abenteurernatur, ging als Leibarzt des Grafen Manteuffel nach Reval, machte Reisen durch Rußland, war Buchhändler, Theaterdirektor und Schriftsteller. Sophie Albrecht begleitete ihn 1776 nach Reval und wurde nach der Rückkehr nach Deutschland Schauspielerin. 1782 trat sie mit Erfolg zum ersten Mal in ihrer Heimatstadt auf, weitere Stationen waren Frankfurt, Mainz, Dresden, Leipzig, Altona. In Frankfurt lernte sie Schiller kennen, mit dem sie seither freundschaftlich verbunden war.
Bereits in Reval hatte sie begonnen, einzelne Gedichte zu veröffentlichen. In Deutschland erschienen zwischen 1781 und 1791 drei Bände mit ihren Gedichten, Erzählungen und Schauspielen. Später wandte sie sich den in jener Zeit beliebten und erfolgreichen Räuber- und Geistergeschichten zu, von denen bereits ihr Mann unzählige produziert hatte. Nachdem sie sich von der Bühne zurückgezogen hatte, geriet sie in immer größere finanzielle Not und starb völlig verarmt in Hamburg.

SEHNSUCHT

Im May 1778

Entfernter Freund!
Um den auf immer
Im stillen Zimmer
Mein Auge weint;
Dann, wenn die Sterne
Am Himmel blinken,
Und Liebe winken,
Denk ich der Ferne
In der du, ach!
Jetzt um mich leidest,
Und Freuden meidest,
Mit Thränen nach.
Und wenn mein Freund
Im Stralenkleide,
Zu meinem Leide
Mitleidig scheint;

Da werf ich mich,
Mit stummen Sehnen
Und tausend Thränen –
O! sähst du mich!
An jene Flüsse
Zur Erde nieder,
Die unsre Lieder
Und unsere Küsse
Beym Sternenschein
So oft belauschten,
Und sanfter rauschten
Durch diesen Hayn –
Ach! keine Lieder
Und keine Küsse,
Ihr – Hayn – und Flüsse!
Belauscht ihr wieder –
Und denk an dich,
An jene Zeiten,
So voller Freuden
Für mich und dich;

Dann ruf ich dich
Durch alle Wälder,
Durch Thal und Felder
Als hört'st du mich.
Und wüst und schaurig
Ist Hayn – und Trifte,
Wie Todtengrüfte,
So bang und traurig.
O! Mond und Sterne,
Blickt tausend Küsse
Und tausend Grüsse
Dem in der Ferne,
Ihr könnt' ihn finden! – –
So ruf und weine
Ich oft alleine
In öden Gründen.
So lächelt dir
Der Mond oft Küsse
So traurig süße
Mein Freund von mir.

AN
MEINE ENTSCHLUMMERTE
HENRIETTE FRORIEP

Meine Seele war bey dir
Ich stand an deinem Sterbebette
Hörte den lezten ängstlichen Athemzug
Deiner heisen Brust –
Sahe den Blik,
Der mir so oft lächelte –
Sich trüben – brechen –
Und endlich hinstarren,
Auf dieser Welt nichts mehr suchend.

Da warf ich mich auf dich hin
Schüttelte dich
Rief dir
Und wollte dich mit meinen heissen Thränen
                          erwärmen.

Aber du bliebst kalt
Und stumm.

Sie legten dich in eben den Sarg
Den ich und Du
So oft Schlafstelle genannt hatten.
Aber da sie dich hineinschlossen
War er mir Sarg
War er mir die fürchterliche Hölle
Der Vernichtung.
Nicht nur dein Mensch von Erde
Sollte verwesen
Du selbst wurdest verriegelt
Um nimmermehr wieder hervorzugehen.
Sie trugen dich fort
Zitternd stürzte ich mich durch die
                          schwarze Reyhe

Umschlang deinen Sarg –
Aber sie rissen mich weg
Und als ich mich wiederfand
Stand ich allein an deinem Grabe

Und mein Blik
Schauderte die fürchterliche Tiefe herab,
Die uns auf ewig trennte;
Und doch verlies mich
Die stumme Verzweiflung
Die meine Seele ergriff
Als sie dich einsenkten;
Mir wars
Wie wenn ich in einer stürmischen
Rabenschwarzen Nacht
Meinen Weg verloren hätte,
Und in Klippen geriethe
Wo ich aufgeben muste,
Ihn diese Nacht zu finden;
Aber doch gegen Osten stand
Wo ich so ganz gewis wuste –
Daß der Morgen wiederkommen müßte.

IM JUNIUS 1783

Vergebens steigt der Tag in lichten Farben
Vergebens hüllt in Schimmer sich die Nacht
Mein Herz bleibt kalt, seitdem die Wünsche starben
Die schön dich mir, du Tag und Nacht! gemacht
Obs Winter ist, ob Veilchen um mich blühen
Ob Rabe krächzt, ob Lerche um mich schwirrt
Obs Mondennacht, ob Donnerwolken ziehen
Ist der gleichviel, die ohne Wünsche irrt.

AN DIE FREIHEIT

Gold'ne Freiheit, kehre wieder
In mein wundes Herz zurück,
Weck' mir neue, heit're Lieder
Und entwölke Geist und Blick.

Komm und trockne meine Thränen
Mit der rosig-zarten Hand,
Stille meines Busens Sehnen,
Löse, was die Liebe band.

Liebe schafft Olympos-Freuden,
Und wer ehrte sie wie ich? –
Tiefer doch sind ihre Leiden,
Und allein s i e trafen mich.

Ach! mit Jahren voller Qualen,
Mit des halben Lebens Glück
Mußt' ich ihre Wonne zahlen,
Flüchtig, wie ein Augenblick.

Ohne Freuden stieg der Morgen
Für mich arme Schwärmerin,
Und der Liebe bleiche Sorgen
Welkten meinen Frühling hin.

Wonne hat sie mir versprochen,
Treue war mein Gegenschwur,
Unsern Bund hat sie gebrochen,
Schmerz und Thränen gab sie nur. – –

Nimm für deine Palmenkrone
Was die Liebe mir verspricht,
Hier in dieser Männer-Zone
Grünt für mich die Myrte nicht.

Gold'ne Freiheit, kehre wieder,
Stimme meiner Harfe Ton;
Jubelt lauter, meine Lieder,
Ihr Umarmen fühl' ich schon!

SOPHIE MEREAU
(1770–1806)

»Eine reizende, kleine Gestalt, zart bis zum Winzigen, voll Grazie und Gefühl«, so beschrieb ein Zeitgenosse die viel umschwärmte und bewunderte Sophie Mereau. Sie wurde als Tochter eines Steuerbeamten in Altenburg geboren und erhielt gemeinsam mit der Schwester eine sorgfältige Erziehung. Nach dem frühen Tod der Eltern heiratete sie mit 23 Jahren den Juraprofessor Mereau in Jena, von dem sie sich 1801 wieder trennte.

Jena war damals nächst Weimar Mittelpunkt deutscher Poesie und Gelehrsamkeit; Schiller, Fichte und Schelling lehrten an der Universität, die Brüder Schlegel lebten hier mit ihren Frauen Caroline und Dorothea und gaben die frühromantische Zeitschrift »Athenäum« heraus. Sophie Mereau schaffte sich in den neunziger Jahren mit ihren literarischen Arbeiten eine selbständige Existenz. Seit 1791 veröffentlichte sie Gedichte, vor allem in Schillers »Horen«, übersetzte aus dem Englischen, Spanischen, Italienischen und Französischen (darunter die Memoiren der Madame de Staël). Sie gab einen Romankalender und eine eigene Zeitschrift (1801–1802) heraus und redigierte 1803 den »Göttinger Musenalmanach«. In einer für damalige Verhältnisse kühnen Schrift über Ninon de l'Enclos, deren Briefe sie auch veröffentlichte, forderte sie die erotische Emanzipation der Frau als notwendige Folge der Befreiung ihrer Persönlichkeit.

1803 heiratete sie nach längerem Zögern Clemens Brentano, den sie seit 1798 kannte. Für beide wurde es eine Beziehung zwischen »Himmel und Hölle«. Sie folgte ihm nach Marburg, später Heidelberg. Zu eigenen Arbeiten kam sie kaum noch. Sie starb bei der Geburt ihres fünften Kindes.

FEUERFARB

Ich weiß eine Farbe, der bin ich so hold,
die achte ich höher als Silber und Gold,
die trag' ich so gerne um Stirn und Gewand,
und habe sie Farbe der Wahrheit genannt.

Wohl reizet die Rose mit sanfter Gewalt;
doch bald ist verblichen die süße Gestalt:
drum ward sie zur Blume der Liebe geweiht;
bald schwindet ihr Zauber vom Hauche der Zeit.

Die Bläue des Himmels strahlt herrlich und mild;
drum gab man der Treue dies freundliche Bild.
Doch trübet manch Wölkchen den Äther so rein;
so schleichen beim Treuen oft Sorgen sich ein.

Die Farbe des Schnees, so strahlend und licht,
heißt Farbe der Unschuld; doch dauert sie nicht.
Bald ist es verdunkelt, das blendende Kleid:
so trüben auch Unschuld Verläumdung und Neid.

Und Frühlings, von schmeichelnden Lüftchen entbrannt,
trägt Wäldchen und Wiese der Hoffnung Gewand.
Bald welken die Blätter und sinken hinab:
so sinkt oft der Hoffnungen liebste in's Grab.

Nur Wahrheit bleibt ewig, und wandelt sich nicht:
sie flammt wie der Sonne allleuchtendes Licht.
Ihr hab' ich mich ewig zu eigen geweiht.
Wohl dem, der ihr blitzendes Auge nicht scheut!

Warum ich, so fragt ihr, der Farbe so hold,
den heiligen Namen der Wahrheit gezollt? –
Weil flammender Schimmer von ihr sich ergießt,
und ruhige Dauer sie schützend umschließt.

Ihr schadet der nässende Regenguß nicht,
noch bleicht sie der Sonne verzehrendes Licht;
drum trag' ich so gern sie um Stirn und Gewand,
und habe sie Farbe der Wahrheit genannt.

AN EINEN BAUM AM SPALIER

Armer Baum! – an deiner kalten Mauer
fest gebunden, stehst du traurig da,
fühlest kaum den Zephyr, der mit süßem Schauer
in den Blättern freier Bäume weilt
und bey deinen leicht vorübereilt.
O! dein Anblick geht mir nah!
und die bilderreiche Phantasie
stellt mit ihrer flüchtigen Magie
eine menschliche Gestalt schnell vor mich hin,
die, auf ewig von dem freien Sinn
der Natur entfernt, ein fremder Drang
auch wie dich in steife Formen zwang.

Auserlesene

Dichtungen

von

Louise Brachmann.

———

Herausgegeben

und mit einer Biographie und Charakteristik
der Dichterin begleitet,

vom

Professor Schütz
zu Halle.

Erster Band.

Neue wohlfeile Ausgabe.

Leipzig,
in der Weygand'schen Buchhandlung.
1834.

LOUISE BRACHMANN
(1777–1822)

Der Vater von Louise Brachmann war kursächsischer Beamter in Weißenfels, die Mutter eine gebildete Pfarrerstochter, die ihre Kinder selbst unterrichtete. Eine schwärmerische Jugendfreundschaft verband Louise mit Sidonie von Hardenberg, der Schwester des Dichters Novalis. Novalis gab ihr richtungsweisende Anregungen und empfahl sie Schiller, der 1798 und 1799 erste Gedichte von ihr veröffentlichte.

Wegen einer Ehrverletzung unternahm sie 1800 einen Selbstmordversuch. In den darauffolgenden vier Jahren starben die Eltern, eine Schwester und ihre drei Jugendfreunde, die Geschwister Erasmus, Sidonie und Friedrich von Hardenberg. Da sie völlig mittellos war, beschloß sie, ihren Lebensunterhalt als Schriftstellerin zu verdienen, was sie zur Vielschreiberei zwang. Es gelang ihr trotz mehrfacher Versuche nicht, eine Verbindung zu einem bedeutenden Verlag herzustellen; ihre Gedichte und novellistischen Arbeiten erschienen in zeitgenössischen Taschenbüchern und Unterhaltungsblättern. Unglückliche Liebesbeziehungen, ihre ungesicherte Existenz und die scheinbare Mißachtung ihres Talents gaben ihr schließlich das Gefühl, ihr Leben verfehlt zu haben. Bei einem Versuch, ihrem Leben in der Saale ein Ende zu machen, wurde sie rechtzeitig von Passanten bemerkt; wenige Tage darauf unternahm sie einen erneuten Versuch. Mit einem Stein im Umschlagtuch beschwert, ertränkte sie sich.

DIE JAHRESZEITEN

An Sidonie[1]

Jede Jahreszeit trägst Du im Bilde! Die goldenen Locken
    Gleichen dem Ährengefild, wenn es die Sonne bestrahlt:
Reifen, lieblichen Früchten sind diese reizenden Lippen
    Ähnlich; zum weihenden Kuß schwellen sie sittsam empor.
Auf den Wangen blüht dir der rosige Lenz: und der Winter
    Hat dir mit blendendem Schnee Busen und Arme bestreut.

[1] Sidonie von Hardenberg, Schwester von Novalis

ANTIGONE

Singet die Feiergesänge den hohen olympischen Frauen,
    Söhne der Musen! Besingt Here, die große, besingt
Artemis, mit Aphroditen der goldnen, Pallas Athenen,
    Einer Sterblichen doch denk' ich vor allen im Lied!
Einer Heldin, die früh die Schatten begrüßte des Orkus,
    Weil sie allmächtig ein Strahl himmlischer Liebe durchglüht.
O Antigone, dein! Du treuste der Schwestern, die sorgend
    Um des Entseeleten Ruh wählte den eigenen Tod.
Um dem geliebten Bruder zu öffnen der Seeligen Wohnung,
    Gingst du freiwillig ihm nach in die kozytische Nacht.
Eh' dir noch Hymen[1] die Fackel entzündet der fröhlichen
                                  Hochzeit,
    Eh' dir noch Eros den Kelch hatte der Freuden gereicht. –
Als Polynikes der Held im blutigen Kampfe besiegt war,
    Und auf der Heimath Flur ruhte sein Leichnam entseelt,
Einsam und grablos; denn es hatte der Herrscher von Theben
    Jedem gedrohet den Tod, der ihn bestatte zur Ruh.
Daß verschlossen ihm bliebe der Eingang seeliger Fluren,
    Und er verbannt am Gestad irre des nächtlichen Stroms.
Furcht hielt Jeden zurück, das Gebot zu verletzen, das strenge,
    Nur Antigone ging still den gefürchteten Pfad.
Sie, die Verbannte vom heimischen Grund, verließ ihre sichre
    Freistatt, nicht das Gebot achtend des schrecklichen Manns;
Streng verborgen sich haltend am Tage, ging sie zur Nachtzeit,
    Nur von der Fackel des sanft leuchtenden Mondes erhellt.

[1] Hymenäus = gr. Hochzeitsgott

So nun gelangte sie hin, wo grablos ruhte der theure
    Leichnam, selbst nun für ihn grub sie mit zärtlicher Hand
Mühvoll ein Grab, und vertraute die starrenden Glieder
                                der Erde
    Nur von der Fackel des sanft leuchtenden Mondes erhellt.
Also erfüllte sie fromm die heiligen Todtengebräuche;
    Und zu der Seeligen Ruh ging Polynikes der Held. – –
Aber sie selbst erwartete still ihr strenges Verhängniß;
    Klaglos litt sie die Schmach, ach, und den grausamen Tod.
Sie, die Blühende, frei verließ sie das blühende Leben,
    Tauschte mit stygischer Nacht willig das rosige Licht. –
– O wie hat dich da unten der liebende Bruder empfangen,
    Dein Polynikes? wie heiß war er sein dankender Kuß? –
Unglückselige, früh des entzückenden Lebens Beraubte!
    Und doch Glückliche! Denn schön war dein liebender Tod.
Edelste, zarteste Liebe, die jeder Leidenschaft fremd ist,
    Schwesterliebe, sie war's, die dich zur Heldin erhob,
Die dir den kindlichen Sinn mit hohen Gedanken entflammte
    Und mit entsagender Kraft stählte die zärtliche Brust.
Mancher süße Gesang erhebt dich der Sänger von Hellas;
    Sophokles göttliches Wort rief dich auf hohen Kothurn;
Aber auch jetzt noch vernimm, ists möglich, daß Töne
                             zum Orkus
    Dringen, vernimm ihn den Gruß eines verwandten Gemüths,
Das zu fassen vermag dein tiefes, unendliches Lieben,
    Jenen allmächtigen Drang, der dich zum Tode beseelt.
Oft als Kind schon beweint' ich dein Loos, vertiefend mit
                             Sehnsucht
   In die Geschichte mich deiner verewigten That,
Deiner Lieb' und deines unsäglichen Leidens; ich weinte
    Heiße Thränen, und heiß schlug dir entgegen mein Herz;
Damals gelobt' ich, wenn einst mir Sprache verliehen die
                            Musen,
    Und des Gesanges Kraft schenkten die freundlichen mir,
Dich zu feiern im Lied vor allen olympischen Frauen,
    Und den Sterblichen, die herrliche Tugend geschmückt.
Nimm das Thränenopfer und nimm das Opfer der Töne,
    Fromme Heldin! und einst, wenn das Verhängniß mich ruft,
Wenn ich hinunter steig' in die Fluren der Schatten, dann lächle
    Hold mir entgegen, und laß seelig mich wohnen bei dir!

TERZINEN

Was willst du doch mit fruchtlos heft'gen Thränen
   Bei Andern, wenn gekränkt das Herz dir schlägt?
   Der Muse klag' es! Heb' zu ihr dein Sehnen!
Sie ist's, die ewig dich im Herzen trägt.
   Wenn jene staunend nur in's Aug' dir sehen,
   Selbst nicht verstehn, was dich so tief bewegt,
Weil nie sie ganz dein tiefes Herz verstehen,
   Und bald es lästig fühlen, Trost zu weihn;
   Führt diese liebend dich zu ihren Höhen,
Zu ihrem lichten, glanzumstrählten Hain;
   »Mein armes Kind,« so sagt sie, »hat das Leben
   Dich hart verletzt? Ich will dir Trost verleihn!
Hab' ich dir nicht den weichen Sinn gegeben?
   Der Seele tiefes, glühendes Gefühl?
   Daß leicht verletzt die zarten Saiten beben
Wie an dem gottverliehnen Saitenspiel.
   Tief trinkt und ganz den Schmerzenkelch der Leiden,
   Wem der Empfindung Kraft vom Himmel fiel;
Doch auch empfänglich für des Himmels Freuden
   Macht diese Kraft, die schmerzlich leicht erbebt;
   Am Licht des Äthers darf der Blick sich weiden,
Wenn wieder stark der edle Geist sich hebt.
   In holder Kindlichkeit auf Lenzeshügeln
   Bleibt, wen des Liedes Jugendkraft belebt!
Am Quell, in dem sich Himmelsbilder spiegeln,
   Dort spiel'! – Und winkt' auch einst des Grabes Flor,
   Kind des Gesangs! Noch auf Begeistrungsflügeln,
Schwingst du dich dann zum ew'gen Licht empor!«

GRIECHENLIED[1]

Was flammt dort fern so blutigroth im Himmel?
Wärs Morgenroth? – Nein! blut'ger ist der Schein
Und heft'ger wogt die Glut im Volksgetümmel; –
O möcht' es Morgenroth der Menschheit sein! –

Die Flamme schlägt empor mit wildem Prasseln,
Zu übertönen der Gequälten Laut;
Dazwischen tönt der Ketten dumpfes Rasseln;
Ein Altar ist, ein schrecklicher gebaut; –

Sind wir denn werth die Großen zu erheben,
Die herrlichen Hellenen, ruhmgeweiht?
Sie, deren hohes thatenreiches Leben
Zum Leitstern ward für späte Folgezeit.

O steigt vom Himmel nieder, edle Schatten!
Kodrus[2], Epaminond'[3], Pelopidas[4]!
Wer nennt die Großen all? – Im Kampf ermatten
Seht Euer Volk! im Kampf mit Wuth und Haß!

Wie todverachtend, schön dahin gesunken
Leonidas[5]; – und wie mit heiterm Blick
O Socrates, den Giftkelch du getrunken –
Nehmt Euer Bild vor unserm Aug' zurück!

Ja Heuchelei ist's, wenn bei todten Zeilen
Wir stehn, von der Hellenen Werth entzückt,
Wenn jetzt ihr Volk wir nicht zu retten eilen;
Auf ewig sei ihr Lichtglanz uns entrückt!

---

[1] 1821–1829 Griechischer Befreiungskrieg gegen die Türkei;   [2] Kodros, nach gr. Sage König von Athen, der durch Freitod sein Vaterland rettete;   [3] Epaminondas, gr. Staatsmann und Feldherr, der an der Befreiung Thebens von spartanischer Besatzung teilnahm (um 379 vor Chr.);   [4] Freund von E., beteiligte sich am Freiheitskampf Thebens;   [5] König von Sparta, kämpfte gegen das persische Landheer des Xerxes, starb den Heldentod

KAROLINE VON GÜNDERODE
(1780–1806)

Karoline Günderode wuchs in der behüteten Atmosphäre des Bildungsbürgertums auf. Drei jüngere Schwestern starben früh an Schwindsucht, den Vater, einen badischen Kammerherrn, verlor sie mit sechs Jahren. Seit ihrem siebzehnten Lebensjahr lebte sie in einem dem verarmten Adel vorbehaltenen evangelischen Damenstift in Frankfurt, zurückgezogen und eingesponnen in ihre innere Welt. Sie war geistig vielseitig interessiert und beschäftigte sich vor allem mit frühgeschichtlichen Gesellschaftsformen und fremden Kulturen.
Durch häufige Reisen zu Freunden und Verwandten versuchte sie immer wieder, der Isolation zu entgehen. Sie war mit Bettina von Arnim befreundet; Clemens Brentano warb erfolglos um sie. Karoline von Günderode schrieb Gedichte, Dramen und Prosastücke, in denen sie der romantischen Forderung nach einer Synthese von Philosophie, Mythologie und Poesie entsprach. Goethe nannte ihre erste Sammlung, die unter dem Pseudonym »Tian« 1804 erschien, »eine wirklich merkwürdige Erscheinung«.
Seit 1804 verband sie eine romantisch-unglückliche Liebe mit dem Mythologen F. Creuzer, der sich nach langem Zögern doch nicht von seiner Frau zu trennen vermochte. Sie erdolchte sich daraufhin am Rheinufer.
Ihre Vertraute und – wie sie sich selbst nannte – »Schülerin«, Bettina von Arnim, widmete ihr den Briefroman »Die Günderode« (1840) und gab folgende Beschreibung von ihr:

Schwärzlich glänzend braunes Haar,
Das in freien weichen Locken
Sich um ihre Schultern legt.
Pallasaugen, blau von Farbe,
Ganz voll Feuer, aber schwimmend
Auch und ruhig. – »Und die Stirn?«
Sanft und weiß wie Elfenbein,
Stark gewölbt und frei, doch klein,
Aber breit wie Platons Stirn;
Wimpern, die sich lächelnd kräuseln,
Brauen wie zwei schwarze Drachen,
Die mit scharfem Blick sich messend,
Nicht sich fassend und nicht lassend,
Ihre Mähnen trotzig sträuben,
Doch aus Furcht sie wieder glätten.
So bewachet jede Braue,
Aufgeregt in Trotz und Zagheit,
Ihres Auges sanfte Blicke.

Stolz ein wenig und verächtlich,
Wirft man ihrer Nase vor,
Doch das ist, weil alle Regung
Gleich in ihren Nüstern bebet,
Weil den Athem sie kaum bändigt,
Wenn Gedanken aufwärts steigen
Von der Lippe,
Die sich wölbet frisch und kräftig,
Überdacht und sanft gebändigt
Von der feinen Oberlippe.
Auch das Kinn mußt' ich beschreiben,
Wahrlich, ich hab nicht vergessen,
Daß Erodion dort gesessen
Und ein Dellchen drinn gelassen,
Das der Finger eingedrückt,
Während weisheitsvolle Dichtung
Füllet ihres Geistes Räume.

DIE NACHTIGALL

(Fragment)

Ich erwachte zu einem süßen Leben im Schoos duftiger Büsche;
leise murmelte ein Bach durch blumige Wiesen, und der blaue
Himmel schaute ruhig und klar durch das grüne Gezweig als ich
mich zum ersten Mal umschaute in der Welt. –

EINSTENS LEBT ICH SÜSSES LEBEN

Einstens lebt ich süßes Leben,
denn mir war, als sey ich plötzlich
nur ein duftiges Gewölke.
Über mir war nichts zu schauen
als ein tiefes blaues Meer
und ich schiffte auf den Woogen
dieses Meeres leicht umher.

Lustig in des Himmels Lüften
gaukelt ich den ganzen Tag,
lagerte dann froh und gaukelnd
hin mich um den Rand der Erde,
als sie sich der Sonne Armen
dampfend und voll Gluth entriß,
sich zu baden in nächtlicher Kühle,
sich zu erlaben im Abendwind.
Da umarmte mich die Sonne,
von des Scheidens Weh ergriffen,
und die schönen hellen Strahlen
liebten all und küßten mich.
Farbige Lichter
stiegen hernieder,
hüpfend und spielend,
wiegend auf Lüften
duftige Glieder.
Ihre Gewande
Purpur und Golden
und wie des Feuers
tiefere Gluthen.

Aber sie wurden
blässer und blässer,
bleicher die Wangen,
sterbend die Augen.
Plötzlich verschwanden
mir die Gespielen,
und als ich traurend
nach ihnen blickte,
sah ich den großen
eilenden Schatten,
der sie verfolgte,
sie zu erhaschen.
Tief noch im Westen
sah ich den goldnen
Saum der Gewänder.
Da erhub ich kleine
Schwingen,
flatterte bald hie bald dort hin,
freute mich des leichten
Lebens,
ruhend in dem klaren Aether.

Sah jetzt in dem heilig tiefen
unnennbaren Raum der Himmel
wunderseltsame Gebilde
und Gestalten sich bewegen.
Ewige Götter
saßen auf Thronen
glänzender Sterne,
schauten einander
seelig und lächelnd.
Tönende Schilde,
klingende Speere
huben gewaltige,
streitende Helden;
Vor ihnen flohen
gewaltige Thiere,
andre umwanden
in breiten Ringen
Erde und Himmel,
selbst sich verfolgend
ewig im Kreise.
Blühend voll Anmuth
unter den Rohen
stand eine Jungfrau,
Alle beherrschend.
Liebliche Kinder
spielten in mitten
giftiger Schlangen. –
Hin zu den Kindern
wollt ich nun flattern,

mit ihnen spielen
und auch der Jungfrau
Sohle dann küssen.
Und es hielt ein tiefes Sehnen
in mir selber mich gefangen.
Und mir war, als hab ich einstens
mich von einem süßen Leibe
los gerissen, und nun blute
erst die Wunde alter
           Schmerzen.
Und ich wandte mich zur Erde,
wie sie süß im trunknen Schlafe
sich im Arm des Himmels wiegte
Leis erklungen nun die Sterne,
nicht die schöne Braut zu
           weken,
und des Himmels Lüfte spielten
leise um die zarte Brust.
Da ward mir, als sey ich ent-
           sprungen
dem innersten Leben der
           Mutter,
und habe getaumelt
in den Räumen des Aethers,
ein irrendes Kind.
Ich mußte weinen,
rinnend in Thränen
sank ich hinab zu dem Schooße
           der Mutter.

Farbige Kelche
duftender Blumen
faßten die Thränen,
und ich durchdrang sie,
alle die Kelche,
rieselte Abwärts
hin durch die Blumen,
tiefer und tiefer,
bis zu dem Schooße
hin, der verhüllten
Quelle des Lebens.

HOCHROTH

Du innig Roth,
Bis an den Tod
Soll meine Lieb Dir gleichen,
Soll nimmer bleichen,
Bis an den Tod,
Du glühend Roth,
Soll sie Dir gleichen.

DIE EINE KLAGE

Wer die tiefste aller Wunden
Hat in Geist und Sinn empfunden
Bittrer Trennung Schmerz;
Wer geliebt was er verlohren,
Lassen muß was er erkohren,
Das geliebte Herz,

Der versteht in Lust die Thränen
Und der Liebe ewig Sehnen
Eins in Zwei zu sein,
Eins im Andern sich zu finden,
Daß der Zweiheit Gränzen schwinden
Und des Daseins Pein.

Wer so ganz in Herz und Sinnen
Konnt' ein Wesen liebgewinnen
O! den tröstet's nicht
Daß für Freuden, die verlohren,
Neue werden neu gebohren:
Jene sind's doch nicht.

Das geliebte, süße Leben,
Dieses Nehmen und dies Geben,
Wort und Sinn und Blick,
Dieses Suchen und dies Finden,
Dieses Denken und Empfinden
Giebt kein Gott zurück.

DIE TÖNE

Ihr tiefen Seelen, die im Stoff gefangen,
Nach Lebensodem, nach Befreiung ringt;
Wer löset eure Bande dem Verlangen,
Das gern melodisch aus der Stummheit dringt?
Wer Töne öffnet eurer Kerker Riegel?
Und wer entfesselt eure Aetherflügel?

Einst, da Gewalt den Widerstand berühret,
Zersprang der Töne alte Kerkernacht;
Im weiten Raume hier und da verirret
Entflohen sie, der Stummheit nun erwacht,
Und sie durchwandelten den blauen Bogen
Und jauchzten in den Sturm der wilden Wogen.

Sie schlüpften flüsternd durch der Bäume Wipfel
Und hauchten aus der Nachtigallen Brust,
Mit muthigen Strömen stürzten sie vom Gipfel
Der Felsen sich in wilder Freiheitslust.
Sie rauschten an der Menschen Ohr vorüber,
Er zog sie in sein innerstes hinüber.

Und da er unterm Herzen sie getragen,
Heist er sie wandlen auf der Lüfte Pfad
Und allen den verwandten Seelen sagen,
Wie liebend sie sein Geist gepfleget hat.
Harmonisch schweben sie aus ihrer Wiege
Und wandlen fort und tragen Menschenzüge.

DER CAUCASUS

Mir zu Häupten Wolken wandeln,
Mir zur Seite Luft verwehet,
Wellen mir den Fuß umspielen,
Thürmen sich und brausen, sinken. –
Meine Schläfe, Jahr' umgauklen,
Sommer, Frühling, Winter kamen,
Frühling mich nicht grün bekleidet,
Sommer hat mich nicht entzündet,
Winter nicht mein Haupt gewandelt.
Hoch mein Gipfel über Wolken
Eingetaucht im ew'gen Äther
Freuet sich des steten Lebens.

ANNETTE VON DROSTE-HÜLSHOFF
(1797–1848)

Bereits einige Zeitgenossen bezeichneten Annette von Droste-Hülshoff als »Deutschlands größte Dichterin«.

Der Vater gehörte dem münsterischen Adel an, die geistig hochbegabte Mutter war eine geborene Freiin von der Reck. Abseits von den politisch-sozialen Auseinandersetzungen der Zeit wuchs sie in der konservativ-katholischen Welt des westfälischen Landadels auf. Gemeinsam mit ihren Geschwistern erhielt sie eine sorgfältige Privaterziehung, begann zu komponieren und zu schreiben. An eine Veröffentlichung ihrer dichterischen Arbeiten dachte sie vorerst nicht; schon das Unverständnis der Familie gegenüber ihrer dichterischen Begabung hielt sie von solchen Plänen ab. Erst auf dringendes Zuraten ihrer Freunde gab sie 1838 eine erste Sammlung heraus: »Gedichte von Annette Elisabeth v. D.... H....«; die Ausgabe wurde kaum beachtet.

Nach dem Tod des Vaters siedelte sie 1826 gemeinsam mit der Mutter von der Wasserburg Hülshoff nach Gut Rüschhaus um. Dort lebte sie, unterbrochen von zahlreichen Reisen, bis 1841 und zog dann zur verheirateten Schwester auf die Meersburg am Bodensee. Die ersten Monate verbrachte sie dort gemeinsam mit dem Sohn der Jugendfreundin Katharina Schücking, Levin, mit dem sie eng verbunden war. Sein Verständnis für ihre Begabung förderte ihren dichterischen Ehrgeiz. 1844 gab sie eine zweite Gedichtsammlung heraus, die bemerkenswerte Anerkennung fand ebenso wie die bereits zuvor veröffentlichte Novelle »Die Judenbuche«. Mit Levin Schücking blieb sie auch nach seiner Verheiratung 1843 befreundet, konnte sich aber schließlich nicht aus der lähmenden Bevormundung ihrer Familie befreien, die den Abbruch der Beziehung wegen seiner adelskritischen Haltung forderte.

Seit 1844 verschlechterte sich ihr seit früher Kindheit ohnehin labiler Gesundheitszustand; sie starb im Frühjahr 1848. Eine erste Gesamtausgabe ihres Werks gab Schücking dreißig Jahre nach ihrem Tod heraus.

DAS FRÄULEIN VON RODENSCHILD

Sind denn so schwül die Nächt im April?
Oder ist so siedend jungfräulich Blut?
Sie schließt die Wimper, sie liegt so still
Und horcht des Herzens pochender Flut.
»O, will es denn nimmer und nimmer tagen?
O, will denn nicht endlich die Stunde schlagen?
Ich wache, und selbst der Seiger ruht!«

»Doch horch! es summt, eins, zwei und drei –
Noch immer fort? – sechs, sieben und acht,
Elf, zwölf – o Himmel, war das ein Schrei?
Doch nein, Gesang steigt über der Wacht,
Nun wird mirs klar, mit frommem Munde
Begrüßt das Hausgesinde die Stunde,
Anbrach die hochheilige Osternacht.«

Seitab das Fräulein die Kissen stößt
Und wie eine Hinde vom Lager setzt,
Sie hat des Mieders Schleifen gelöst,
Ins Häubchen drängt sie die Locken jetzt,
Dann leise das Fenster öffnend, leise,
Horcht sie der mählich schwellenden Weise,
Vom wimmernden Schrei der Eule durchsetzt.

O dunkel die Nacht! und schaurig der Wind!
Die Fahnen wirbeln am knarrenden Tor –
Da tritt aus der Halle das Hausgesind
Mit Blendlaternen und einzeln vor.
Der Pförtner dehnet sich, halb schon träumend,
Am Dochte zupfet der Jäger säumend,
Und wie ein Oger gähnet der Mohr.

Was ist? – wie das auseinander schnellt!
In Reihen ordnen die Männer sich,
Und eine Wacht vor die Dirnen stellt
Die graue Zofe sich ehrbarlich.
»Ward ich gesehn an des Vorhangs Lücke?«
Doch nein, zum Balkone starren die Blicke,
Nun langsam wenden die Häupter sich.

»O weh meine Augen! bin ich verrückt?
Was gleitet entlang das Treppengeländ?
Hab ich nicht so aus dem Spiegel geblickt?
Das sind meine Glieder – welch ein Geblend!
Nun hebt es die Hände, wie Zwirnes Flocken,
Das ist mein Strich über Stirn und Locken!
Weh, bin ich toll, oder nahet mein End?«

Das Fräulein erbleicht und wieder erglüht,
Das Fräulein wendet die Blicke nicht,
Und leise rührend die Stufen zieht
Am Steingeländer das Nebelgesicht,
In seiner Rechten trägt es die Lampe,
Ihr Flämmchen zittert über der Rampe,
Verdämmernd, blau, wie ein Elfenlicht.

Nun schwebt es unter dem Sternendom,
Nachtwandlern gleich in Traumes Geleit,
Nun durch die Reihen zieht das Phantom,
Und jeder tritt einen Schritt zur Seit. –
Nun lautlos gleitets über die Schwelle –
Nun wieder drinnen erscheint die Helle,
Hinauf sich windend die Stiegen breit.

Das Fräulein hört das Gemurmel nicht,
Sieht nicht die Blicke, stier und verscheucht,
Fest folgt ihr Auge dem bläulichen Licht,
Wie dunstig über die Scheiben es streicht.
– Nun ists im Saale – nun im Archive –
Nun steht es still an der Nische Tiefe –
Nun matter, matter – ha! es erbleicht!

»Du sollst mir stehen! ich will dich fahn!«
Und wie ein Aal die beherzte Maid
Durch Nacht und Krümmen schlüpft ihre Bahn,
Hier droht ein Stoß, dort häkelt das Kleid,
Leis tritt sie, leise, o Geistersinne
Sind scharf! daß nicht das Gesicht entrinne!
Ja, mutig ist sie, bei meinem Eid!

Ein dunkler Rahmen, Archives Tor,
– Ha, Schloß und Riegel! – sie steht gebannt,
Sacht, sacht das Auge und dann das Ohr
Drückt zögernd sie an der Spalte Rand,
Tiefdunkel drinnen – doch einem Rauschen
Der Pergamente glaubt sie zu lauschen
Und einem Streichen entlang der Wand.

So niederkämpfend des Herzens Schlag,
Hält sie den Odem, sie lauscht, sie neigt –
Was dämmert ihr zur Seite gemach?
Ein Glühwurmleuchten – es schwillt, es steigt,
Und Arm an Arme, auf Schrittes Weite,
Lehnt das Gespenst an der Pforte Breite,
Gleich ihr zur Nachbarspalte gebeugt.

Sie fährt zurück – das Gebilde auch –
Dann tritt sie näher – so die Gestalt –
Nun stehen die beiden, Auge in Aug,
Und bohren sich an mit Vampires Gewalt.
Das gleiche Häubchen decket die Locken,
Das gleiche Linnen, wie Schnees Flocken,
Gleich ordnungslos um die Glieder wallt.

Langsam das Fräulein die Rechte streckt,
Und langsam, wie aus der Spiegelwand,
Sich Linie um Linie entgegen reckt
Mit gleichem Rubine die gleiche Hand;
Nun rührt sichs – die Lebendige spüret,
Als ob ein Luftzug schneidend sie rühret,
Der Schemen dämmert – zerrinnt – entschwand. –

Und wo im Saale der Reihen fliegt,
Da siehst ein Mädchen du, schön und wild,
– Vor Jahren hats eine Weile gesiecht –
Das stets in den Handschuh die Rechte hüllt.
Man sagt, kalt sei sie wie Eises Flimmer,
Doch lustig die Maid, sie hieß ja immer:
»Das tolle Fräulein von Rodenschild.«

AM TURME

Ich steh auf hohem Balkone am Turm,
Umstrichen vom schreienden Stare,
Und laß gleich einer Mänade den Sturm
Mir wühlen im flatternden Haare;
O wilder Geselle, o toller Fant,
Ich möchte dich kräftig umschlingen,
Und, Sehne an Sehne, zwei Schritte vom Rand
Auf Tod und Leben dann ringen!

Und drunten seh ich am Strand, so frisch
Wie spielende Doggen, die Wellen
Sich tummeln rings mit Geklaff und Gezisch
Und glänzende Flocken schnellen.
O, springen möcht ich hinein alsbald,
Recht in die tobende Meute,
Und jagen durch den korallenen Wald
Das Walroß, die lustige Beute!

Und drüben seh ich ein Wimpel wehn
So keck wie eine Standarte,
Seh auf und nieder den Kiel sich drehn
Von meiner luftigen Warte;
O, sitzen möcht ich im kämpfenden Schiff,
Das Steuerruder ergreifen
Und zischend über das brandende Riff
Wie eine Seemöwe streifen.

Wär ich ein Jäger auf freier Flur,
Ein Stück nur von einem Soldaten,
Wär ich ein Mann doch mindestens nur,
So würde der Himmel mir raten;
Nun muß ich sitzen so fein und klar,
Gleich einem artigen Kinde,
Und darf nur heimlich lösen mein Haar
Und lassen es flattern im Winde!

IM GRASE

Süße Ruh, süßer Taumel im Gras,
Von des Krautes Arome umhaucht,
Tiefe Flut, tief tief trunkne Flut,
Wenn die Wolk am Azure verraucht,
Wenn aufs müde, schwimmende Haupt
Süßes Lachen gaukelt herab,
Liebe Stimme säuselt und träuft
Wie die Lindenblüt auf ein Grab.

Wenn im Busen die Toten dann,
Jede Leiche sich streckt und regt,
Leise, leise den Odem zieht,
Die geschloßne Wimper bewegt,
Tote Lieb, tote Lust, tote Zeit,
All die Schätze, im Schutt verwühlt,
Sich berühren mit schüchternem Klang
Gleich den Glöckchen, vom Winde umspielt.

Stunden, flüchtger ihr als der Kuß
Eines Strahls auf den trauernden See,
Als das ziehenden Vogels Lied,
Das mir nieder perlt aus der Höh,
Als des schillernden Käfers Blitz,
Wenn den Sonnenpfad er durcheilt,
Als der heiße Druck einer Hand,
Die zum letzten Male verweilt.

Dennoch, Himmel, immer mir nur
Dieses eine mir: für das Lied
Jedes freien Vogels im Blau
Eine Seele, die mit ihm zieht,
Nur für jeden kärglichen Strahl
Meinen farbig schillernden Saum,
Jeder warmen Hand meinen Druck,
Und für jedes Glück meinen Traum.

DER KRANKE AAR

Am dürren Baum, im fetten Wiesengras
Ein Stier behaglich wiederkäut' den Fraß;
Auf niederm Ast ein wunder Adler saß,
Ein kranker Aar mit gebrochnen Schwingen.

»Steig auf, mein Vogel, in die blaue Luft,
Ich schau dir nach aus meinem Kräuterduft.« –
»Weh, weh, umsonst die Sonne ruft
Den kranken Aar mit gebrochnen Schwingen!«

»O Vogel, warst so stolz und freventlich
Und wolltest keine Fessel ewiglich!« –
»Weh, weh, zu viele über mich,
Und Adler all – brachen mir die Schwingen!«

»So flattre in dein Nest, vom Aste fort,
Dein Ächzen schier die Kräuter mir verdorrt.« –
»Weh, weh, kein Nest hab ich hinfort,
Verbannter Aar mit gebrochnen Schwingen!«

»O Vogel, wärst du eine Henne doch,
Dein Nestchen hättest du im Ofenloch.« –
»Weh, weh, viel lieber ein Adler noch,
Viel lieber ein Aar mit gebrochnen Schwingen!«

AM SECHSTEN SONNTAG
NACH PFINGSTEN

Ev.: Vom Fischfang Petri. Luk. 5, 1–11

Die ganze Nacht hab ich gefischt
Nach einer Perl in meines Herzens Grund
Und nichts gefangen.
Wer hat mein Wesen so gemischt,
Daß Will gen Wille steht zu aller Stund
In meiner Brust wie Tauben gegen Schlangen?

Daß ich dir folgen möchte, ach,
Es ist doch wahr, ich darf es sonder Trug
Mir selber sagen!
Was schleicht mir denn gespenstig nach
Und hält wie an den Fittichen den Flug,
Der, ach, zu dir, zu dir mich sollte tragen?

Herr, geh von mir, ich bin ein arm
Und gar zu sündig Wesen; laß mich los,
Ach, laß mich liegen!
Weiß ich, wovon mein Busen warm?
Ob Sehnens Glut, ob nicht die Drangsal bloß
So heiß und zitternd läßt die Pulse fliegen?

Wenn sich die Sünde selber schlägt,
Wenn aus der Not nach Rettung Sehnen keimt,
Ist das die Reue?
Hast du den Richter doch gelegt
In unser Blut, das gen die Sünde schäumt,
Daß es vom wüsten Schlamme sich befreie.

Dies Winden, jedem zuerkannt,
Wo irgend noch ein Lebendsodem steigt,
Wird es mir frommen?
Ja, als verlöscht der Sonne Brand,
So hat Ägypten sich vor dir gebeugt,
Und seine Sünde ward ihm nicht genommen.

Und hast Gewissens Stachel du
Mir auch vielleicht geschärft als andern mehr:
Ich werd es büßen,
Dringt nicht der rechte Stich hinzu,
Der Freiheit gibt dem warmen, reinen Meer,
Daraus die echten Reuetränen fließen.

O eine echte Perle nur
Aus meiner Augen übersteintem Quell,
Sie wär ein Segen!
Du Meister jeglicher Natur,
Brich ein, du Retter, lös die Ströme hell!
Ich kann ja ohne dich mich nimmer regen.

Du, der gesprochen: Fürcht dich nicht!
So laß mich denn vertraun auf deine Hand
Und nicht ermüden.
Ja, auf dein Wort, mein Hoffnungslicht,
Will werfen ich das Netz. – Ach, steigt ans Land
Die Perle endlich dann und bringt mir Frieden?

Betty Naoli.

BETTY PAOLI
(1815–1894)

Elisabeth Glück, so lautete ihr bürgerlicher Name, wurde als uneheliche Tochter eines ungarischen Edelmanns in Wien geboren. Sie arbeitete als Erzieherin und Gesellschafterin vornehmlich in Kreisen des Hochadels. Ab 1852 lebte sie meist in Wien und widmete sich ihren literarischen Arbeiten. Mit vielen zeitgenössischen Dichtern war sie freundschaftlich verbunden, u. a. mit Grillparzer, über dessen Werk sie später eine kritische Studie schrieb (1875). Ihre seit 1841 in mehreren Sammlungen veröffentlichten Gedichte, deren Inhalt vor allem Schmerz über unglückliche Liebe ist, fanden bei vielen Zeitgenossen als Ausdruck »echter Weiblichkeit« Anerkennung, wurden andererseits aber wegen ihres ungewöhnlich freimütigen und persönlichen Charakters kritisiert (Grillparzer nannte sie »den ersten Lyriker Österreichs«). Von den zeitgenössischen Dichterinnen schätzte Betty Paoli vor allem Annette von Droste-Hülshoff und die Engländerin Lätitia Elisabeth Landon, denen sie zwei längere Gedichte widmete.
Nach ihrem Tod gab Marie von Ebner-Eschenbach eine Auswahl ihrer Gedichte mit einer Biographie heraus. Betty Paoli machte sich auch als Übersetzerin Turgenjews einen Namen und war eine glänzende Essayistin.

EINEM WELTLING

Fruchtlos hab' in Schmerzenstoben
Ich vor dir geweint, geras't;
Und die Welt, sie wird dich loben,
Daß du mich verlassen hast.

Rühmend wird sie zu dir sagen:
»Kluger Mann, der, stark und fest,
Durch gebrochner Seelen Klagen
Nimmer sich beirren läßt;«

»Dessen Wille gleich dem Pfeile
Rastlos fliegt zum Ziele fort,
Ob er auch in seiner Eile
Ein befreundet Herz durchbohrt!«

»Kluger Mann, der zum Beleid'gen
Solche Opfer sich erkürt,
Die zu rächen, zu vertheid'gen
Sich kein Mensch auf Erden rührt!«

»Kluger Mann, der alte Bande,
Wenn sie lästig werden, bricht!« –
Sag! fühlst du die ew'ge Schande,
Die aus solchem Lobe spricht?

ICH

Ich kann, was ich muß! o seltnes Geschick!
Ich will, was ich muß – – o doppeltes Glück.

Mein Herz ist an Stärke dem Felsen gleich,
Mein Herz ist, wie Blumen, sanft und weich.

Mein Wesen gleicht Glocken von strengem Metall:
Schlag kräftig d'ran, gibt es auch kräftigen Schall.

Mein Geist stürmt auf eiligem Wolkenroß hin;
Mein Geist spielt mit Kindern mit kindlichem Sinn.

Ich weiß, was ich will! und weil ich es weiß,
Drum bann' ich's zu mir in den magischen Kreis.

Ich weiß, was ich will! das ist ja die Kraft,
Die sich aus dem Chaos ein Weltall entrafft.

Ich weiß, was ich will! und wenn ich's erreich',
Dann gelten der Tod und das Leben mir gleich.

CENSOR UND SETZER

Stoßseufzer beim Erscheinen
meiner »neuen Gedichte«

Ein Censor, ja, ich geb' es zu,
Er war ein arger, großer Sünder!
Erbarmungsvoll würgt' er im Nu
Des Geistes hoffnungsvollste Kinder.
Ein blutiger Herodes schier
Trat er an der Gedanken Wiege,
Argwöhnisch spähend, ob in ihr
Nicht etwa ein Messias liege.

Wie Schemen vor dem Morgenroth
Sah ihn die neue Zeit zerrinnen,
Doch meine Pein und meine Noth,
Die schwanden nicht mit ihm von hinnen.
Ach! meine Leidenskette riß
Mit seinem Scheiden nicht und Sterben,
In meinem Setzer hinterließ
Er seines Geistes treuen Erben.

Den Erben? Nein! so grausam nie
Sah man dich, armer Censor! walten,
Zu ihrer eig'nen Parodie
Nicht die Gedanken umgestalten.
Dein Rothstift traf, ein rascher Stahl;
Die Todten gingen ein zum Frieden.
Nicht der Verstümm'lung Schmach und Qual
Hast deinen Opfern du beschieden.

Doch er, der mir am Marke zehrt,
Und mir das Leben tränkt mit Galle;
O was zerfleischet und versehrt
Er nicht mit seiner Geierkralle.
Wo »Hebe« klar geschrieben steht
Verwandelt er es flugs in »Hexe«,
Auf jede Seite streut und sä't
Er gräuelhaften Irrthums Klexe.

O Censor! leichter war dein Joch;
Fast drängt es mich, dir abzubitten.
Mit deiner Scheere hast du doch
Nur hie und da gestutzt, beschnitten,
Er aber haus't auf meiner Flur
Verschüttend wie der Hauch der Chamsin's,
Nicht mehr den Wahnsinn der Censur,
Er übet die Censur des Wahnsinns.

Zu lang ertrug ich mit Geduld
Des Wüthrichs unheilvolles Schalten;
Erschöpft ist nun der Born der Huld,
Und nur Gerechtigkeit soll walten.
Entsagen will ich länger nicht
Der Rache, der ersehnten, süßen,
Und darum soll er dies Gedicht
Mit eig'nen Händen setzen müssen.

Joh. von Düringsfeld.

IDA VON REINSBERG-DÜRINGSFELD
(1815–1876)

Ida von Reinsberg-Düringsfeld wurde vor allem durch Romane und Novellen bekannt, aber auch durch sprach- und kultur- geschichtliche Arbeiten, die sie zum Teil gemeinsam mit ihrem Mann, dem Freiherrn von Reinsberg, verfaßte. Mit ihm unter- nahm sie zahlreiche Reisen, die sie zum Studium der Sprache und Geschichte in den verschiedenen Ländern benutzte. Ihre Lyrik gehört in ihren früheren Lebensabschnitt. Als Vierzehn- jährige bot sie ihre ersten Gedichte einem Zeitungsheraus- geber an und veröffentlichte als Neunzehnjährige ihre erste Gedichtsammlung unter dem Pseudonym Thekla. 1851 folgte eine weitere Sammlung.

George Sand.

George Sand (1804–1876)

AN GEORGE SAND

Du bist erhöht und in den Staub getreten,
Gekrönt mit Ruhm, gezeichnet mit Verhöhnung,
Für Tausende und dich ist nie Versöhnung,
Und dir zu nahen, würden sie erröthen.

Ich nahe dir – ich biete dir die Rechte,
Ich liebe dich und will es frei bekennen.
Nimm meine Hand zum Bund – nicht soll uns trennen,
Was ich an dir verlöscht, vergessen möchte.

Wenn du nicht bist wie wir, und nicht ertragen
Und lächeln willst, es ist nicht dein Verschulden;
Du kannst es nicht. Drum kämpfst du, wo wir dulden,
Und sprengst die Fesseln, die wir still ertragen.

Wohl hast du viel gefehlt in irrem Streben,
Hast manche Schranke frevelnd überschritten,
Die heilig ist; allein auch viel gelitten,
Und deinem Schmerze kann ich viel vergeben.

Doch Jene, die dich richten und verdammen,
Was wissen sie von dir und deinem Geiste?
Schlug in ihr Herz, das öde, das vereiste,
Ein Funken je von deines Herzens Flammen?

Durchreißt ihr Blick die Sonne, die sie blendet?
Verstehen sie, der Armuth bleiche Hüter,
Den Reichen wohl, der, stolz auf seine Güter,
In kühnem Uebermuth sie frei verschwendet?

Und hat ihr Herz aus Wunden je geblutet,
Wie tückisch sie verhüllte Feinde schlagen?
Und ist ihr Herz in todesdunkeln Tagen
Von namenlosen Thränen überflutet?

Gewiß, sie müssen, fest, in Einem Bunde,
Abwehren dich von ihrem kalten Leben,
Denn ihre Seele könnte ja erbeben
Von einem Liebeshauch aus deinem Munde.

Luise von Plönnies

LOUISE VON PLÖNNIES
(1803–1872)

Louise von Plönnies war die Tochter des Arztes und Natur-
forschers J. Ph. Leisler, die Mutter Sophie stammte ebenfalls
aus einer Arztfamilie. »Nach Familientradition« heiratete sie
1824 den jungen Arzt August von Plönnies, mit dem sie neun
Kinder hatte. Nach fünfzehn Ehejahren begann sie, sich
literarischen Arbeiten zu widmen. Sie übersetzte englische,
französische, flämische und niederländische Literatur und
gab mehrere Anthologien heraus. Mit eigenen Gedichten trat
sie 1844 an die Öffentlichkeit. Es folgten eine weitere Sammlung, Sonettenkränze (»Abälard und Heloise«), Romane und
epische Dichtungen, in denen sie häufig auf die Mythen- und
Sagenwelt zurückgriff, wie zum Beispiel in »Maryken von
Nimwegen«, der Geschichte eines Teufelsbündnisses, in der
sie die Maryken-Figur zu einem weiblichen Faust umdeutete.
Später veröffentlichte sie auch geistliche Lyrik und Bearbei-
tungen von Bibelstoffen. Seit dem Tod ihres Mannes 1847
lebte sie zurückgezogen auf dem Land, später in Darmstadt
bis zu ihrem Tod. Zu ihrer Zeit wurde sie als Dichterin
hoch geschätzt, geriet aber nach ihrem Tod in Vergessenheit.
Die folgenden Gedichte sind ihrer Sammlung von 1844 entnommen.

TINCTURA THEBAICA

Laß mich dein wunderbares Glück erwerben,
Leblos zu leben, ohne Tod zu sterben.

Gebt mir den Saft! den braunen Saft vom Mohne,
Den Wundertrank von einer fremden Zone,
 Der kochte dem Aequator nah'.
Das Schlummergift, d'ran die Granatenlippen
Der Odalisken[1] im Seraile nippen,
 Den Lethekelch aus Afrika.

Gottlob! schon senkt ein schweres Nachtgefieder
Umhüllend, schützend sich auf mich hernieder;
 Ich liege willenlos gebannt.
Die Glieder ruh'n, ich mag sie nicht bewegen,
Allein mein Herz, es klopft in mächt'gen Schlägen,
 Stark pocht der Puls an meiner Hand.

Und um mich wogt's und wirbelt's von Gestalten,
Aus Nebelschleiern seh' ich sich entfalten,
 Auftauchen Bilder wunderbar.
Die gelben Strahlen von dem Sonnenbrande,
Darin der Mohn gereift im heißen Sande,
 Durchblitzen meine Träume klar.

Welch prächtig Feld! wie schimmern die Turbane,
Purpurn, gleich jenen, welche die Sultane
 Sich schlingt in's rabenschwarze Haar.
Wie, oder sind es Köpfe, die zum Schrecken
Des Volks der Pascha ließ auf Piken stecken,
 Ein Schmaus dem Geier und dem Aar.

Nein, glühende Turbane sind's vom Mohne,
Der riesig aufschießt in der heißen Zone,
 Wo Kopf an Kopf sich prächtig drängt.
Schon seh' ich, wie an allen seinen Ritzen,
Die braune Männer mit den Messern schlitzen,
 Ein großer Opium-Tropfen hängt.

[1] Odaliske = weiße türkische Haremssklavin

Es quillt und quillt, die Köpfe alle bluten,
Alsdann gerinnt in heißen Sonnen-Gluthen
    Des Mohnes Hirn, sein Lebenssaft.
Kein Wunder, daß in unserm schwachen Hirne
Er in der dunkeln Höhle unsrer Stirne,
    So wunderbare Träume schafft.

Denn in der Tropennacht, der dämmerklaren,
Steh'n geisterhaft des Mohns verletzte Schaaren;
    Da quillt und tropft das Opium.
Der Himmel! blauer See mit Naphthaflammen,
Flicht über ihnen Strahl und Strahl zusammen; –
    Wie trinken sie den Schimmer stumm!

Und Geisterklänge süß und schaurig schweben
Herüber aus dem einst so prächt'gen Theben,
    In alle Tropfen dringt der Klang.
Denn Theben ward erbaut in Harmonieen,
Und seines Königs Lyraklänge ziehen
    Um die versunknen Mauern bang.

Und nächtlich legt sich auf die klaren Lüfte
Der schwarze Schatten jener Königs-Grüfte,
    Des sieb'ten Wunderwerks der Welt.
Es schlägt umsonst der Pyramiden Mauern
Der Flügelschlag der Zeit in Wetterschauern; –
    Sie streben auf zum Sternenzelt!

Könige ruh'n, von Hüllen fest umwunden,
Mit köstlichen Gewürzen eingebunden,
    Jahrtausende darin in Todesruh'.
Und beinah' scheint mir's, daß ich ihrer Leiche,
Umhüllt von Orients Schlummerbanden, gleiche; –
    Doch traumlos schlafen jene zu.

Es wogt und wallt, die Meereswellen stöhnen,
Sie brechen sich am Strand mit dumpfem Dröhnen,
    Durchrauschen meine Träume bang.
Wie schwarz die Wolke, – jetzt wird sie zerrissen,
Es flammt ein Strahl aus ihren Finsternissen,
    Und horch! ein wundersüßer Klang!

Der Memnon[1] klingt, des Bräut'gams eh'rnen Zwinger
Berühret Aurora[2] mit dem Rosenfinger,
  Der süße Klang, noch hallt er nach.
Und immer heller wird der Nebelschleier,
Mein Blick wird klar, mein Athem hebt sich freier,
  Es siegt der Tag!

AUF DER EISENBAHN

Rascher Blitz, der hin mich trägt
Pfeilschnell, von der Gluth bewegt,
Sausend durch des Tages Pracht,
Brausend durch die dunkle Nacht,
Donnernd über Stromesschäumen,
Blitzend an des Abgrunds Säumen,
Durch der Berge mächt'ge Grüfte,
Durch der Thäler nächt'ge Klüfte,
Durch der Saaten goldne Wogen,
Ueber stolze Brückenbogen,
Durch der Dörfer munter Leben,
Durch der Städte bunter Weben. –
Könnt', wie du, das freie Wort
Sausend zieh'n von Ort zu Ort!
Alle Herzen, die ihm schlagen,
Stürmisch so von dannen tragen,
So aus einem Land zum andern
Siegend die Gedanken wandern! –
Freies Wort, wer gründet Schienen,
Deinem Bahnzug stark zu dienen? –

[1] in gr. Mythologie Sohn der Eos, später äthiop. Fürst; nach ihm benannt sind die Memnonsäulen bei Theben, von denen die nördlichere infolge des durch Temperaturwechsel bei Sonnenaufgang veranlaßten Springens der Steine singende Töne hervorgebracht haben soll;
[2] Göttin der Morgenröte

ZWEI BÄUME

Zwei Bäume hab' ich einst im Wald gesehn,
Die wollten sich einander nahe stehn.
Sie schau'n sich an voll Sehnsucht, möchten gern
Sich fest umschlingen; doch sie stehn zu fern,
Denn andrer Grund ist Jedem angewiesen,
Darin des Lebens starke Wurzeln sprießen.
So neigt sich Jeder still zum Andern hin,
Der Eine scheint den Andern anzuzieh'n,
Bis es zuletzt gelingt den schlanken Zweigen,
Sich in den Kronen liebend zu erreichen.
Wie sie die Aeste in einander flechten,
Sind sie beschirmt von liebevollen Mächten;
In blauen Lüften, wo die Wolken jagen,
Da dürfen sie sich ihre Sehnsucht klagen.
Sie dürfen Blüth' um Blüthe selig tauschen,
An ihren Düften wonnig sich berauschen.
Sie stehn, vom Licht des Abendroths umglüht,
Gleich wie von tausend Rosen überblüht;
Verklärend weben aus der Himmelsferne
Ihr heilig Licht darum die ew'gen Sterne.

So möcht' ich mich mit dir zur Höhe schwingen,
Mit tausend Liebesarmen dich umschlingen,
Mit meines Herzens innigsten Gedanken
Dich unauflöslich fassen und umranken.
So möcht' ich deinem höchsten Leben lauschen,
So möcht' ich Seel' um Seele mit dir tauschen,
Hoch über'm düstern Nebelreich der Erden,
Im Himmelblau mit dir vereinigt werden,
Wo keines Menschen Augen auf uns sehn,
Wo nur die Sterne auf und niedergehn.

GLAS*

In einer engen kleinen Hütte
Liegt, marmorbleich und todesmatt,
Ein sterbend Weib mit edlen Zügen
Auf einer harten Lagerstatt.

Der Mutter blasses Haupt umschlinget
Ein holdes Mägdlein, zart und weiß;
Des Kummers bitt're Thränen fallen
Aus ihrem Auge, schwer und heiß.

Mit bangem Schmerz küßt sie noch einmal
Der Mutter schmale welke Hand,
Dann eilt sie aus des Elends Wohnung
Den Pfad hinab am Waldesrand.

Zur Hütte eilt sie, wo sie schmelzen
Das Glas durch heißer Oefen Gluth;
Dort haucht der schwache Kindesodem
In Formen die geschmolz'ne Fluth.

Der Vater hat in jener Hölle
Die frische Lebenskraft verbraucht,
Hat seinen letzten schweren Seufzer
Beim heißen Werke ausgehaucht.

Und seit der Treue ihr gestorben,
Die Mutter aber krank und matt,
Hat dieses arme Kind erworben
Erquickung ihr an seiner Statt.

Doch schwankend werden ihre Schritte,
Die einst dem flücht'gen Rehe gleich,
Und trüber ihre blauen Augen,
Und ihre Wangen werden bleich.

* Der nachtheilige Einfluß auf die Gesundheit der in Glasfabriken arbeitenden
Kinder ist bekannt.
Es gibt Fabrikherren, welche 12- bis 14jährigen Knaben und Mädchen das Blasen
des Glases aufbürden, ungeachtet die Beschäftigung mit so großen Nachtheilen für
die Gesundheit verbunden ist, daß ihnen nur die stärksten Menschen in der Blüthe
ihrer Jahre Trotz bieten können.
Es geschieht nicht selten, daß die Arbeiter, den deleteren Einflüssen unterliegend,
todt umfallen.

Jetzt steht sie vor der Thür der Hütte; –
Ob der Versäumniß ist ihr bang,
Da herrschet zürnend der Fabrikherr:
»Wo bleibst du, Träge, heut so lang!

Schon hast du eine volle Stunde
An deinem Tagewerk versäumt;
Heut Abend mußt du sie ersetzen! –
Nun flink an's Werk und nicht geträumt.«

Da spricht sie weinend: »Herr, die Mutter,
Sie liegt daheim mir sterbenskrank;
Entlaßt nur heute mich der Arbeit,
Und nehmt dafür des Kindes Dank.«

Doch grollend ruft er: »Dich entlassen?
Und gar bei früher Morgenzeit!
In voller Gluth steh'n meine Oefen,
Zum Färben ist das Glas bereit.

Der Masse sollst du Farbe geben
Durch Borar und durch Antimon;
Im schönsten Purpur muß sie glühen, –
Sonst kommst du heut' um deinen Lohn.

Denn einen Kelch gilt es zu bilden,
Wie eine Rose, glühend roth.
Wenn er vollkommen dir gelinget,
Wird dir ein extra Stückchen Brod.

Und Perlen gilt es dann zu blasen;
Wenn jede einem Tropfen gleicht,
Wie er dort glänzt auf grünem Rasen,
Schenk' ich die S t u n d e dir vielleicht.«

Mit schwerem Herzen tritt das Mägdlein
In den erhitzten Hüttenraum,
Naht zitternd sich dem glüh'nden Ofen,
Entfernt des Glases Erdenschaum,

Mischt unter die geschmolzne Masse
Die Farben. Aengstlich und geschwind
Mit einem Schleier hat das blasse
Gesicht bedeckt das arme Kind;

Denn gift'ge Dünste weh'n erstickend,
Und halb bewußtlos, sterbensmatt,
Fühlt sie den schwachen Athem schwinden,
Den sie zum Blasen nöthig hat.

In Regenbogenfarben spielen
Rings um sie die Kristalle all'; –
Doch ihres Auges Iris bleichet,
Trüb wird sein leuchtender Kristall.

Auf's neue setzt sie in die Gluthen
Den schön gefärbten Glasesguß,
Der sich zu klaren Purpurfluthen
Im Höllenfeuer läutern muß.

Sie prüfet mit der Eisenruthe
Das klar geword'ne rothe Glas; –
Wie glüht so purpurroth die Masse, –
Des Mädchens Wange, ach, wie blaß!

Sie hebt die Masse aus dem Ofen,
Daß sie verkühl' ein wenig nur, –
Und formt, die Zeit nicht zu verlieren,
Erst die verlangte Perlenschnur.

Für jede Perle, die sie bildet,
Gleich einem Thauestropfen licht,
Rollt eine heiße Schmerzensthräne
Von ihrem bleichen Angesicht.

Also bedeuten Perlen Thränen,
Erpreßt durch schwerer Armuth Druck; –
Doch ahnungslos schlingt ihr mit Lächeln
In euer Haar den Perlenschmuck.

Jetzt ist die Masse recht zum Blasen;
»O! wenn der Kelch der Rose gleicht,
Wie meine Perlen Thauestropfen,
Schenkt er die Stunde mir vielleicht.«

Das Mägdlein strengt zum heißen Werke
Den schwachen Athem an mit Macht; –
Schon dehnt sich aus die glüh'nde Kugel
Zu eines Kelches Rosenpracht.

In ihren Pulsen stürmt das Fieber,
Es jagt ihr Blut in wildem Lauf;
Noch einmal flammen ihre Augen,
Wie Kerzen vor'm Erlöschen, auf.

Und immer heller ist die Rose
Des Purpurkelches aufgegangen,
Und röther, immer röther glühen
Des Mägdleins sonst so blasse Wangen.

Die letzten Lebensgluthen haucht sie
Mit Todeshast in's schöne Glas.
Die Purpurrose ist vollendet; –
Das Mägdlein liegt entseelt und blaß.

DER FREISCHÄRLER.

Für Kunst und sociales Leben.

Jeden Mittwoch erscheint eine Nummer. — Alle Postämter und Buchhandlungen des In- und Auslandes nehmen Bestellungen an. — Hauptexpedition in Berlin: Charlottenstr. Nr. 42 (Gerschke Buchhandlung).

Redigirt

von

Louise Aston.

Preis für die Monate November und December 10 Sgr. incl. Bringerlohn; auswärts nach Verhältniß des bekannten Postaufschlags. — Inserate die gespaltene Petitzeile 1 Sgr. 3 Pf.

Nr. 1.   Mittwoch, den 1. November.   **1848.**

FRAUEN VON 1848

LOUISE ASTON

LOUISE DITTMAR

LOUISE OTTO

Die freiheitlichen Bestrebungen in der ersten Hälfte des achtzehnten Jahrhunderts, die in der Revolution 1848/49 gipfelten, führten auch in Deutschland, wie zuvor in Amerika während des Unabhängigkeitskrieges und in Frankreich während des Freiheitskampfes, zu politischer Aktivierung und literarischem Engagement der Frau. Wie dort verbanden viele Frauen mit den revolutionären Forderungen nach allgemeiner Freiheit und Gleichheit den Anspruch auf die Gleichberechtigung der Frau und traten dafür in Wort und Tat ein.

LOUISE ASTON
(1814–1871)

Louise Aston war eine begeisterte Anhängerin der politischen Freiheitsbewegung von 1848 und der Ideen George Sands, für die sie in Gedichten und Romanen zwischen 1846 und 1849 eintrat.
Als Siebzehnjährige hatten sie ihre Eltern zur Heirat mit dem Industriellen Aston gedrängt. Ihre anfängliche Weigerung hatte einen Schlaganfall des Vaters zur Folge, so daß die Tochter schließlich nachgab und in die Ehe mit dem ungeliebten Mann einwilligte. Die Geschichte dieser Verbindung beschrieb sie in ihrem Roman »Aus dem Leben einer Frau« (1846). Nach ihrer Scheidung verkehrte sie in politischen Kreisen der Berliner Vormärzbewegung und setzte ihre Forderung nach einem freien Liebesleben auch für die Frau in die Wirklichkeit um. Ihre freimütigen Äußerungen über Ehe und Religion, wie sie sich auch in den Gedichten ihrer Sammlung »Wilde Rosen« finden, ihr Tragen von Hosen und Rauchen in der Öffentlichkeit führten 1846 zur spektakulären Ausweisung aus Berlin. Louise Aston verteidigte sich in ihrer Schrift »Meine Emanzipation, Verweisung und Rechtfertigung« (1846). Sie nahm am Schleswig-Holstein-Feldzug als Krankenpflegerin teil, um der Sache der Demokratie nicht nur mit der Feder zu dienen, kehrte nach der Märzrevolution 1848 nach Berlin zurück, redigierte das revolutionäre Blatt »Der Freischärler«, was die Reaktion im November 1848 mit ihrer zweiten Ausweisung und dem Verbot des Blattes beantwortete. 1850 veröffentlichte sie eine Sammlung ihrer im »Freischärler« erschienenen politischen und emanzipatorischen Gedichte und das zweibändige Werk »Revolution und Conterrevolution«. Der ständig wachsende Druck der Reaktion in Deutschland ließ sie schließlich resignieren. 1850 verheiratete sie sich wieder, folgte ihrem Mann für mehrere Jahre ins Ausland und veröffentlichte 1860 nur noch eine kurze Erzählung.

NACHTPHANTASIEN

Ich sah mich in Träumen der Mitternacht
Verlassen und verachtet!
Des Auges milde Glut und Pracht,
Das liebend einst über mir gewacht,
Ich sah es von Haß umnachtet!

Mir malte der irre Gedankenflug
Gestalten bleich und trübe!
Ich sah einen finstern Leichenzug;
Die Leiche, die man vorübertrug,
War uns're gestorbene Liebe.

Entflieh', du gespenstische Mitternacht!
Entflieht, ihr blassen Gestalten!
Bis der selige, fröhliche Tag erwacht,
Bis Leben und Liebe mit frischer Macht
Mich jauchzend umschlungen halten.

Wie liebt' ich die schöne, heilige Nacht,
Wenn die bösen Träume nicht wären!
Unheimlicher Geister wilde Jagd
Verfolgt mich, bis ich, vom Schlaf erwacht,
Mich bade in heißen Zähren.

Ich fühl' mich allein in der weiten Welt;
Was ich liebe, ist fremd und ferne!
Da scheint mir der Mond am Himmelszelt
Ein spähender Lauscher hingestellt,
Und Spione die ewigen Sterne!

Ich liebe die Nacht; ich liebe die Nacht!
Doch nicht die einsame, trübe!
Nein, die aus seligen Augen lacht,
In flammender Pracht, in Zaubermacht,
Die heilige Nacht der Liebe.

Es mahne der Tod mich, der finst're, bleiche,
An das Leben, das lichte, das reiche,
An den heitern Genius der Welt!
D'rum hab' ich ein knöchern Beingerippe,
Mit Crucifix und drohender Hippe,
In meiner Zelle aufgestellt.

Fest schau ich es an bei Mondenscheine,
Wenn ich in verzweifeltem Schmerze weine,
Ein kämpfendes Kind der kämpfenden Zeit!
Dann tauml' ich empor in wildem Entzücken,
Das Leben noch einmal an's Herz zu drücken,
Bevor es vernichtendem Tode geweiht!

Ja, kühlen in frischen Lebensfluthen
Will ich der lodernden Seele Gluten!
Ich will vor Sünde und Kreuz bewahrt,
Stark durch des eigenen Geistes Ringen,
Mich aus Fesseln und Banden schwingen
Auf zu begeisterter Himmelfahrt!

LIED EINER SCHLESISCHEN WEBERIN

Wenn's in den Bergen rastet,
Der Mühlbach stärker rauscht,
Der Mond in stummer Klage
Durch's stille Strohdach lauscht;
Wenn trüb die Lampe flackert
Im Winkel auf den Schrein:
Dann fallen meine Hände
Müd in den Schooß hinein.

So hab' ich oft gesessen
Bis in die tiefe Nacht,
Geträumt mit offnen Augen,
Weiß nicht, was ich gedacht;
Doch immer heißer fielen
Die Thränen auf die Händ' –
Gedacht mag ich wohl haben:
Hat's Elend gar kein End? –

Gestorben ist mein Vater, –
Vor Kurzem war's ein Jahr –
Wie sanft und selig schlief er
Auf seiner Todtenbahr'!
Der Liebste nahm die Büchse,
Zu helfen in der Noth;
Nicht wieder ist er kommen,
Der Förster schoß ihn todt. –

Es sagen oft die Leute:
»Du bist so jung und schön,
Und doch so bleich und traurig
Sollst du in Schmerz vergehn?« –
»Nicht bleich und auch nicht traurig!«
Wie spricht sich das geschwind
Wo an dem weiten Himmel
Kein Sternlein mehr ich find'!

Der Fabrikant ist kommen,
Sagt mir: »mein Herzenskind,
Wohl weiß ich, wie die Deinen
In Noth und Kummer sind;
Drum willst Du bei mir ruhen
Der Nächte drei und vier,
Sieh' dieses blanke Goldstück!
Sogleich gehört es Dir!«

Ich wußt' nicht, was ich hörte –
Sei Himmel du gerecht
Und lasse mir mein Elend,
Nur mache mich nicht schlecht!
O lasse mich nicht sinken!
Fast halt' ich's nicht mehr aus,
Seh' ich die kranke Mutter
Und's Schwesterlein zu Haus'!

Jetzt ruh'n so still sie alle,
Verloschen ist das Licht,
Nur in der Brust das Wehe,
Die Thränen sind es nicht.
Kannst du, o Gott, nicht helfen,
So lass' uns lieber gehn,
Wo drunten tief im Thale
Die Trauerbirken steh'n! –

BERLIN
AM ABENDE DES 12. NOVEMBER 1848

Wilde kriegerische Klänge
Tönen in die Nacht hinaus,
Schweigend harrt des Volkes Menge
Vor dem königlichen Haus;
Manches Auge blitzt in Thränen,
Manche Faust ist wuthgeballt;
Ob der frevelnden Gewalt
Knirschen K i n d e r mit den Zähnen.
    Glimm'! o glimm',
    Heiliger Grimm!

Bleiches Mondlicht strahlt hernieder
Auf die haßentbrannte Welt; –
's ist derselbe Mond, ihr Brüder,
Der die M ä r z n a c h t einst erhellt;
Kommt es heut zum Kugelregen:
Hält der Tod sein Sichelfest,
Und dem letzten Ueberrest
Gibt das Fallbeil seinen Segen. –
    Noch ist von Groll
    Das Maaß nicht voll. –

Erst des Landes Stimme hören
Will der friedliche Convent;
Bald wird sich das Land empören
Gegen Wrangels Regiment;
Drum voran mit edlem Stolze,
Bannerträger in Berlin!
Mag der Thron in Flammen glühn!
Denn er ist von faulem Holze.
    Freiheit und Glück
    Gibt Republik!

IN POTSDAM

Vom Dome hallen Glockenklänge –
Stille Andacht überall,
Gläubig singt des Volkes Menge
Zu der Orgel hellem Schall;
Dort in einsamer Kapelle
An des Altars heilger Schwelle
Knie'n die Allerhöchsten Sünder
Gottes auserwählte Kinder.

Was sie beten, was sie flehen?
Ihre bleiche Lippe spricht:
»Jetzt, da wir am Abgrund stehen,
Jetzt – nur jetzt verlaß' uns nicht!
Unser Purpur will erbleichen,
Unsre Macht zerfällt in Scherben;
Lass' mit Blute sonder Gleichen
Uns den Purpur wieder färben! –

Mögen sie zum Himmel beten
Und mit neu gestärktem Muth
Eines Volkes Recht zertreten,
Pochend auf des Höchsten Huth:
Taub und schwach sind ihre Götter,
Taugen nur zum Spiel der Spötter;
Doch der Geist, der ewig freie,
Gibt dem Volk die Siegesweihe!

Brutus-Michel.

Von

Louise Dittmar.

Zweite vermehrte Auflage.

Darmstadt.

Gedruckt bei C. W. Leske.

1848.

LOUISE DITTMAR
(um 1848)

1848 erschien von Louise Dittmar in zweiter Auflage in Darmstadt ein 22seitiges Heft mit revolutionärer Lyrik unter dem Titel »Brutus-Michel«; daraus stammt das folgende Gedicht. Sie veröffentlichte darüberhinaus gesellschaftskritische und philosophische Beiträge (Vier Zeitfragen, 1847) und als wichtigen frauenemanzipatorischen Beitrag das Buch »Das Wesen der Ehe. Nebst einigen Aufsätzen über die sociale Reform der Frauen« (Leipzig 1850). Über ihre Biographie ist weiter nichts bekannt.

DIE DEUTSCHE REPUBLIK

Der Kaiser aus dem Schlaf erwacht,
Italien steht in Flammen!
Galizien! Ungarn! Schlacht auf Schlacht!
Alt-Oestreich stürzt zusammen!
Der Metternich kehrt nicht zurück,
Der langgeschweifte Drache,
Selbst Oestreich spürt die Republik,
Es keimt im Volk die Rache!

Der König im Gebetbuch liest,
Die Völker zu beglücken,
Vor seinem Schlosse man erschießt,
Das Volk derweil' in Stücken.
Und hätt von deutscher Republik
Kein Preuße noch geträumet,
Hoch auf aus diesem Bürgerglück
Die Republik nun schäumet!

Den Majestäten sei's gesagt,
Die sich dem Schlaf entraffen:
In ganz Europa hat's getagt,
Die Majestät geht schlafen.
Und wär die deutsche Republik
Am Himmel festgeschmiedet,
Entreißen würd' sich Völkerglück
Dem Himmel, der's verbietet!

Luise Otto=Peters
(Otto Stern),

LOUISE OTTO
(1819–1895)

»Lerche der deutschen Frauenbewegung« nannten sie bereits ihre Zeitgenossen. Mit ihren literarischen Arbeiten und ihrem politisch-sozialen Engagement leistete Louise Otto einen bahnbrechenden Beitrag im Kampf der Frau für ihre Rechte.
Louise Otto stammte aus einer bürgerlichen Familie mit fortschrittlicher Gesinnung. Ihr Vater, Gerichtsdirektor in Meißen, verfolgte aufmerksam die politischen Ereignisse und diskutierte sie auch zu Hause mit seiner Frau und den vier Töchtern. Mit siebzehn Jahren verlor Louise Otto ihre Eltern. Bei einem Besuch ihrer verheirateten Schwester im sächsischen Erzgebirge (1840) bekam sie Einblick in die Lebensbedingungen der dortigen Arbeiter und Arbeiterinnen und wurde zur sozialen Schriftstellerin. 1843 erschien ihr erster sozialer Roman, dem weitere folgten, u. a. 1846 »Schloß und Fabrik«, der zunächst konfisziert, dann aber freigegeben wurde. Sie wurde Mitarbeiterin der »Vaterlandsblätter«, in denen sie ihre Artikel unter dem Pseudonym Otto Stern veröffentlichte, da es immer noch ungewöhnlich war, daß eine Frau über Zeitfragen und Frauenrechte schrieb. 1847 entwarf sie eine Art Programm für die Frauenbewegung, in dem sie eine bessere Erziehung und Bildung der Frau forderte, gründete Arbeiterinnen- und Bildungsvereine und gab seit 1849 ihre »deutsche Frauenzeitung« heraus.
Ihre erste Gedichtsammlung, »Lieder eines deutschen Mädchens«, erschien 1847. Sie trat damit in die Reihe der politischen Dichter; Alfred Meißner nannte die Ausgabe »ein Schwert in Rosen«.
Als nach der revolutionären Erhebung die Reaktion einsetzte, wurde Louise Otto wiederholt gemaßregelt, aus mehreren Städten ausgewiesen und 1852 ihre Zeitung beschlagnahmt. Zu den verfolgten Freiheitskämpfern gehörte auch der mit ihr befreundete Schriftsteller August Peters, den sie nach seiner Entlassung aus dem Gefängnis 1858 heiratete; Peters starb bereits sechs Jahre später. 1865 nahm Louise Otto-Peters an der ersten Frauenkonferenz in Leipzig teil, die den »Allgemeinen Deutschen Frauenverein« begründete. Zwei Jahre vor ihrem Tod erschien ihre letzte Gedichtsammlung unter dem Titel »Mein Lebensgang«.

KLÖPPLERINNEN

Seht Ihr sie sitzen am Klöppelkissen
Die Wangen bleich und die Augen rot!
Sie mühen sich ab für einen Bissen,
Für einen Bissen schwarzes Brot!

Großmutter hat sich die Augen erblindet,
Sie wartet, bis sie der Tod befreit –
Im stillen Gebet sie die Hände windet:
Gott schütz' uns in der schweren Zeit.

Die Kinder regen die kleinen Hände,
Die Klöppel fliegen hinab, hinauf,
Der Müh' und Sorge kein Ende, keine Ende!
Das ist ihr künftiger Lebenslauf.

Die Jungfrauen all, daß Gott sich erbarme,
Sie ahnen nimmer der Jugend Lust –
Das Elend schließt sie in seine Arme,
Der Mangel schmiegt sich an ihre Brust.

Seht Ihr sie sitzen am Klöppelkissen,
Seht Ihr die Spitzen, die sie gewebt:
Ihr Reichen, Großen – hat das Gewissen
Euch nie in der innersten Seele gebebt?

Ihr schwelgt und prasset, wo sie verderben,
Genießt das Leben in Saus und Braus,
Indessen sie vor Hunger sterben,
Gott dankend, daß die Qual nun aus!

Seht Ihr sie sitzen am Klöppelkissen
Und redet noch schön von Gottvertraun?
Ihr habt es aus ihrer Seele gerissen,
Weil sie Euch selber gottlos schaun!

Seht Ihr sie sitzen am Klöppelkissen
Und fühlt kein Erbarmen in solcher Zeit,
Dann werde Euer Sterbekissen
Der Armut Fluch und all ihr Leid!

FÜR ALLE

Für alle! hören wir die Worte tönen,
Da wird das Herz uns plötzlich groß und weit!
Sie künden uns wie mit Drommetendröhnen
Den Siegsgesang der echten Menschlichkeit.
Denn anders ist kein heilig' Werk zu krönen
Und anders nie zu enden Kampf und Streit,
Als wenn ein Heil, das in die Welt gekommen
Der Sonne gleich für alle ist entglommen.

»Für alle!« sangen einst der Engel Scharen
In jener gottgeweihten heil'gen Nacht,
»Für alle will der Herr sich offenbaren
In seiner ewigtreuen Liebesmacht;
Für alle hat er Noth und Tod befahren
Und der Erlösung großes Werk vollbracht,
Das gleich den Gliedern eines Leibes einte
Mit festem Band die gläubige Gemeinde.«

»Für alle –« klang es im Hussitenheere –
»Ist auch der Gnade Kelch mit Christi Blut,
Denn allen ward verkündet seine Lehre,
Die in der Gleichheit aller Menschen ruht,
Und Erd' und Himmel hat nicht höhre Ehre,
Als nun uns wird mit dem geweihten Gut.«
Im Märtyr'tum, in grauser Todeshalle
Ertönt es noch: »Der Kelch des Heils für alle!«

So wußten sie die Losung recht zu fassen,
Erteilten sie an Mann und Weib zugleich.
Sie wollten nicht das hohe Erbteil lassen,
Das Bürgertum im neuen Liebesreich.
Da gab es keinen Neid mehr und kein Hassen,
Kein Sklaventum, kein Herrschen stark und feig,
Die Seelen galt's, die freien, zu erretten
Aus düsterm Bann, aus schwerer Knechtschaft Ketten.

Wo wieder aber ward der Ruf vernommen:
»Für alle Freiheit!« klang es fast wie Hohn,
Denn für die Männer nur war er gekommen
Im Wettersturm der Revolution.

Denn schien auch Joch auf Joch hinweggenommen,
Und stürzte auch in Trümmer Thron um Thron:
Dem Männerrecht nur galt das neue Ringen,
Das Frauenrecht blieb in den alten Schlingen.

Wohl grüßten freie Männer sich als Brüder,
Nur Bürger gab es, nicht mehr Herr und Knecht;
Wohl sangen sie der Liebe Bundeslieder
Und fühlten sich als ein erneut' Geschlecht.
Doch auf die Schwestern blickten stolz sie nieder,
Der Menschheit Hälfte blieb noch ohne Recht,
Blieb von dem Ruf: »für alle!« ausgenommen –
Ihr muß erst noch der Tag des Rechtes kommen.

Der Frauen Schar, die in den Staub getreten,
Ward nur erhoben an des Glaubens Hand.
Die Besten lernten fromm zum Himmel beten,
Weil ja die Erdenwelt sie nicht verstand;
Die andern aber ließen sich bereden
Sie seien nur bestimmt zu Spiel und Tand,
Es sei ihr höchstes Ziel im süßen Minnen,
Des ganzen Lebens Inhalt zu gewinnen.

Doch wiederum wird einst der Ruf erklingen:
So wie vor Gott sind wir auf Erden gleich!
Die ganze Menschheit wird empor sich ringen
Zu gründen ein erneutes Liebesreich,
Dem Weibe wie dem Mann sein Recht zu bringen
Zu wahren mit des Friedens Palmenzweig.
In laut'rer Wahrheit stolzem Siegesschalle
Tönt's noch einmal: »Erlösung kam für alle!«

GESTÄNDNIS

II.

Und weil ich schwieg und weil in keuscher Scheue
Ich nimmer auf dem offnen Markt gesungen,
Von meiner Seele ew'ger Liebestreue,
Von meines Herzens süßen Huldigungen:

Meint Ihr, ich sei kein fühlend Weib geblieben,
Indes der Freiheit Fahne ich getragen?
Ich hab' verlernt zu dulden und zu lieben,
Weil meine Lieder keine Liebesklagen?

O arme Thoren, die Ihr noch könnt wähnen,
Daß stille Lieb' und lautes Wort sich einen,
Daß wir die heiligsten von unsern Thränen
Vor aller Welt vermögen auszuweinen.

Hört Ihr die Nachtigall am Tage schlagen
In lauter Menschen emsigem Gewimmel?
Sie wird zur Nacht im stillen Haine klagen,
Den Menschen nicht, sie singt ihr Lied dem Himmel.

Die Lerche aber singt im Sonnenscheine,
Sie ruft die Menschen wach zu neuen Thaten.
Wo sie der Arbeit pflegen im Vereine,
Schwebt sie am liebsten ob den grünen Saaten.

So hab' ich Euch als Lerche aufgeweckt,
Das Morgenlied der Freiheit vorgesungen,
Als Nachtigall hab' ich mich tief verstecket –:
Das Lied der Liebe ist in Nacht verklungen!

Dur- und Molltöne.

Neuere Gedichte

von

Kathinka Zitz. geb. Halein

> O, glaubt es mir, die Frau verfehlet
> Die Pflicht um ihre Zither nicht;
> Je höher sie der Geist beseelet,
> Je fester hängt sie an der Pflicht.
>   Maria van Ackere.

Mainz.
In der Faber'schen Buchhandlung.
—
1859.

KATHINKA ZITZ-HALEIN
(1801–1877)

Kathinka Zitz-Halein wurde als Tochter des Kaufmanns Halein in Mainz geboren und erhielt eine Pensionatserziehung in Mainz und Straßburg. Als sich die Vermögensverhältnisse ihres Vaters verschlechterten, arbeitete sie zeitweise als Erzieherin, kehrte aber 1828 ins elterliche Haus zurück. Um diese Zeit löste sie auch eine zehnjährige Verlobung mit einem preußischen Offizier. Später war sie kurze Zeit mit dem Rechtsanwalt Franz Zitz verheiratet, der Mitglied des Frankfurter Parlaments und einer der Führer der revolutionären Bewegung in Mainz wurde.

Sie veröffentlichte zahlreiche Gedichtsammlungen, darunter »Herbstrosen« (1846) und »Dur- und Molltöne« (1859), in denen sie politische, soziale und kirchliche Verhältnisse kritisierte. Finanzielle Not setzte sie später immer mehr unter Produktionszwang. Sie veröffentlichte zahlreiche novellistische Arbeiten und Romane, darunter einen sechsbändigen Roman über Rahel Varnhagen. Ihre Werke erschienen häufig auch unter Pseudonymen, so daß ein lückenloser Überblick nicht mehr möglich ist. Als der Absatz ihrer Bücher zurückging, lernte sie die nötigen Handgriffe und setzte ein Buch selbst. Sie starb fast erblindet in ihrer Heimatstadt. Sie war mit der Schriftstellerin und Komponistin Johanna Kinkel befreundet, die 1858 im Londoner Exil starb.

VORWÄRTS UND RÜCKWÄRTS

Vorwärts! rufen die Lichtbekenner,
Laßt uns Fackeln der Wahrheit sein.
Rückwärts! heulen die Dunkelmänner,
Meidet jeglichen hellen Schein.

Vorwärts gehe stets unser Streben,
Thatendrang ist in uns erwacht.
Rückwärts sichert uns Gut und Leben,
Haltet fest an der alten Nacht.

Vorwärts! rufen die Adler und eilen
Stolzen Fluges zur Sonne hin.
Rückwärts! winzelt die Schaar der Eulen,
Die in die Löcher zurück sich zieh'n.

Vorwärts! mühet euch aufzutischen
Von dem Brode des Lebens nur.
Rückwärts! laßt uns im Trüben fischen,
Sagt, die Gaukelei sei Natur.

Vorwärts! fort mit dem alten Plunder,
Lichtet und ebnet die Geistesbahn. –
Rückwärts! schaffet ein neues Wunder,
Wahn und Dummheit glaubt noch daran.

Vorwärts! Niemand glaubt an Mirakel,
Solche Possen lasset zu Haus.
Rückwärts! machet ein Weltspektakel,
Treibt den Teufel von Neuem aus.

Vorwärts! strebt den Verstand zu lichten,
Arbeitet alle nach einem Plan.
Rückwärts sei unser Trachten und Dichten,
Legt dem Fortschritt Hemmketten an.

Vorwärts! die Geschichte beweist es,
Freiheit sei das edelste Loos.
Rückwärts! nähret den Bauch statt des Geistes,
Und ihr ziehet euch Sklaven groß.

Vorwärts! aber belügen und trügen
Sollen unsere Lippen nie.
Rückwärts! wir werden dennoch siegen,
Es giebt noch gar viel Menschenvieh.
1852

FARBENWECHSEL

Warum doch gehst du immer grau gekleidet?
So sprach der Freund zu einer ernsten Frau.
Mein Aug' sich gern an bunten Farben weidet,
Du aber gehst so lange schon in Grau.

Mein treuer Freund, dir will ich es wohl sagen,
Die graue Stimmung herrscht mir im Gemüth,
Und keine Schillerfarben kann ich tragen,
Seit mir des Lebens Baum hat abgeblüht.

Das Kind trug Weiß – der Unschuld Engelfarbe
Umhüllte es so duftig, hell und klar,
Und aus der Ähren aufgehäufter Garbe
Zog es sich Blumen für sein Lockenhaar.

Dann kam die Zeit der aufgewachten Triebe
Die in dem Lenz des Lebens feurig glüh'n;
Ich ging im Kleid der rosenrothen Liebe
Und in der Hoffnung heilig-schönem Grün.

Dann kam ein Tag, der brachte die Gewänder
Der wilden feuerfarbnen Leidenschaft,
Die mich umschloß mit ihren Glutenbänder,
Mir aufgezehrt des Geistes rege Kraft.

Die Gattin ging einher im blauen Kleide
Der ewig duldenden Ergebenheit,
Und später trug ich violette Seide,
Die Farbe die dem edeln Zorn geweiht.

Getragen hab' ich wohl auch Purpurgluten
Die tief empfundner Schmerz auf mich vererbt,
Denn ach! der Stoff, er war ja in den Fluten
Aus meines Herzens bestem Blut gefärbt.

Dann sah ich Jahre auf mich nieder schweben
Wie Rabenzüge mit dem Unglücks-Flug,
In welchen ich um ein verfehltes Leben,
Das dunkle Schwarz der tiefen Trauer trug.

Allmählich trug ich Braun – denn die Bestrebung
Des Selbstbewußtseins lichtete den Sinn.
Die braune Farbe deutet auf Ergebung
In ein Geschick an dem ich schuldlos bin.

Jetzt ist das Grau die Farbe meiner Tage,
Das Sinnbild einer blassen Dämmerzeit,
In der gestorben ist so Freud als Klage.
Die graue Farbe zeigt Gleichgültigkeit.

Gleichgültigkeit! – Hab' alles ich vergessen?
Begraben jedes Hochgefühl. – O nein!
Für's Vaterland, für große Zeitintressen
Wird nimmermehr mein Herz gleichgültig sein.

...

JEANNE MANON PHILIPON-ROLAND[1]

Die heil'ge Lieb' zum Vaterlande,
Sie ist kein Hirngespinnst, kein Wahn,
Sie lebt und fachet ihre Flammen
Auch in dem Herz der Frauen an.
Das Rechte lehrt sie sie errathen,
Führt sie auf der Begeistrung Bahn,
Und zu der Höhe großer Thaten
Trägt sie ihr Schwindelflug hinan.

Dich, reich an Schönheit, Seelenadel,
Die hoch saß auf des Geistes Thron,
Dich riß in ihren wilden Strudel
Das Ungethüm Revolution.
Doch wolltest du nicht glänzen, blitzen,
Dich trieb nicht an die Eitelkeit,
Du wolltest deinem Volke nützen
In der Parteien wildem Streit.

Mit deinem Worte, mit der Feder,
Verfochtest du des Volkes Recht;
Hoch wie die Schwalbe in den Äther,
Hobst du dich über dein Geschlecht.
Du warst ein Mann in Frauenröcken,
Ein edler, kühner, freier Mann,
Und schloßest zu den besten Zwecken,
Dich an die Girondisten an.

Wie glänzte dein begeistert Auge,
Aus dem ein Heer von Funken schoß,
Wenn deinem feingeschnittnen Munde,
Der kühne Redestrom entfloß.

[1] Marie-Jeanne Roland (1754–1793), Girondistin, Gattin des frz. Innenministers Jean Roland de la Platière

Die Massen hast du oft beweget
Mit deines Worts gewalt'ger Macht,
Und auch, wie wenn der Sturm sich leget,
Zur Ruhe wieder sie gebracht.

Doch als die Bergpartei jetzt siegte
Im Lauf der Dinge, die sich dreh'n,
Da war es um die Girondisten,
Da war es auch um dich gescheh'n.
In Banden wurdest du geschlagen
Und mußtest schon nach kurzer Frist,
Aus deinem dumpfen Kerker tragen
Dein schönes Haupt auf's Blutgerüst.

Du gingest stolz – dein Auge strahlte
Und deine Wangen waren roth,
Du hattest wie ein Mann gehandelt,
Und wie ein Mann gingst du zum Tod.
Um deines Volkes Heil zu stählen
Hast du geopfert Gut und Blut –
Du konntest in den Mitteln fehlen,
Allein dein edler Zweck war gut.

Der Gatte, dir in Lieb' ergeben,
Der treu dich hielt in seiner Brust,
Er konnte dich nicht überleben,
Zu schmerzlich war ihm dein Verlust.
Mit dir war all sein Glück entschwunden
Jetzt war er einsam und allein,
Da gab er sich die Todeswunden,
Um so mit dir vereint zu sein.

FÜR EINEN ÜBERTREIBENDEN DEUTSCHTHÜMLER

Deutscher, sei deutscher, als deutsch, dann dringet die wahre
                                    Verdeutschung
Dir in das deutsche Geblüt, bleibend mit deutschem
                                    Bestand.
Dann läßt durch deutsche Befeindung du nimmer dich feige
                                    entdeutschen,
Sinkest dann ganzlich durchdeutscht, einst in's germanische
                                    Grab.

1853

ADA CHRISTEN
(1839–1901)

Christiane Friederik, wie ihr bürgerlicher Name lautete, wurde als Tochter einer Kaufmannsfamilie in Wien geboren. Nach dem frühen Tod des Vaters geriet die Familie in finanzielle Not; er starb an den Folgen einer Kerkerhaft, die er wegen seiner Teilnahme an der 48er Revolution zu verbüßen hatte.
Sie arbeitete als Blumenverkäuferin und Handschuhnäherin.
Mit fünfzehn Jahren ging sie zum Theater und fristete mehrere Jahre eine kümmerliche Existenz als Mitglied einer wandernden Schauspielgruppe. 1864 heiratete sie einen ungarischen Beamten, der bald darauf erkrankte und 1868 starb. Ihr einziges Kind verlor sie 1866 kurz nach der Geburt. Sie begann Gedichte und Skizzen in Zeitschriften unter verschiedenen Pseudonymen zu veröffentlichen und lebte erneut in den dürftigsten Verhältnissen. Erst eine 1873 geschlossene zweite Ehe mit einem wohlhabenden Wiener Kaufmann brachte ihr finanzielle Sicherheit.
Durch Vermittlung des österreichischen Schriftstellers Friedrich von Saar erschien 1868 beim Hamburger Hoffmann & Campe Verlag ihr erster Gedichtband, »Lieder einer Verlorenen«. Er erregte großes Aufsehen und wurde bereits im nächsten Jahr zum zweiten Mal aufgelegt. Es folgten drei weitere Gedichtbände, in denen sie ebenfalls, ausgehend von eigenen Erfahrungen, die sozialen und moralischen Mißverhältnisse anprangerte. Sie wurde deswegen öffentlich angegriffen, fand aber auch Anerkennung und Unterstützung. So nahm Theodor Storm mit ihr brieflichen Kontakt auf. Über ihr Buch »Aus der Tiefe« schrieb er: »Es ist ein sehr ernstes, auch oft bitteres Buch; aber es ist kein faselicher Weltschmerz, man fühlt, es steht ein Lebendiges dahinter.« Ada Christen machte sich auch als Theaterautorin und Erzählerin einen Namen.

NOTH

All euer girrendes Herzeleid
Tut lange nicht so weh,
Wie Winterkälte im dünnen Kleid,
Die bloßen Füße im Schnee.

All eure romantische Seelennot
Schafft nicht so herbe Pein,
Wie ohne Dach und ohne Brot
Sich betten auf einen Stein.

ELEND

Hab' oft nicht zurecht mich gefunden
Da draußen im Gedränge,
Und oft auch wieder wurde
Die Welt mir fast zu enge.

Dann liebt' ich schnell und lebte schnell
Und schürte mein Verderben;
Der Pöbel johlte – ich lachte
Zu meinem lustigen Sterben.

MENSCHEN

Als ich, mit der Welt zerfallen,
Schweigend ging umher,
Da fragten die lieben Menschen:
Was quälet dich so sehr?

Ich sagte ihnen die Wahrheit;
Sie haben sich fortgedrückt
Und hinter meinem Rücken
Erklärt, ich sei verrückt.

ASCHE

Wie sie lodern, wie sie beben,
Still verglimmen und verweh'n –
Und ein Stück von meinem Leben
Seh' in Asche ich vergeh'n.
Weiche, goldig-blonde Locken,
Manche Blume, die da schlief,
Es zerstirbt in Aschenflocken
Mancher alte Liebesbrief.
Welches Glück die Worte brachten,
Diese Phrasen, – Gott erbarm'!
Wie sie heiß den Kampf einst machten –
Heute wird die Hand kaum warm!

...

Todte Liebe, – kalte Asche!
Armer, längst zerstob'ner Traum –
Wie ein geisterhaftes Mahnen
Weht es durch den öden Raum!
Oft ist mir, als müßt ich hüten
Dich, wie einst, mein sterbend Kind –
Doch ein Luftzug – und die Asche
Fliegt hinaus in Nacht und Wind!

EIN BALG*

Die alte Frau hat ein hartes Gesicht,
Doch kluge sanfte Augen,
Die wenig mehr beim Pfenniglicht
Und nicht zum Weinen taugen.

Sie war ein Balg ... Als Findelkind
Verlaßner als die Armen,
Hat weder Herren noch Gesind
Um Futter und Erbarmen.

Sie griff fest zu und schaffte stramm
Wie ehrbar-ernste Leute,
Daß nie sie Unverdientes nahm
Erfreut das Weib noch heute.

Sie zeigt auch jetzt mit Bauernstolz
Erdarbte Thalerscheine:
»Die sind mein unverbranntes Holz,
»Meine ungetrunknen Weine ...

»Die sind mein ungegessenes Brod,
»Auf jedem steht geschrieben:
»Ein Alter ohne Schand und Noth ...
»Und was mir Gott schuldig geblieben.«

* Ein Findling.

Schneeglöckchen.

Von

Marie von Najmájer.

Wien, 1868.
In Commission bei Ferdinand Klemm.

MARIE VON NAJMÁJER
(1844–1904)

Marie von Najmájer war die einzige Tochter eines ungarischen Hofrats. Nach seinem Tod im Jahre 1854 lebte sie in Wien gemeinsam mit ihrer Mutter, die sich ganz ihrer Erziehung widmete und ihre musikalischen und literarischen Neigungen förderte.

Ermuntert von Grillparzer, dem einige Freunde ihre Gedichte gezeigt hatten, gab sie 1868 ihren ersten Gedichtband heraus, dem weitere folgten. Bekannter wurde sie mit ihren Epen, Erzählungen und Dramen. Im Mittelpunkt ihrer Werke stehen häufig Frauengestalten, wie zum Beispiel in ihrem Roman »Die Schwedenkönigin« (1882) oder im Epos »Gürret-ül-Eyn«. Ohne sich unmittelbar an der Frauenbewegung zu beteiligen, setzte sie sich mit Wort und Tat für die alleinstehenden, besonders geistig arbeitenden Frauen ein. Sie veranlaßte die erste Stipendiumsstiftung für weibliche Studierende an der Universität Wien und trug mit einer großzügigen Geldspende zur Gründung eines Pensionsfonds für Schriftstellerinnen und Künstlerinnen in Wien bei. Nach ihrem Tod geriet sie in Vergessenheit.

SAPPHO

Ist's auch nur dein Name allein, der glorreich
Weithin durch Jahrtausende herrlich leuchtet,
Mit der Menschheit schaffenden Geistes-Helden
Ewig verbunden,

Hat das immergrüne Gerank der Sage
Auch so reich umschlungen dein Erdendasein,
Daß des Antheils forschender Blick es niemals
Könnte durchdringen –

Dennoch sei begeistert und freudig dankbar
Hoch gepriesen, du, deren edle Stirne
Schmückt der einz'ge Kranz, der uns hebt zu Göttern,
Jener des Genius!

Ja – du schufst das Lied! an die ersten Töne
Feurig – zart, da inneres Leben kündet
Auf des Wohllauts Schwingen die gold'ne Lyra –
Knüpft sich dein Name!

Ja, du schufst allein aus dir selbst, o Sappho!
Während tief barbarische, dumpfe Erdnacht
Später viel Jahrhunderte lang so trostlos
Hüllte die Menschheit,

Daß das unterjochte Geschlecht der Frauen
Kaum begriff, wie schmälich es drückt die Kette,
Während jetzt, da lange schon rings es Tag ward,
Tausende nimmer

Das Geschlecht zu trennen gelernt vom Geiste –
Strahlt aus fernsten Zeiten dein Name siegreich
Uns entgegen, hehr wie das ew'ge Sternlicht –
Sei uns gepriesen!

EINER GRIECHIN

Du kommst heran mit leichten, scheuen Tritten,
Ein Blütenblatt, vom Süden hergeweht,
Und blickst so schwermuthsvoll umher, inmitten
Des Volks, das deine Sprache nicht versteht.

Ich kenn' sie nicht; doch auf dem Lebensgange
Empfind ich oft mich einsam, fremd wie du:
Mir ist bei deiner Stimme weichem Klange,
Als rief ein Herz den Schwestergruß mir zu.

MARIE VON EBNER-ESCHENBACH
(1830-1916)

Ihre Jugend verbrachte die aus einem alten tschechischen Adelsgeschlecht stammende Komtesse Dubsky auf dem väterlichen Landsitz in Mähren und während der Wintermonate in Wien. Bei den dort regelmäßig stattfindenden Besuchen im Burgtheater faßte sie im stillen den Entschluß, Dramatikerin zu werden. Dieser Mädchenwunsch erfüllte sich zwar nicht, aber sie wurde eine der bedeutendsten Erzählerinnen des neunzehnten Jahrhunderts. Allerdings erlangte sie erst spät dichterischen Ruhm, und zwar im Alter von 53 Jahren mit ihren »Dorf- und Schloßgeschichten«. Sie bewies in diesen Erzählungen ihren Scharfblick für die sozialen Probleme ihrer Zeit und deren psychologische Auswirkungen. Ihr bekanntestes Werk wurde der 1887 veröffentlichte Roman »Das Gemeindekind«.

Seit ihrem achtzehnten Lebensjahr war sie mit ihrem Vetter, von Ebner-Eschenbach, verheiratet und lebte als *Grande Dame* teils auf dem mährischen Landgut und teils im Wiener Palais. Zu ihrem Freundeskreis gehörte auch die Dichterin Betty Paoli; nach deren Tod gab sie eine Auswahl ihrer Gedichte mit einer Lebensskizze heraus. Sie selbst veröffentlichte nur wenige Gedichte; 1880 erschien von ihr ein vielbeachteter Aphorismenband.

SANKT PETER UND DER BLAUSTRUMPF

Ein Weiblein klopft an's Himmelsthor,
Sankt Peter öffnet, guckt hervor:
– »Wer bist denn du?« – »Ein Strumpf, o Herr …«
Sie stockt, und milde mahnet er:
»Mein Kind, erkläre dich genauer,
Was für ein Strumpf?« »Vergieb – ein blauer.«
Er aber grollt: »Man trifft die Sorte
Nicht häufig hier an unsrer Pforte.
Seid samt und sonders freie Geister,
Der Teufel ist gar oft nicht dreister,
Geh hin! er dürfte von dir wissen,
Der liebe Herrgott kann dich missen.«
– »Das glaub ich wohl – doch ich nicht Ihn,
O Heilger, wolle noch verziehn!«
Sie wagt es, sein Gewand zu fassen,
Hat auf die Knie sich sinken lassen:
»Du starker Hort, verstoß mich nicht,
Laß blicken mich in's Angesicht
Des Ewgen, den ich stets gesucht.«
– »In welcher Weise, ward gebucht;
Man strebt ihm nach, wie's vorgeschrieben,
Du bist uns fern und fremd geblieben.«
Das Weib blickt flehend zu ihm auf:
»Wär' Dir bekannt mein Lebenslauf,
Du wüßtest, daß in sel'gen Stunden
Ich meinen Herrn und Gott gefunden.«
Der Pförtner stutzt: »Allwo? – Sprich klar!«
– »Daselbst, wo ich zu Hause war,
(Mein Handwerk brachte das mit sich)
Im Menschenherzen. Wunderlich
War dort der Höchste wohl umgeben;
Oft blieb von Seines Lichtes Weben
Ein glimmend Fünklein übrig nur,
Und führte doch auf Gottes Spur.
Ob er sich nun auf dem Altare
Den Frommen reicher offenbare –
Das zu entscheiden ist Dein Amt.
Bin ich erlöst? bin ich verdammt?«

Sankt Peter zu derselben Frist
Etwas verlegen worden ist,
Dacht' eine gute Weile nach,
Nahm endlich doch das Wort. Er sprach
Und rückt dabei den Heil'genschein:
»Besprich es drin. – Ich lass' Dich ein.«

MARIE EUGENIE DELLE GRAZIE
(1864–1931)

Marie Eugenie delle Grazie stammte aus einer alten veneziani-
schen Familie. Ihre Kindheit verlebte sie in einem kleinen ungarischen Dorf, in dem ihr Vater Bergwerksdirektor war. Nach seinem Tod übersiedelte sie mit der Mutter nach Wien, wo sie nach
dem Besuch einer Bürgerschule und einem Lehrerinnenseminar als freie Schriftstellerin lebte.
Bereits mit achtzehn Jahren veröffentlichte sie ihre erste
Gedichtsammlung, der weitere folgten, darunter »Italienische
Vignetten« (1892). Ihren literarischen Ruhm um die Jahrhundertwende begründete sie vor allem mit einem Robespierre-
Epos (1895) und dem Bergarbeiterdrama »Schlagende Wetter«
(1899), das dem Naturalismus nahesteht. Später schrieb sie
fast ausschließlich Prosa und kehrte von der freigeistigen Haltung, die ihr frühes Werk erkennen läßt, zum katholischen Glauben zurück.

NEAPEL

Eine schimmernde Atlasfläche, liegt
Im Mittagssonnenbrande das Meer,
Hier – dort und fernhin tanzt
Auf schäumenden Wogenkämmen
Verstreuter Lichtfunken blitzende Goldsaat,
Und in den Malachitglanz
Der schaukelnden Fluten taucht,
Eine badende Schönheit, das Lichtbild Neapels!

Wie dehnt und streckt
Und wiegt sie die blendenden Glieder,
Die Zauberin! Wie lacht es mit tausend Stimmen
Sirenenhaft-kokett aus ihrer Brust!

Verdrossen und zürnend lauert
Zu ihr herüber der finstere Vesuv:
Wie lang ach! und gern schon hätt' er
In brünstiger Liebestollheit
Den Schoß der Holden umarmt,
Wie lang ach! und gern schon
Bewältigt ihre süße, feucht-frohe Schönheit!
Umsonst! Festschmiedete ihn
Ein grausam Geschick, und aus
Der Ferne nur darf er genießen,
Wonach ihm fiebernde Gier
Den Leib durchschauert ....
                  Sie aber –
Sie jauchzt!
Sie buhlt mit dem Himmel
Und kost mit dem Meer,
Und ihre Kinder klettern
An seinen Lenden empor
Und schaun ihm ins Herz,
Ins heiße, lava-blutende,
Und lachen seiner verschwendeten Gluten
Mit ihrem Lachen: dem sonnig-hellen,
      Dem meergott-heitren Lachen Neapels!

DORNRÖSCHEN

Sie schläft so tief, so märchentief
Hinter schimmernden Rosenhecken –
Doch weiß ich: ob ihr mein Herz auch rief,
Ich kann sie nicht mehr erwecken!

Zur Seite sank das süße Gesicht,
Und in goldenen Locken fallen
Die Haare darüber – so weich, so dicht,
Gesponnene Sonnenstrahlen.

So zart ist sie, so märchenzart –
Eine Knospe, erst halb erbrochen;
Doch macht ein Grau'n ihre Züge hart:
Sie hat sich zu tief gestochen!

Zu tief – ach, bis ins Herz hinein,
Eh' sie sank in den starren Schlummer –
Das gab dem Antlitz den blassen Schein,
Und ihrem Lächeln den Kummer.

's ist still um sie, so märchenstill –
Warum graut mir vor diesem Schweigen?
Ich kann ihr ja rufen, wann ich will,
Mich küssend über sie neigen.

Umsonst! Was pochst du, Herz so wild,
Und ersehnst was nie ich doch wage?
Dein Glück ward zum ruh'nden Märchenbild,
Und meine Liebe – zur Sage!

KINDHEIT

Ob der Reigen noch um die Linde geht
In meiner Heimat fern?
Des Cymbals tieftonig Gebrumm,
Der Geigen schluchzendes »Warum?«
Ich hört' es gar so gern ...
Ob der Reigen noch um die Linde geht?

In weißen Blüten stand der Baum
Gekleidet wie in Schnee,
Und unten wandelte im Schritt
Der Reigen, und der Mond ging mit,
So hell, daß ich's noch seh' ...
In weißen Blüten stand der Baum!

Nun hat das Leben mich gepackt,
Die heißersehnte Welt.
Im Kampf, der tobend mich umsaust,
Erwehr' ich mich der eh'rnen Faust,
Die mordend niederfällt –
Nun hat das Leben mich gepackt!

Doch schleichen in das Dunkel sich
Gestalten, wie im Traum.
Von Stimmen klingt es, süß und leis,
Und Kleider flattern blütenweiß,
Und keusch bis an den Saum –
Sie schleichen in das Dunkel sich ...

Ob der Reigen noch – um die Linde geht?
Dann leg' ich wohl die Hand
Vors Aug', und sinn' das Herz mir wund –
Mein Leben, ach! für eine Stund'
In jenem Zauberland!
Ob der Reigen noch – um die Linde geht ...?

MARIA JANITSCHEK
(1859–1927)

Maria Janitschek war das uneheliche Kind einer Offizierswitwe und wuchs in dürftigen Verhältnissen in Ungarn auf. Seit ihrem neunzehnten Lebensjahr lebte sie in Graz und veröffentlichte unter dem Pseudonym Marius Stein journalistische Arbeiten. Nach ihrer Heirat mit dem Straßburger Kunsthistorker Hubert Janitschek widmete sie sich literarischen Arbeiten. Leitmotive ihres Werks sind die Stellung der Frau zum Mann und in der Gesellschaft. Ihren ersten Gedichtband »Irdische und unirdische Träume« veröffentlichte sie 1889; er enthielt das Gedicht »Ein modernes Weib«, das heftige Ablehnung hervorrief. Ihre häufig der Prosa angenäherten Gedichte behandeln oft religiöse Themen, vor allem Stoffe aus dem Alten Testament.
Nach dem Tod ihres Mannes (1893) lebte sie in Berlin und später München. Nach der Jahrhundertwende veröffentlichte sie fast ausschließlich Erzählungen, Novellen und Romane.

EIN MODERNES WEIB

Ein Mann beleidigte ein Weib. Es war
Von jenen schnöden Thaten eine, die
Kein Weib vergessen und vergeben kann.

Geraume Zeit verstrich. Da eines Abends
Ward an die Thür des Frevlers laut gepocht.
Er rief: »Herein«, und sah voll tiefen Staunens,
In Trauerkleidern eine Frau vor sich.

Sie schlug den Schleier bald zurück. Er blickte
In ihre großen stolzerstarrten Augen,
In diese großen schmerzversengten Augen ...
Er lächelte verlegen, denn ein Schauer
Erfaßte ihn ... Er bot ihr höflich Platz,
Sie aber dankte, und mit ruhiger Stimme
Sprach sie zu ihm: »Du hast mich schwer beleidigt,
Es war nur Gott dabei ... vor diesem Gott,
Vor dir, und mir allein, will ich den Flecken
Den Makel meiner Ehre, zugefügt
Von deiner Hand, verlöschen.
                              Höre nun!
Um dies zu thun, bleibt mir ein Mittel nur:
Ich kann nicht gehn, um einem fremden Menschen
Das was ich selbst mir kaum zu sagen wage,
Zu offenbaren. Für mich herrscht kein Richter,
Er wär' denn blind und taub und stumm, deshalb
(Ein Schildern des Vergangenen glich' aufs Haar
Der neuen That, hieß' selber mich entehren),
Deshalb gibt's eins nur: hier sind Waffen, wähle!«
Sie stellte auf den Tisch ein Kästchen hin
Und öffnete den Deckel. – – –
                              Lange standen
Die beiden Menschen stumm. Er sah sie an,
Sie hielt das glänzend große Aug' gerichtet
Fest auf die Waffen.
                      Plötzlich brach er aus
In lautes Lachen. Da durchglühte feurig
Ein tiefes Rot die farbenlosen Wangen
Der jungen Frau. Wie, wenn die ganze Antwort
Dies Lachen wär'? Sie hätte schreien mögen

Vor Wut und Elend. Aber sie bezwang sich,
Und sagte mild: »Wenn dir ein Unvorsichtiger
Zufällig auf den Fuß getreten wäre,
Du würdest ohne lange Ueberlegung
Ihm deine Karte in das Antlitz schleudern,
Nichts Lächerliches fändest du dabei.
Nun denk': nicht auf den Fuß trat mir ein Mensch,
Mein Herz trat er in Stücke, meine Ehre!
Verlang' ich mehr, als du verlangen würdest
Für einen unvorsichtigen Schritt, sag' selbst,
Ist das nicht billig?«
                        Lächelnd sah er ihr
Ins zornerglühte Antlitz. »Liebes Kind,
Du scheinst es zu vergessen, daß ein Weib
Sich nimmer schlagen kann mit einem Manne.
Entweder geh zum Richter, liebes Kind,
Gesteh ihm alles, gerne unterwerfe
Ich seinem Urteil mich. Nicht? Nun dann bleibt
Dir nur das eine noch: vergesse, was du
Beleidigung und Schmach nennst. Siehst du, Liebe,
Das Weib ist da zum Dulden und Vergeben …«
Jetzt lachte sie.
                   »Entweder Selbstentehrung
Wenn nicht, ein ruhiges Tragen seiner Schmach,
Und das, das ist die Antwort, die ein Mann
In unserer hellen Zeit zu geben wagt
Der Frau, die er beleidigt.«
                              »Eine andere
Wär' gegen den Brauch.«
                         »So wisse, daß das Weib
Gewachsen ist im neunzehnten Jahrhundert,«
Sprach sie mit großem Aug', und schoß ihn nieder.

NÄCHTIGES ELEND

Das sind die singenden Nächte!
Da wandelt durch meine Kammer
Tönender Schmerz,
Ein wildes, zerströmendes Schluchzen,
Das ist mein Herz,
Das kann nicht schlafen
Und weint.

Setz mich dann auf den Bettrand
Und beginn zu singen,
Wie Mütter ihr krankes Kindlein
Zum Schlummern bringen:
Schlafe, mein Herz, schlafe,
Schlafe! ...

DIE ALTE JUNGFER

Niemand zu Liebe, niemand zu Last,
Ist sie erloschen und verblaßt.

In ihrem Stübchen sann sie und sann,
Bis ihr einsames Leben darüber verrann.

Keiner hat nach ihr die Hand ausgestreckt
Und die flügelgebundene Seele erweckt.

Keiner hat in der Sommernacht
Zu seligem Weinen sie gebracht.

Und doch flogen Locken auch ihr ums Gesicht,
Und ihre Augen glänzten jung und licht.

Und doch schlug auch ihr in verschwiegener Brust
Die Sehnsucht nach Sonne und Frühlingslust.

Niemand zu Liebe, niemand zu Last,
So ist sie erloschen und verblaßt.

LULU VON STRAUSS UND TORNEY
(1873–1956)

Lulu von Strauß und Torney stammte aus einer alten friesisch-niedersächsischen Familie. Im traditionsreichen Elternhaus in Bückeburg wuchs sie als wohlbehütete Tochter auf, besuchte die höhere Schule und unternahm früh Reisen durch Europa. Als Fünfundzwanzigjährige veröffentlichte sie ihren ersten Gedichtband, fand aber dann vor allem in der Ballade die ihr gemäße Ausdrucksform. Seit der Jahrhundertwende hatte sie Verbindung zum Göttinger Schriftstellerkreis, der sich um die Erneuerung der Ballade bemühte und zu dem neben Münchhausen auch die Dichterin Agnes Miegel gehörte, mit der sie eine lebenslange Freundschaft verband. In ihren Balladen griff Lulu von Strauß und Torney auf historische Stoffe zurück, die sie zuweilen sozialkritisch schilderte (Französische Revolution, Bauernkriege), beschrieb aber hauptsächlich die ihr vertraute heimatlich-bäuerliche Welt; das führte später im Dritten Reich zu mehreren Neuauflagen ihrer beiden frühen Balladensammlungen von 1902 und 1907.
Erst nach ihrer Heirat mit dem Verleger Diederichs (1916) verließ sie das Elternhaus und lebte fortan in Jena. Dort trug sie wesentlich zum Aufbau des Verlags bei. Sie schrieb mehrere Romane, Erzählungen und kulturhistorische Schriften.

HERTJE VON HORSBÜLL

Hertje von Horsbüll lachte und klomm vom Deich an den Strand,
Hertje von Horsbüll reckte den Arm über See und Sand,
ihres Haares graue Strähnen zerrte der nasse West,
ihre nackten Füße wurden von fliegendem Schaum genäßt.

»Es geht um des Strandes Harden ein starker güldener Ring,
ihr kooget und ihr deichet, wo weiland der Schiffskiel ging,
aber wehe über die Marschen, weh über Sand und Strand,
es weint da unter dem Deiche, der Ring hat nicht Bestand!

Sie sagen, die Deiche feste unschuldigen Blutes Macht, –
mein Knabe spielte im Kooge, er kam nicht heim zur Nacht!
Sie sagen, es sind die Möwen, die Möwen schreien im Wind, –
aber ich weiß, da unten weit Hertje von Horsbülls Kind!

Es steht im Kooge zu Gröde der Weizen sommergrün,
es springt ein schwarzes Fohlen über die Weiden hin,
aber die Saaten sollen keine Sichel sehn,
und es wird das schwarze Fohlen nicht unter dem Sattel gehn!

Sie segnen in dreißig Kirchen den heiligen Gotteswein,
zu Lindholm stand die erste, die soll auch die letzte sein,
es wird ein Tag des Todes über den Marschen graun,
dreimal wehe den Augen, die seine Schrecken schaun.

Dann wird den Vater rufen seines jüngsten Kindes Schrei,
doch die salze See wird kommen und fressen die andern drei!
Es werden Knecht und Bauer fliehn auf des Hofes First,
doch die salze See wird kommen, daß Wurt und Mauer birst!

Es wird eine Sonne steigen, ihr Schein ist gelb und bleich,
und geht sie wieder zur Rüste, sie sieht nicht Strand noch Deich,
es wird in hundert Jahren der Schiffer fahren zu Land
und wird zum Steuermann sagen: »Hüt dich vor Holmer Sand!«

Hertje von Horsbüll lachte und klomm zum Deich empor,
sie kniete auf nasser Erde, sie beugte ihr horchend Ohr,
Hertje von Horsbüll ballte zur Faust die starre Hand:
»Es weint da unter dem Deiche! weh über Marsch und Strand!«

GRÜNE ZEIT

Oben am Berge sangen alle Buchen heut.
Grüne Zeit! sang die eine: grüne, grüne Zeit!
Schwestern! rauschte die zweite und wiegt den Wipfel hoch:
Wißt ihr die weißen Nächte, die Nächte des Todes noch?
Wir streckten die nackten Äste in Frost und bebten sehr,
Die Sonne war längst gestorben, und lebte kein Quellchen
                                                    mehr!
Wir wissen, sangen die andern, doch die weißen Nächte sind
                                                    weit –
Grüne Zeit, Schwester Buche, grüne, grüne Zeit!

Und wißt ihr die schwarzen Vögel, die knarrten böse und rauh
Über den bleichen Feldern ins frühe Abendgrau?
Ihre schreienden Schwärme machten dunkler den dunkelsten
                                                    Tag,
Es krachte in unsern Ästen ihr streitender Flügelschlag! –
Wir kennen die schwarzen Vögel, aber sie flogen weit.
Grüne Zeit, Schwester Buche, grüne, grüne Zeit!

Sonne, hohe Sonne! eine Schlanke sang in den Wind,
Deiner grünen rauschenden Kinder, siehe, wie viele es sind!
Wipfel wiegt sich an Wipfel hinauf die wogende Wand,
Unser sind alle Berge, die blauen über dem Land!
hell über unsern Kronen jauchzt der wilde Weih,
Hoch schwimmen die weißen Wolken zu Häupten uns vorbei,
Höher als Weih und Wolke, Flammende, schreitest du
Aus roten Toren der Frühe rotem Abend zu!
Wir brennen in grünen Feuern entgegen deinem Brand,
Wir winken mit tausend Blättern dir nach ins Abendland,
Wir neigen singende Kronen deinem Angesicht:
Gelobt sei die hohe Sonne! Gelobt das heilige Licht!

Tausend Buchen am Berge hielten den Atem an –
Auf silbernem Stamm die höchste wie träumend halb begann –
Auf einmal sangen sie alle, und rauschten wälderweit:
Gelobt sei die hohe Sonne! Grüne, grüne Zeit!

ISOLDE KURZ
(1853–1944)

Isolde Kurz wuchs mit ihren vier Brüdern in einer Atmosphäre unbegrenzter Freiheit auf, getrübt nur vom Konflikt mit der provinziellen bürgerlichen Umwelt in Obereßlingen und Tübingen, wo sie ihre Kindheit verbrachte. Isolde Kurz war die Tochter des Erzählers Hermann Kurz und seiner Frau Marie, geb. von Brunnow, einer engagierten Demokratin und mutigen Kämpferin während der 48er Revolution. Da Mädchen noch keine höheren Schulen offenstanden, wurde Isolde Kurz von der Mutter zu Hause unterrichtet. Sie lernte mehrere Fremdsprachen, wurde mit klassisch-antikem Bildungsgut vertraut, aber auch mit sozialistischen Schriften, denn im Elternhaus wurden Proudhon, Marx, Lassalle und Bebel gelesen.
Nach dem Tod des Vaters lebte sie kurze Zeit in München als Übersetzerin und anschließend bis zu Beginn des Ersten Weltkriegs in Italien, wo sie sich frei und unbeschwert fühlte. Gemeinsam mit der Mutter war sie einem in Florenz lebenden Bruder gefolgt; beide waren froh, das im neuen preußischen Geist erstarkte Reich der Gründerzeit verlassen zu können. Sie arbeitete als Übersetzerin italienischer Literatur und trieb umfangreiche Renaissancestudien. 1889 erschienen erste Gedichte, kurz darauf die »Florentiner Novellen« und »Italienischen Erzählungen«, die ihren dichterischen Ruhm begründeten. Im Seebad Forte dei Marmi lernte sie Eleonora Duse und den Dichter d'Annunzio kennen. Nach dem frühen Tod des Bruders sorgte sie allein für die Mutter. Als der Erste Weltkrieg begann, kehrte sie nach Deutschland zurück und lebte fast bis zum Lebensende in München.
In ihren späten, vorwiegend erzählerischen Werken trat das Autobiographische immer stärker in den Vordergrund, so in dem Entwicklungsroman »Vanadis, der Schicksalsweg einer Frau«, den sie als 78jährige beendete und den Zeitgenossen das ›weibliche Gegenstück‹ zu Goethes »Wilhelm Meister« nannten.

PANIK

Tief war das Schweigen
Im Eichenhain,
Der Mond um die Blätter spann,
Und ich fühlte so eigen,
Als müßt' es sein,
Den Zauber der da begann.
Deutlicher war mir die Welt geworden,
Als trät' ich in einen höheren Orden.
In mir fühlt' ich von Haupt zu Sohlen
Der Dinge heimliches Atemholen,
Fühlte des Baumes leibliches Leben
Oder fühlte mich selbst als Baum,
All sein mächtiges Aufwärtsstreben
Und das selige Blätterweben
Und das wohlige Dehnen im Raum.
Seiner Säfte geheimes Rinnen
Spürt' ich tief innen,
Wie sie in Zweigen
Quellen und steigen,
Tief von der Wurzel zur Krone ziehn
Bis zum feinsten Geäder des Laubes hin.
Und ich dachte: Was will das werden,
Gleicht mir denn jegliches Ding auf Erden?
Der Baum und der Strauch
Hat ein Antlitz wie meines,
Die tauigen Gräser der Wiese auch,
Alle seh' ich als eines.
Näher wuchs es und näher heran,
Und die tausend Blättergesichter
Blickten mich an,
Nah mich an wie leiblich verwandte,
Vor Zeiten gekannte
Züge und winkende Augenlichter.
Und so lag ich mir selbst entrückt,
Wohlig und halb beklommen,
Bis mir ein Schreck durch die Glieder zückt,
Als hätt' ich die Stimme Pans vernommen.
Fort, nur fort!
Daß Gott sich erbarme!
Daß er die langen, laubigen Arme

Nicht nach mir strecke,
Der Baumesrecke.
Der stand ruhig am alten Ort,
Unverwandt
Sah er ins Land,
Tat als hätt' er mich nie gekannt.

NEIN, NICHT VOR MIR IM STAUBE KNIEN

Nein, nicht vor mir im Staube knien!
Nicht mir im Arm wie Rohr zerbrechen!
Ist erst der Stunde Rausch dahin,
Ich weiß, du wirst es an mir rächen.

Jetzt ist dein Aug' von Tränen naß,
Doch manchmal blinkt's wie Mördereisen.
In deiner Liebe grollt der Haß
Und droht mich künftig zu zerreißen.

Wo ist der Held, der frei vereint
Mit mir auf Lebenshöhen stiege?
Der tröstet, wenn das Herz mir weint,
Und mit mir lächelt, wenn ich siege?

Der nicht Gebieter ist noch Knecht,
Der fühlt wie stille Wunden brennen,
Der schonend auch dem zärtern Recht
Sich neigt in willigem Erkennen?

Wo ist der Held? Es tönt von fern
Wie Gruß von ihm an meine Ohren.
Der Held, der meines Lebens Stern,
Wird erst nach meinem Tod geboren.

GEISTER DER WINDSTILLE

Du bist entronnen,
Hast dich gerettet,
In sichrer Freistatt
Dich weich gebettet,

Wie die Welle vom Ufer wallt,
Das sie abweist still und gelassen,
Dürfen Dämonen dich hier nicht fassen,
Hat Geschehnes nicht weiter Gewalt.

    Schmerzen versausen,
    Sorgen entschlafen,
    Wütet's auch draußen,
    Hier ist der Hafen,

Hier sind des Schicksals Donner verhallt.
Still im friedlichen Gleichmaß der Tage,
Denkst du, stehe des Daseins Wage.

    Aber mitten
    Im Schoße der Ruh
    Huscht's wie von Schritten,
Stimmen erwachen und raunen dir zu.

Leise zuerst, nur halb vernommen
Dringt ihr Laut ans geschärfte Ohr,
Doch in der Öde bang und beklommen
Wächst und wächst der gefährliche Chor:

    Blick' auf das weite Meer,
    Schiffe von Frachten schwer
    Ziehn in die Ferne;
    Welches zum Port sich ringt,
    Welches der Sturm verschlingt,
    Wissen die Sterne.

Aber freudig die Flagge gehißt!
Leben ist da, wo das Wagnis ist.
Besser mit teuerstem Gute gestrandet,
Als am Ufer gemach versandet.

    Der kühne Schiffer
    Auf Lebenswogen,
    Von Nereiden
    Hinabgezogen,
    Den Preis im Sterben
    Trägt er davon,
    Sein fröhliches Werben
    War selbst der Lohn.

Siehst du am Meeresgrund
Gärten von Muscheln bunt,
Lachende Stätten,
Wo die Verschlagenen,
Stürmeenttragenen
Selig sich betten?

Dorthin wandeln verklärte Gestalten,
Die sich enge umschlungen halten,
Antlitz innig zu Antlitz gewendet;
Heil den Erwählten, die so geendet!

Hörst du Gewieher fernher vom Walde?
Zwischen den Bäumen ein Jagdsignal?
Heißes Rennen auf sonniger Halde,
Kühles Rasten im Schattental.
Dahin, dorthin wälzt sich das Jagen,
Auf schnellen Rossen Männer und Fraun –

Gibt's nichts zu wagen,
Nichts zu gewinnen?
Magst du ins Totenhemd
Lebend dich spinnen?
Trägst du's, als Leichnam die Sonne zu schaun?

Feiges Herz, das jahrelang
Sich mit Pochen
Bang verkrochen
Vor der Lose Wechselgang!
Flatterst wie die zahme Taube,
Die im Käfig scheu sich duckt,
Wenn in Lüften nach dem Raube
Hoch der Falk herunterzuckt.

Besser in Ängsten
Irr und verschlagen,
Von wilden Hengsten
Zu Tode getragen!
Besser verlodern
Als lebend vermodern!

Donner wird dir der Glockenschlag,
Der nur spricht vom verlorenen Tag,
Von den Stunden, die wertlos gleiten und fallen
Wie an der Schnur die Glaskorallen.

In der ewigen Stille
Glühender Zonen,
Wo die Ungebornen
Gestaltlos wohnen,
Drunten im trägen träumenden Wasser
Liegen und lauern dir grimmige Hasser.

Schemen sind wir,
Die unbekannten,
Ewig verbannten
Geister von Dingen, die nie geschehn.
Wonnen, die nie die Brust dir erweichten,
Schrecken, die nie dein Antlitz bleichten,
Eine Welt, die kein Auge gesehn.
Doch flieh und umgib dich mit Engelschören,
Die Stunde kommt, da mußt du uns hören.

Wie ein gespenstisches Trauerspiel
Weht's dich an und umhüllt dich mit Schauern,
Alle Kraft verzehrt sich in Trauern
Um ein Opfer, das nirgends fiel.
Kennst du das Stück?
Nein, und kennst der Spieler nicht einen,
Aber weinen mußt du und weinen
Um ein verlorenes
Und doch nie besessenes Glück.
Eine Schuld, die du nicht begangen,
Bleicht dir die Wangen,
Ein Vergangenes, das nie gewesen,
Hält dich und läßt dich nimmer genesen.

Unser bist du!
Wir, die Sirenen,
Wecken und nähren unstillbares Sehnen,
Zehren dein Mark und saugen dein Blut.

Denn wir vergiften
Auch der Gedanken
Blumige Triften,
Daß sie tief innen welken und kranken.

Was dir geboten ist,
Mußt du verachten,
Nach dem Unmöglichen
Glühend verschmachten,
Ließest verschäumen
Freuden und Not,
Trinke aus Träumen
Schleichenden Tod.

Weg, hinweg, Gesellen der Nacht,
Will euch bannen mit Wortesmacht,
Will mit Gesängen euch übertäuben
Wie mit Wassern, die stürzen und stäuben.

Harmonien, entfaltet die Schwingen,
Helft mir sie zwingen,
Kinder des Lichts!
Helft mir die Winde, die Wellen erwecken,
Brecht durch des Himmels lastende Decken,
Rauscht und spült sie hinab ins Nichts!

LANDREGEN

Hilf Gott, wie ist die Welt so naß!
Regen, Regen, Regen!
Schon drei Tag' ohn' Unterlaß
Schwimmt's auf allen Wegen.
Um die Hügel spinnt's,
Von den Dächern rinnt's,
Und die Leute blau gefroren,
Wie mit dem Regenschirm geboren.
Nebel liegt auf See und Land,
Wie ein graues Packtuch ausgespannt.
Deutsche Natur, dran erkenn' ich dich,
Wie die Hausfrau sparsam und bürgerlich:
Diese Wälder und laubigen Höhn
Wären für alle Tage zu schön,
Deckst sie mit grauem Segeltuche,
Sparst sie für seltene Sonntagsbesuche,
Und die Berge, so fern und fahl,
Steckst du ins Wolkenfutteral.

Drunten im lieben, im goldenen Süd
Wird die Sonne zu scheinen nicht müd,
Scheint sich selber zu Lust und Ehr',
Tut nicht, als ob's was Besonderes wär'.
Dort, ja dort!
Hier aber plätschert es fort.
Nach dem Wahlspruch biederer Bürgersleute:
Wie wir's gestern getrieben, so treiben wir's heute,
Plätschert's aus purer Gewohnheit fort.
Güsse folgen auf Güsse,
Nordische Sommergenüsse.
Und das Licht der Laternen, das qualmerstickt
Mit hundert Augen aus Pfützen blickt,
Die Wiesen Moräste, die Straßen Leim,
Die ganze Welt wird ein Niflheim.

PURPURNE ABENDRÖTE

Purpurne Abendröte
Streut ihr Gold verschwendrisch umher,
Wünsche, Sorgen und Nöte
Sanken ins blaue Meer.

Hinter mir schwand in Frieden,
Was als Drache lauernd am Weg mir lag,
Alle Jahre, die schieden,
Scheinen mir nur Ein Tag.

Auf den Pfaden, den schattenlosen,
Über Steine kam ich und glühenden Sand,
Meines Lebens Rosen
Trage ich frisch in der Hand.

Weile noch, sinkende Sonne,
Die du Wunder auf Wunder vollbracht,
Deine süßeste Wonne
Gibst du vorm Tore der Nacht.

FRAUEN UND ARBEITERBEWEGUNG

CLARA MÜLLER   EMMA DÖLTZ
LISBETH EISNER

Gegen Ende des neunzehnten Jahrhunderts traten zahlreiche Frauen mit Gedichten und Erzählungen hervor, in
denen sie die Arbeitswelt und die Erfahrungen der arbeitenden Frauen schilderten. Es erschienen Aufrufe, den
sozialen und politischen Kampf zu unterstützen, von dem
auch die menschliche und politische Gleichberechtigung
der Frau erwartet wurde.

CLARA MÜLLER
(1861–1905)

Clara Müller stammte aus einem protestantischen Pfarrhaus in Pommern. Ihr demokratisch gesinnter Vater war ein Bauernsohn, der sich sein Studium schwer erkämpft hatte. Nach seinem frühen Tod mußte Clara Müller schon als junges Mädchen zum Lebensunterhalt beitragen. Sie besuchte die Handelsschule in Berlin und arbeitete als Büroangestellte bei einem Fabrikanten. Später kehrte sie aus gesundheitlichen Gründen nach Pommern zurück und war seit 1889 Redakteurin an einer Provinzzeitung. Eine unerwartete Erbschaft kurz vor der Jahrhundertwende gab ihr die Möglichkeit zur freien schriftstellerischen Arbeit. Sie war mit dem Maler Oskar Jahnke verheiratet und starb 1905 an einer Influenza.
Clara Müller veröffentlichte zwei Gedichtsammlungen, in denen sie unter anderem auch ihr Bekenntnis zur Arbeiterbewegung zum Ausdruck brachte, und eine Autobiographie »Ich bekenne«.

FABRIKAUSGANG

Bleigraue Schatten zittern durch die Luft.
Aus hohen Essen quillt ein blauer Duft.
Durch Steingefüge dröhnt der Hämmer Ton,
Um Erzgerüst schwirrt dumpf die Transmission,
Schwirrt stumpf und dumpf, noch eh' die Sonne kam,
Bis daß der Tag verglüht in Zorn und Scham,
Bis daß die Nacht barmherzig deckt die Qual.

Ein Glockenzeichen gellt im Arbeitssaal.

Da stockt der Lärm – und kreischend geht das Tor:

Ein Jüngling stürmt, ein Knabe fast, hervor;
Im staubigen Rock, die Mütze tief im Genick,
Ein frohes Leuchten noch im Kinderblick,
Staunt er die Welt wie neugeboren an –
Da schiebt ihn seitwärts schon sein Nebenmann.

Da drängt's hervor, wie flügellahme Brut,
Da wächst und wogt des Elends graue Flut.

Mit bangem Blick die blasse Mutter hier, –
Zu Hause weint der Säugling schon nach ihr,
Das Mädel dort, Chrisanthemum am Hut,
In flacher Brust erlogne Liebesglut, –
Das frech vertraut dem nächsten Burschen nickt, –
Der Mann, der stieren Auges vor sich blickt,
Und nun der Greis, der matt nach Hause wankt
Und für den Hungerlohn dem Schöpfer dankt...

Des Landes Mark, der Großstadt Kraft und Glut
Verschlingt des Elends uferlose Flut.

Mit müdem Schritt, die Stirn gesenkt und schwer,
Zur Heimstatt zieht der Arbeit Sklavenheer,
Zu kurzer Rast, daß schlafgestärkt die Kraft
Beim nächsten Morgengraun aufs neue schafft.
Mit frischer Gier, mit nie gestillter Wut
Trinkt die Maschine ihres Herzens Blut,
Vorüber ziehn in seltsam scheuer Hast,
Sie an der Arbeitsherren Prunkpalast:
Den Tisch, der dort vor Überfülle bricht,
Sie deckten ihn, doch ihnen blüht er nicht...

Zwei Männer nur, den Hammer in der Hand,
Hemmen den Blick und starren unverwandt
In all den Glast, der Freude goldnen Sitz;
Aus ihren Augen zuckt des Hasses Blitz.
– So blickt der Leu, wenn sich die Schlange regt,
Sie wissen wohl, wohin ihr Fuß sie trägt.
Sie schau'n ihr Ziel, so sternenlicht und weit…
Und um sie braut die große Einsamkeit
Die schwere Ruh. –

Vom Himmel dichtgedrängt
Die schwarze Wolkenmasse niederhängt,
Indes am freien Horizont verloht
Sturmdunklen Blicks ein blutig Morgenrot.

DEN AUSGESPERRTEN[1]

– Und hundert Tage und noch vielmehr...
Der Herd ist kalt und die Lade leer.
Am Fest der Liebe kein Jubelton –
und die Friedensbotschaft ward Hohn, ward Hohn!
Schwer hängt der Himmel, wie Schiefer grau,
über den Dächern von Crimmitschau.

Und Tausende harren, trotzig und stumm,
– Feinde oben und Feinde ringsum! –
Und weint ein zitterndes Kind nach Brot,
so leiden sie dreifach des Krieges Not.
Mit eherner Stirne, wie Mann so Frau,
stehen die Helden von Crimmitschau.

Sie kämpfen nicht mordend mit Pulver und Stahl:
sie geben ihr Herzblut in Hunger und Qual;
sie tragen die Fahne im heiligsten Krieg –
und die Ehre der Menschheit bedeutet ihr Sieg!
Der wandelt in blühende Frühlingsau
die feiernden Säle in Crimmitschau.

Wir aber, ihr Braven, wie grimm das Gesicht
der Zukunft euch drohe, wir lassen euch nicht!
Wir stützen die Hand euch im harten Gefecht –
laut pochen die Pulse für Freiheit und Recht.
Millionen mit euch! – Und wie die Sonne im Blau
leuchtet die Weihnacht von Crimmitschau!

[1] Das Gedicht bezieht sich auf den Streik
der Crimmitschauer Textilarbeiter 1903/1904

EMMA DÖLTZ
(1866–1950)

Emma Döltz verbrachte den größten Teil ihrer Kindheit in einem Armenhaus in Berlin-Steglitz, wo sie der Mutter bei der Heimarbeit half. Der Vater war unheilbar krank und starb, als sie vierzehn Jahre alt war. Sie wurde Fabrikarbeiterin und heiratete mit achtundzwanzig Jahren einen Arbeiter, mit dem sie drei Kinder hatte. Den kargen Lohn ihres Mannes besserte sie mit Heimarbeit auf.

In den neunziger Jahren wurde sie politisch aktiv in der sozialdemokratischen Partei und der Frauenbewegung.

Wie sie in einem kurzen Lebensbericht schreibt, begann sie schon als kleines Mädchen, sich Märchen und Lieder auszudenken. Seit 1894 erschienen ihre Gedichte und Geschichten in der Frauenzeitung »Gleichheit«, die von Clara Zetkin herausgegeben wurde. 1900 veröffentlichte sie eine kleine Auswahl unter dem Titel »Jugend-Lieder«.

KOMMT MIT

In der weiten, fremden Ferne,
Wo das jugendstarke Leben
Fröhlich schlägt den Takt der Tage,
Ihnen Licht und Klang zu geben,
Draußen, bei des Muts Posaunen,
Bei der Zukunft leisem Raunen,
Wohnt das Leben, wohnt das Glück.

Doch ich steh' in dumpfer Werkstatt,
Zwischen Riemen und Maschinen,
Selber nur ein stummes Rädchen,
Einem fremden Gott zu dienen.
Einem Götzen, dessen Klauen
Scharf in meine Muskeln hauen,
Der mein Blut zu Gold sich münzt.

Ball'n sich mir im Zorn die Hände
Fängt der Vater an zu fluchen,
Und die Mutter, zagen Sinnes
Will das alte Lied versuchen:
»Kümm're dich um andre Sachen,
Du wirst's auch nicht besser machen,
Reize nicht der Mächt'gen Zorn.«

Doch aus meines Vaters Flüchen
Und aus meiner Mutter Tränen,
Wiederhallt in meinem Herzen
Nur das eigne tiefe Sehnen –
Laßt das Schelten, laßt das Klagen,
Seht, in euren alten Tagen
Formt sich euer Jugendtraum.

Seht, es nah'n in stolzen Reihen
Meine Schwestern, meine Brüder;
Bringen euren alten Herzen
Eure eigne Jugend wieder.
Ihren Siegruf hört ihr schallen
Und die alten Götzen fallen
Vor dem neuen Morgenrot.

DIE HEIMARBEITERIN

Nur schnell die Augen ausgewischt,
Herr Gott, da hat's schon fünf geschlagen;
Wie kurz die Nacht, wie müd ich bin,
An allen Gliedern wie zerschlagen.
Schnell Feuer in den kalten Raum,
Das Frühstücksbrot noch schnell besorgen,
Damit man nur zum Nähen kommt,
Denn liefern, liefern muß ich morgen.

Dann eilt der Mann zur Arbeit hin,
Die Kinder nach der Schule gehen,
Und jedes braucht die Mutterhand,
Da heißt's jetzt doppelt fleißig nähen.
Bald kommt das Jüngste angekräht;
Bald heißt's den Mittagtisch besorgen,
Drum fleißig, fleißig nur genäht,
Denn liefern, liefern muß ich morgen.

So geht es weiter jeden Tag
In überstürztem, tollen Hasten,
Bis abends spät das brenn'de Aug'
Gebieterisch verlangt ein Rasten;
So werden Blut und Nerven schlecht
In der Gewohnheit dumpfer Schwere,
Und manchmal nur, bin ich allein,
Erkenn' ich bang des Herzens Leere.

Und dennoch ist nicht tot mein Sinn,
Und Stolz läßt hoch das Herz mir schlagen:
Daß mich die Kunst noch so ergreift,
Wie einst in meinen Jugendtagen.

Sie neigt sich liebevoll zu mir:
»Zu dir, zu dir bin ich gekommen!
Laß alles andre hinter dir,
Ich hab' dich jetzt ans Herz genommen.

Und gehst du von mir, will ich dir
Den Schatz noch der Erinnrung geben,
Aus deines Alltags Einerlei
Will ich dir Herz und Sinn erheben,
Damit du Mann und Kindern kannst
Ein mutig, frohes Auge zeigen.
Drum hoch den Kopf! Vergiß es nicht:
Wer mich empfindet, bleibt mein eigen.«

HOFFNUNG

Geh' ich abends durch die lauten Straßen,
Schleicht die graue Sorge mir zur Seit':
Zeigt mir, mit den gichtgekrümmten Fingern,
Meiner Brüder, meiner Schwestern Leid, –
Haucht, mit ihrem giftgetränktem Atem
Den Vorübergeh'nden ins Gesicht, –
Zeigt mir Furchen in den Kinderstirnen
Und wie früh sie junge Körper bricht ...

Tret' ich ein in die Versammlungshalle,
Bleibt die graue Sorge draußen stehn,
Denn sie wagt es nicht in so viel frohe,
Hoffnungsstarke Augen g'rad zu sehn.
Schreit' ich nachts dann durch die stillen Straßen,
Geht die junge Hoffnung mir zur Seit',
Und nur fern, in dunkler Häuser Schatten
Flattert scheu der Sorge graues Kleid.

Demonstration für den Achtstundentag in Favoriten – von der Exekutive mit blanker Waffe aufgelöst (Titelzeichnung des ›Interessanten Blattes‹ vom 31.8.1893)

LISBETH EISNER
(1867–1949)

Lisbeth Eisners Gedichte erschienen in der Arbeiterpresse und in sozialistischen Zeitschriften. Sie stammte aus Bad Freienwalde an der Oder. Ihr Vater, August Hendrich, war Maler. Wie sie in autobiographischen Angaben zu ihren Gedichten in der Anthologie »Stimmen der Freiheit« ([4]1914) mitteilt, hat sie selbst auch gemalt, was aber nach ihrer Verheiratung »allmählich nur Feiertagsvergnügen« wurde.

Lisbeth Eisner war die erste Frau Kurt Eisners, der – seit November 1918 bayrischer USPD-Ministerpräsident – im Februar 1919 ermordet wurde. Mit ihm hatte sie fünf Kinder.

Lisbeth Eisner lebte bis 1933 in Nürnberg, floh dann vor den Nazis zuerst nach Prag, später nach England (Mere, Wilts.). Dort starb sie 1949.

VORMÄRZSTÜRME

Wir sehen nur immer den rauchenden Schlot,
Die qualmenden düsteren Stätten,
Wir spüren trotz Arbeit die quälende Not,
Wir fühlen die rasselnden Ketten,
Wir kennen den Hunger mit seiner Gewalt,
Wir wissen von lähmenden Sorgen;
Wir hören vom Glück und vom Lebensgehalt,
Und ahnen den dämmernden Morgen.

Wir haben zu fordern! wir fordern es all
Von jenen, die ewig uns knechten,
Von jenen, die immer mit heuchelndem Schwall
Uns trösten mit göttlichen Mächten.
O, glaubten sie heute noch immer daran,
So würden sie nimmer uns richten
Ob unserm Verlangen aus sklavischem Bann,
Dann würden sie selber verzichten

Auf Lebensgenüsse, nach denen es drängt,
Die ihnen zum Ziele geworden,
Auf Flitter, mit denen ihr Leib sich behängt,
Auf glänzende Titel und Orden.
Wir haben zu fordern! wir fordern es gleich
Für alle die Armen, Enterbten,
Von jenen, die rosig das himmlische Reich
Für uns wohl nur – schufen und färbten.

Auf! traget die flatternden Fahnen herbei!
Schon sprießt es in Tälern und Gründen,
Wir wollen den Frühling, wir wollen den Mai,
Das Leuchten der Sonne verkünden!
Wir wollen ein blühendes Menschengeschlecht,
Nicht Knechte und Sklaven werden,
Wir wollen die Freiheit, wir wollen das Recht,
Wir wollen den Frieden auf Erden!

THEKLA LINGEN
(1866–1931)

Sie wurde in Goldingen in Kurland geboren. 14jährig ging sie nach Petersburg, um sich als Schauspielerin auszubilden. Nach ihrer frühen Verheiratung gab sie ihre schauspielerische Tätigkeit auf und verkehrte in deutschen Kreisen der Petersburger Gesellschaft. Ihr erster Gedichtband, der 1898 in Berlin erschien, wurde stark beachtet und zwei Jahre später erneut aufgelegt. Kurz darauf gab sie noch eine zweite Lyriksammlung und einen Novellenband heraus. Dann verstummte sie als Schriftstellerin. Über ihr weiteres Leben ist nichts bekannt. Sie starb 1931 in Eittenau im Irrenhaus.

EHE

Sie haben sich nichts zu sagen,
Sie sitzen still und stumm
Und hören die Stunden schlagen,
Die Langeweil geht um.

Die Liebe ist längst gegangen,
Und auch das Glück ist hin,
Und hin ist das Verlangen
Mitsamt dem Jugendsinn.

Missmut sitzt ihm zur Seite,
Die Sehnsucht sitzt bei ihr,
Und traurig alle beide,
Ach, bis zu Thränen schier.

Keins bricht das tiefe Schweigen,
Kein Laut dringt in den Raum,
Nur schwere Seufzer steigen,
Verstohlen, hörbar kaum.

Und die Gewohnheit leise
Schwingt ihren Zauberstab
Und zwingt in ihre Kreise
Die beiden still hinab.

FORDERUNG

Schwarz sollst du mich lieben,
weiss bin ich jedem lieb!
Russisches Sprichwort

Musst du mich lieben,
Wirst du mich lieben,
Ward schwarz auch mein weisses Angesicht –
Zur Schönheit wurde gar Mancher getrieben,
Und kannte die wahre Liebe nicht.

Musst du mich küssen,
Wirst du mich küssen,
Wenn bleich auch die Lippen; mit langem Kuss –
Es mag die roten wohl Keiner missen,
Die bleichen küsst nur der Liebe Muss.

Bist du mein eigen,
Bleibst du mein eigen,
Was mir das Leben auch bringen mag –
Soll deiner Liebe Sonne sich zeigen,
Muss sie sich zeigen am dunklen Tag.

WINTERWANDERUNG

Verschneit der Weg,
Vom Wind verweht.
Wegweiser stehn und weisen,
Wo meine Strasse geht.
So still der Wald,
In weissen Schleiern
Still und kalt.
Schneeflocken wehen durch die Luft –
Kein Menschenlaut,
Kein Vogel ruft.
Der Schnee webt mir ein weisses Kleid,
Ich wandre still, ich wandre weit,
Mag keinen Weiser am Wege sehn,
Mag meine eigene Strasse gehn
Im weissen Winterfrieden.

DIE BEFREITE

Und kommt meine Stunde,
So bin ich dein,
Sonst will ich »Ich«
Und mein eigen sein!

MUTTER

Kind, als du klein warst,
Schien mir hart mein Los –
Du gabst mir Schmerz,
Du drücktest meinen Schoss!

Nun, da du gross bist,
Wuchs mit dir mein Schmerz –
Mein grosses Kind,
Wie drückst du mir das Herz!

Margarete Beutler.

MARGARETE BEUTLER
(1876–1949)

Margarete Beutler wurde in einer Kleinstadt in Pommern geboren; der Vater, ein ehemaliger Hauptmann, war dort Bürgermeister. Um sich auf eigene Füße zu stellen, machte sie das Lehre-
rinnenexamen und ging nach Berlin. Um die Jahrhundertwende
begann sie Gedichte in Zeitschriften und Anthologien zu veröffentlichen. 1902 erschien ihr erster, vielbeachteter Gedichtband. Zu ihren Freunden in Berlin gehörte Christian Morgenstern. Später lebte sie in München und war eine Zeitlang mit
einem Schriftsteller verheiratet. Sie arbeitete als Redakteurin
der Zeitschrift »Jugend« und gab vier weitere Gedichtbände
heraus, den dritten mit dem vermutlich persönlich gemeinten
Titel »Leb wohl, Bohème!« (1911). Margarete Beutler war auch
als Übersetzerin tätig (Epigramme Marots, Dramen Molières),
schrieb Erzählungen und das Drama »Das Lied des Todes«
(1913). Sie studierte Medizin, promovierte zum Dr. med. und
war als Frauenärztin tätig.

DER STROM

Als nun der Strom meiner Nächte
Breit durch die Ebene glitt,
Brachte er krauses Geflechte,
Tangwerk und Dorngestrüpp mit,
Brachte von bergigter Quelle
Wilder Blüten Gerank,
Und es klang seine Welle
Dunkler als droben sie klang.

Lauscher standen am Lande,
Horchten dem Klange voll Zorn
Als einem sicheren Pfande
Für den vergifteten Born,
Schrieen böse und lauernd
All meinen Frohmut entzwei,
Und meine Seele glitt trauernd
Ihrem Erkennen vorbei. – –

NACH DER WEINLESE

Nun stehn die kleinen Pforten alle offen,
Die talwärts zu den Rebenhängen führen!
Kein Wächter eilt, sie nächtens zu verschließen.
Der Wächter Amt ist aus. Sie schwelgen wohl
Im jungen Wein bereits und reden trunken ...
Die Reben aber, ihres Schmucks beraubt,
Der Schwere und der Süße ihrer Trauben,
Entsenden Blatt für Blatt zur Erde wieder
Und kräuseln müde ihre dürren Ranken.
Wie Frauen, deren Haare alternd bleichen,
Die niemand mehr sich Mühe gibt zu hüten,
Weil keine Süßigkeit gefährdet ist
Und keiner Frucht mehr Räuber schändend nahen,
So liegen sie an den verlaßnen Straßen
Im Moderkranz der fahlen Lauben da,
Und selbst die kleinen Wasser wandern träger
Dem großen Strom der breiten Tale zu.

DIE KOMMENDEN

Ein Kinderplatz, mit Sand und Russ bedeckt,
von kläglich blassen Sträuchern eingeheckt.

Da wächst es auf, das kommende Geschlecht,
das einst – vielleicht! – der Mutter Thränen rächt.

Dort baut es ahnend sich ein hartes Ziel –
Das Leben reicht ihm Steine überviel –

Und – es ist närrisch – ob dem Geisterbau
des Himmels zärtlichstes Septemberblau.

Von jener breiten Kinderstirne spricht
ein schwarzes Trotzen: Und ich weiche nicht.

Ich weiss schon längst, was in der Welt so Brauch,
und wie es Vater macht, so mach' ich's auch.

Mein Hass den Fetten an die Gurgel springt,
bis einst auch mich der blutige Strom verschlingt.

Dies Mädchen – wie ihr keck die Zunge geht –
sie sprach wohl nie ein Kindernachtgebet –

Noch trägt sie unbewusst ihr Lumpenkleid,
wie lange noch, dann kommt auch ihre Zeit.

Dann schlingt sie schmutzige Bänder sich ins Haar
und bietet lachend ihre Reize dar.

Und ein paar Jahre roher Lust – dann hat
der Tod sie lieb auf sündiger Lagerstatt ....

Wie dieser Knabenmund so schmerzlich ist!
Ach, wenn ihn niemand als der Hunger küsst!

Die Mutter wusch, bis sie zum Tode krank,
und als sie starb, da sprach sie: Gott sei Dank!

Ein altes Weib erstand den Knaben sich,
doch sie ist arm und hart und wunderlich.

Für ein Stück Brot in Morgennebelstund
läuft er sich Tag für Tag die Füsse wund.

Und Tag für Tag saugt von den Lippen ihm
den Frühlingssegen seines Cherubim.

Sein Engel schläft – und Engel schlafen fest.
Kein Kinderjammer, der sie wachen lässt. – – –

Wie wildes, fruchtlos starres Binsenrohr,
wächst so Geschlecht hier für Geschlecht empor.

Und jeder Mai entlockt dasselbe Laub
den magern Sträuchern – blass bedeckt mit Staub.

Weit, weit davon predigt die Sonnenpracht:
Ich bin das Licht, das alle glücklich macht.

DIE PUPPE

Liebe Puppe,
Wohlfrisierte kleine Puppe,
Wie hast du es leicht!
Du wendest das Köpfchen
Nach rechts und nach links,
Du lächelst, du schmollst,
Du weinst, du lächelst,
Und wenn man dich aufzieht
Am Knopf des Gefühlchens,
Des einzigen kleinen
Dir eignen Gefühlchens:
Der Liebe zu dir,
Zu dir, kleine Puppe,
So tänzelst du zierlich
Und neigst dich dankend
Dem Schwarm deiner Freunde,
Und äugst unter seidnen
Gebogenen Wimpern,
Ob du ihn nicht siehst,
Den schmerzlich ersehnten,
Ergebenen Diener,
Der an dem Knöpfchen
Des einen Gefühlchens
Dich liebevoll aufzieht
Bis an dein Ende,
Dein Puppenende ....
Wir aber, entartet
Und vielfach geschmäht,

Wir andern, wir Ernsten,
Wir Dunklen, wir Schweren,
Wir Trägerinnen
Geheimen Wissen
Wir Deuterinnen
Uralter Runen,
Wir keuchen und brechen
Fast unter der Last
Des gnädigen Schicksals,
Das sie uns gab,
Unsre sehende Seele,
Von der du nichts weißt. –
O liebe Puppe,
Wohlfrisierte kleine Puppe,
Wie hast du es leicht!

Holzschnitt von Fred Hyland
aus ›The Savoy‹ (1896)

ELISABETH PAULSEN
(1879–?)

Nachrichten über das Leben und Werk von Elisabeth Paulsen sind spärlich. Sie wuchs in Holstein als Tochter eines Kirchenpropstes auf und lebte später verheiratet in Hamburg. Sie veröffentlichte zwei Gedichtbände, die in Bibliotheken nicht mehr greifbar sind. Bekannt ist ihre Lyrik nur aus Anthologien und Zeitschriften des ersten Jahrzehnts dieses Jahrhunderts. Eine Ausnahme ist die von Elisabeth Langgässer herausgegebene Anthologie von 1934, die noch einige Gedichte enthält.

GEDICHTE AN EINE FRAU

I. *Seufzer*

Gebt mir zu trinken! –
Amphoren und Krüge fand ich leer:
   Herrlich gemaltes Gefäß.
Schöpft denn kein Mädchen am Brunnen mehr?
Kein Samariterweib, zärtlich und scheu,
   neigte den Krug mir zu.
   Mich dürstet sehr! –

II. *Fremdling*

Sie haben dich angehalten.
Dein Kleid ohne Falten
   fiel ihnen auf.

Sie fragten dich: Woher? Wohin?
Du sprachst: Seht! Hört! ich bin,
die ich euch scheine.

Meine Gedanken sind rein
   wie meine Hände.
Ich trüge mich schlecht zur Schau
   in hehlenden Faltenwürfen;
   ich bin eine selige Frau.

Die Rede hat allen
   sehr mißfallen.

Sie sahen sich an und dachten dabei
   mancherlei,
ihre schlechten Gedanken.

Sie glauben dir nicht;
zu einfach und schlicht
   ist dein Gebaren.

III. *Die Hand*

Der Sonnenstrahl
hängt sich an deine Hand.
Ich seh es:
deine Haut
ist braun gebrannt.

Und lächelnd läßt du ihn
von Herzen gern gewähren;
und reif und voll
wie Juliähren
liegt deine Hand
im Schoß.

Drum steigt aus deinem Schoß
ein Weiherauch,
ein feiner Hauch
von Sandelholz.
Wie ein Juwelenschrein
schließt dein brokatenes Gewand
die braunen Finger ein.

IV. *Frage*

Bist du auch so lange, lange
traumhaft deinen Weg gegangen?
Wagtest nicht, den süßen bangen
Sehnsuchtsbann zu brechen.

Wagtest nicht, die dunkeln Augen
mit dem goldnen Licht zu füllen?
Falsche Scham hieß dich verhüllen
alle schöne Blöße.

Mußte dich die Not erst wecken
und an Lebensbrüste legen?
O, nun quillt der reiche Segen
deiner vollen Seele.

V. *Sonnenblume*

Und eine Sonnenblume
sprach mir heut von Dir.
Ich brach sie mir
und sprach mir ihr
und trug sie dankbar heim.
Nun füllt ihr heller Schein
mein kleines Zimmer.

An meiner Sonnenblume
sieht still mein Herz sich satt.
Du strahlst aus jedem Blatt.
Den goldbraundunklen Früchteschoß
kränzt mildes Feuer.
Kein Spiegel zeigt
dein Bild getreuer.

VI. *Gebet*

Gott füllte mich mit Dir
bis an den weiten Rand,
weil er mein armes Herz
ganz leer und dunkel fand.

Er füllte deinen Glanz
tief in mein Herz hinein.
Laß mich, o laß mich, Gott,
ein reiner Becher sein!

VII. *Wolken*

Die seligen Jungfraun
wandeln zum Reigen.
Sie steigen
gleich Wolken
hinab auf den Schnee
und baden die Füße
im Alpensee.

Die seligen Jungfraun
umschweben, umwallen
die leuchtenden Firne.

Die Seligste aber,
die Schönste von Allen,
trägt ob der Stirne
ein Abendrotkrönlein
aus Eiskrystallen.

Die seligen Jungfraun
umwallen, umschweben
die Schönste von Allen,
und wollen nichts
als ihr wohlgefallen.
Sie lassen im Rhythmus beruhigter Wogen
die Schleier fallen, Silbernebel,
und wandeln heim
durch den Regenbogen.

VIII. *Karyatiden*[1]

Prüft nicht, Atlanten, verächtlichen Blickes
    unsre zarten Schultern und Hände.
Das kleine Werk, wir bringen's am Ende
den Göttern zum Opfer, wie Ihr das große.

Tragt ihr stolz auf Simsonslocken
    steinern Gewölbe wie eine Krone,
seht, empor zum Götterthrone
heben Wir den krönenden First.

[1] Säulenträgerinnen an altgriech. Tempeln

DIE AMAZONE

Vom Schwarzen Meer
kamen sie her;
mit fliegenden Haaren;
auf Rossen,
goldhufbeschlagen;
und alle tragen
Schilde und Speer.
Vor ihnen her
reitet
Pentesilea.

Erschlagen will sie
den besten Mann.
Erschlagen, weil er ihr Herz gewann,
Achilles.

Kein Hemd
schirmt ihre zarte Brust.
Furchtfremd,
in Kampflust
funkelt ihr Auge;
Achilles steht und starrt sie an.
»Nun wehr dich! Achilles!
Ich will dich erschlagen!
Ich! Pentesilea!«
Sie sprengt heran.

Im Todessprung steigt
hufblitzend ein Roß.
Achilles schaudert: sein Geschoß
färbt sich in heißem Herzblut.
Zwei nackte Arme,
ringgeschmückt,
fallen zur Seite –
Nie wieder reitet,
nie wieder streitet
Pentesilea.

Achilles barg sich in seinem Zelt
drei Tage lang.
Sein Herz blieb ihm für immer krank.
So schlug den Helden
Pentesilea.

EINER WEISS UM MICH ...

Einer weiß um mich.
Er ist in meinem Herzen gewesen
Und hat die Inschriften
Seiner Wände gelesen.

Er deutete mir
Die Hieroglyphen:
Waage und Fisch und Dreieck und Baum.
Er sagte: mein Herz wäre seine Pyramide
Und er schliefe in ihr
Seinen Pharaonentraum.

Frau Dr. Else Laske-Schüler.

ELSE LASKER-SCHÜLER
(1869–1945)

*»Ich bin in Theben (Ägypten) geboren, wenn ich
auch in Elberfeld zur Welt kam, im Rheinland.
Ich ging zur Schule, wurde Robinson, lebte fünf
Jahre im Morgenland, und seitdem vegetiere ich.«*

Sie nannte sich »Prinz von Theben«, »Tino von Bagdad«, der »Blaue Jaguar«, ihre Freunde hießen »Giselheer der Barbar«, »Blauer Ritter«, »Ritter aus Gold« oder »Prinz von Prag«. Else Lasker-Schüler entzog sich der nicht genügenden Wirklichkeit durch Mythisierung ihrer Person und ihrer Umwelt. Sie wuchs in einem bürgerlichen jüdischen Elternhaus auf, verließ aber diesen Lebenskreis und führte ein ungesichertes und ungebundenes Leben. Der frühe Tod der Mutter (1890) und des Vaters (1897) hatte sie sehr getroffen. Sie war einige Jahre mit dem Berliner Arzt Lasker verheiratet, wurde Mutter eines Sohnes, heiratete 1901 Georg Levin, dem sie den Namen Herwarth Walden gab; er ebnete später mit seiner Zeitschrift »Sturm« dem Expressionismus den Weg. Seit 1899 veröffentlichte sie Gedichte in Zeitschriften und Anthologien, die anfangs Einflüsse des Jugendstils und der Frauenbewegung erkennen lassen. Die Urteile über ihren ersten Gedichtband »Styx« reichen von »genial« bis »pervers«. In den folgenden Jahren erschienen von ihr unzählige Gedichte, Prosaskizzen, Dramen; die erste Gesamtausgabe von 1919/20 umfaßt zehn Bände.

Seit der von Walden gewünschten Trennung (1912) lebte sie in Pensionen, engen Kammern, ständig in finanzieller Not; was sie an Geld bekam, verschenkte sie oft. In der Berliner Bohème war sie die Auffallendste, mit ihrem schwarzen Pagenkopf, orientalischer Kleidung, Unmengen von Modeschmuck. Nach dem Tod zahlreicher Freunde im Weltkrieg, dem Tod ihres Sohnes 1927, an dem sie zärtlich hing, vereinsamte sie immer mehr und wandte sich verstärkt religiösen Stoffen zu. 1933 floh sie nach Zürich, wo sie auf fremde Unterstützung angewiesen war. 1939 emigrierte sie nach Palästina, dort starb sie als arme und einsame Frau. Zwei Jahre vor ihrem Tod erschien ihr letzter Gedichtband »Mein blaues Klavier«. Gottfried Benn nannte sie »die größte Lyrikerin, die Deutschland jemals besaß«.

URFRÜHLING

Sie trug eine Schlange als Gürtel
Und Paradiesäpfel auf dem Hut,
Und meine wilde Sehnsucht
Raste weiter in ihrem Blut.

Und das Ursonnenbangen,
Das Schwermüt'ge der Glut
Und die Blässe meiner Wangen
Standen auch ihr so gut.

Das war ein Spiel der Geschicke
Ein's ihrer Rätseldinge...
Wir senkten zitternd die Blicke
In die Märchen unserer Ringe.

Ich vergaß meines Blutes Eva
Über all' diesen Seelenklippen,
Und es brannte das Rot ihres Mundes,
Als hätte ich Knabenlippen.

Und das Abendröten glühte
Sich schlängelnd am Himmelssaume,
Und vom Erkenntnisbaume
Lächelte spottgut die Blüte.

WELTSCHMERZ

Ich, der brennende Wüstenwind,
Erkaltete und nahm Gestalt an.

Wo ist die Sonne, die mich auflösen kann,
Oder der Blitz, der mich zerschmettern kann!

Blick nun, ein steinernes Sphinxhaupt,
Zürnend zu allen Himmeln auf.

MEIN STILLES LIED

Mein Herz ist eine traurige Zeit,
Die tonlos tickt.

Meine Mutter hatte goldene Flügel,
Die keine Welt fanden.

Horcht, mich sucht meine Mutter,
Lichte sind ihre Finger und ihre Füße wandernde Träume.

Und süße Wetter mit blauen Wehen
Wärmen meine Schlummer

Immer in den Nächten,
Deren Tage meiner Mutter Krone tragen.

Und ich trinke aus dem Monde stillen Wein,
Wenn die Nacht einsam kommt.

Meine Lieder trugen des Sommers Bläue
Und kehrten düster heim.

– Ihr verhöhntet meine Lippe
Und redet mit ihr. –

Doch ich griff nach euren Händen,
Denn meine Liebe ist ein Kind und wollte spielen.

Und ich artete mich nach euch,
Weil ich mich nach dem Menschen sehnte.

Arm bin ich geworden
An eurer bettelnden Wohltat.

Und das Meer wird es wehklagen
Gott.

Ich bin der Hieroglyph,
Der unter der Schöpfung steht

Und mein Auge
Ist der Gipfel der Zeit;

Sein Leuchten küßt Gottes Saum.

EIN ALTER TIBETTEPPICH

Deine Seele, die die meine liebet,
Ist verwirkt mit ihr im Teppichtibet.

Strahl in Strahl, verliebte Farben,
Sterne, die sich himmellang umwarben.

Unsere Füße ruhen auf der Kostbarkeit,
Maschentausendabertausendweit.

Süßer Lamasohn auf Moschuspflanzenthron,
Wie lange küßt dein Mund den meinen wohl
Und Wang die Wange buntgeknüpfte Zeiten schon?

ES KOMMT DER ABEND

Es kommt der Abend und ich tauche in die Sterne,
Daß ich den Weg zur Heimat im Gemüte nicht verlerne
Umflorte sich auch längst mein armes Land.

Es ruhen unsere Herzen liebverwandt,
Gepaart in einer Schale:
Weiße Mandelkerne –

... Ich weiß, du hältst wie früher meine Hand
Verwunschen in der Ewigkeit der Ferne...
Ach meine Seele rauschte, als dein Mund es mir gestand.

Die Silbergäule

STIMMEN

GEDICHTE
VON
BERTA LASK

PAUL STEEGEMANN VERLAG HANNOVER

BERTA LASK
(1878–1967)

Berta Lask war die Tochter eines Fabrikanten aus Galizien und erhielt eine bürgerlich-humanistische Erziehung. In den zwanziger Jahren schloß sie sich der Arbeiterbewegung an und trat 1923 in die Kommunistische Partei ein. Das soziale Elend der Großstadt, wie sie es als Frau eines Berliner Arztes kennenlernte, Berichte über die russische Revolution von 1905, Weltkrieg und Oktoberrevolution nannte sie als entscheidende Anstöße für ihre Entwicklung.

Berta Lask gilt als bedeutende sozialistische Dramatikerin und Erzählerin; kaum bekannt ist ihre frühe Lyrik. 1919 und 1921 veröffentlichte sie Gedichtsammlungen, die Einflüsse des Expressionismus und der Frauenbewegung erkennen lassen ebenso wie ihre entschiedene pazifistische Haltung; das gilt besonders für ihren zweiten Band mit einer Gedichtauswahl von 1915–1921, der in der Reihe »Sozialistische antimilitaristische Dichtungen aus den Vortrags-Abenden von Ernst Friedrich« erschien.

Im Verlauf der zwanziger Jahre bis zu ihrer Verhaftung 1933 veröffentlichte Berta Lask noch zahlreiche agitatorische Gedichte in den Zeitschriften der Arbeiterbewegung. Sie emigrierte nach ihrer Freilassung in die Sowjetunion und lebte nach dem Ende des Zweiten Weltkriegs bis zu ihrem Tod in Ost-Berlin.

DIE JÜDISCHEN MÄDCHEN

Die jüdischen Mädchen einer kleinen polnischen Ortschaft
stürzten sich, nachdem sie von den eingefallenen Russen
vergewaltigt worden waren, ins Wasser.

Mit dem Gesicht gegen die Mauer
Liegt die kleine Channe in Krampf und Schauer.
Mitten in der Stube auf dem Boden sitzt Esther.
Sie sieht nicht mehr auf die kleine Schwester.
Ein Tuch ist vor das Fenster gehängt,
Und zwischen Tuch und Holzrand zwängt
Sich vom blauen Himmel ein Streifen.
Auf den starrt Esther mit dunklen, reifen
Augen, mit Augen fragend und groß.
Ihre Hände lösen sich im Schoß.
Ihre Blicke bleiben in den Streifen stehen.
Sie sinnt, hat sie dies helle Blau schon gesehen?
Als sie draußen ging mit ihren Schwestern,
Vor tausend Jahren oder gestern?
Es ist anders, es ist so neu.
Sie sieht es mit Augen schauernd und scheu. –
Die Türe geht auf. Gehüllt in dichte Falten
Kommen zwei Mädchen, die sich an Händen halten
Sie treten vor Esther und blicken scheu zur Erde
Und klagen mit stummer Gebärde.
Und Esther nickt. – Und andre Mädchen kommen herein,
Manche mit Schluchzen und Schrein,
Manche schäumend vor Haß und Zorn,
Manche starr wie im Traum verlorn.
Eine dunkle, blitzäugige schreit:
»Wir schleichen ihnen nach. Sie sind nicht weit.
»Wir werfen Bomben auf ihre Schienen,
»Legen in ihre Quartiere Minen.
»Ich werde Gift mischen in ihre Speisen.
»Ich will sehn, wie ihre Blicke brechen und vereisen.«
Sie wirft sich hin und schlägt mit den Fäusten die Dielen.
Esther beugt sich nieder, ihre Stirn zu kühlen.
Die Anderen stehen wartend um sie her.
Sie sitzt auf dem Boden groß, ernst und schwer.
Mit dem Gesicht gegen die Mauer
Zuckt die kleine Channe in Krampf und Schauer.
Esther sieht in den Streifen Licht

Und spricht:
»Wir haben einst von Gott eine Seele bekommen.
»Aber man hat uns genommen,
»Als wären wir eine tote Erdmasse,
»Durch die fremder Wille sich reißt eine Gasse,
»Eine Gasse, drin zu wühlen und zu treten –
»Und läßt sie dann liegen. – Da hilft kein Beten.«
Esther schweigt fragend. Aber alle sind still.
Alle horchen, was Esther will.
Nur eine zitternde Stimme sagt: »Ich bin ganz leer.
»Esther, ich habe keine Seele mehr.«
Esther lächelt weh mit hellem Gesicht
Und spricht:
»Die Seele, die wir von Gott in uns tragen,
»Können Menschen nicht zertreten und zerschlagen.
»Aber sie will sich vor Scham verstecken,
»Denn ihre Hülle hat häßliche Flecken.
»Ich weiß nicht, warum das ist und kam.
»Aber unsre Seele versteckt sich voll Scham.
»Wir wollen nicht, daß unsre Seelen sich verstecken.
»Unsre Seelen sollen sich stolz hochrecken.
»Wir wollen nicht, daß sie weinend am Boden liegen.
»Unsre Seelen sollen jauchzen und auffliegen.
»Wer hilft unsren Seelen von ihrem Weh?
»Wir müssen reinwaschen die Hüllen draußen im See.«
Esther nimmt von der Bank das zuckende Kind
Und drückt es an sich fest und lind.
An ihre Wange preßt sie das kleine Gesicht,
Aber anschauen kann sie es nicht. –
Und als sie kamen ans dunkle Wasser,
Da wurde Manche noch stiller und blasser.
Esther sieht Klein-Channe ins Gesicht.
Es ist, als ob etwas in ihr zerbricht.
Und Esther spricht:
»Vater, wir bitten Dich, laß unser Leben
»Weiter über dem Wasser hier schweben.
»Mir ist so angst, daß wir ganz vergehn,
»Und Klein-Channe kann Sonne und Wald nie mehr sehn.
»Wir sind so jung, und wir sterben nicht gern.
»Und Du bist so hoch und bist so fern.
»Wenn Du kannst, nimm uns in Dich hinein!
»Mach uns leicht und hell! Sieh, wir waschen uns rein.«

Und dann sind sie ins Wasser gegangen.
Mit den Armen hielten sie sich umfangen.

SELBSTGERICHT

Ich habe mit getötet
Jeden, der draußen fällt.
Ich habe mich selbst inmitten
Des Meeres von Blut gestellt.

Mein Wille hat nicht zerbrochen
Kanone und Panzer und Schiff,
Hat nicht als ruhlose Welle
Ueberbrandet der Bosheit Riff.

Ich habe mich müd' und träge
Dem Willen der Menge geneigt,
Ob auch ein helles Glühen
Den Weg mir zum Leben gezeigt.

Meiner Seele auflodernde Flamme
Hab' ich feig bedeckt und gedämpft.
Ich habe nicht Stunde um Stunde
Für Wahrheit und Geist gekämpft,

Habe schweigend Unrecht ertragen
Und schweigend Unrecht getan,
Habe keinen Felsblock geschleudert
Gegen Mammons Kraft und Wahn.

Ich habe des Weibes Wissen
Aus Scheu vor der Mannmacht erstickt,
Meine blanken, geweihten Schwerter
Verborgen und nicht gezückt.

Da haben plötzlich die Schwerter
Sich eignes Leben errafft
Und würgen in Höhlen und Sümpfen
Meines Bruders Geist und Kraft.

So hab' ich aus Leib und Seele
Den Moloch Vernichtung gezeugt
Mit dir und dir und euch Allen,
Die gleich mir sich schlafselig gebeugt.

Wir haben mit getötet
Jeden, der draußen fällt.
Wir haben uns selbst inmitten
Des Meeres von Blut gestellt.

1916

DIE GEMALTE MADONNA SPRICHT

Was tat er mir? Ich weiß nicht mehr, wer ich bin.
Ein dichter Nebel umlagerte meinen Sinn.
Was träufelte langsam in mein Hirn und Herz?
Es tat nicht weh und war doch wie tiefer Schmerz.
Einst war ich ein Mädchen und schritt durch Sonne und Sturm,
Nun bin ich in Linien und Farben gebannt wie in Ketten
                                                    und Turm.

Was tat er mir? Hat er all mein Menschsein verzehrt?
Ich sitze gekrönt auf Wolken und lächle verklärt.
Die Menschen blicken anbetend verzückt zu mir hin.
Mir aber ist arm und trotzig und traurig zu Sinn.

Wie schön war eignes Schreiten in wehender Luft.
Er hat mich begraben in seines Traumes Gruft.
Nun bin ich erstarrt in meinen Farben und meinem Glanz.
Und draußen wirbelt jauchzend des Lebens Tanz.

EMMY HENNINGS
(1885–1948)

Emmy Hennings wurde in Flensburg als Tochter einer deutsch-dänischen Seemannsfamilie geboren und führte jahrelang ein abenteuerliches Wanderleben als Schauspielerin und Sängerin.

Einige ihrer Gedichte gerieten zufällig in die Hände des Schriftstellers Franz Werfel und wurden 1913 in der Reihe »Der jüngste Tag« veröffentlicht. Ein zweiter Band erschien 1922, daneben einige Prosabände. 1912 lernte sie während ihres Auftritts im Münchner Kabarett »Simplicissimus« den radikalen Kulturkritiker Hugo Ball kennen; mit ihm ging sie nach Ausbruch des Ersten Weltkriegs in die Schweiz. Dort kam es im Frühjahr 1916 mit Freunden zur Gründung des Züricher »Cabaret Voltaire«, dem Zentrum des Dada. Beide verließen aber bereits im Sommer die turbulente Szene; 1920 heirateten sie. Emmy Hennings nahm nach mehreren Italienreisen ihren endgültigen Wohnsitz im Tessin. Zu ihrem Freundeskreis gehörten Hermann Hesse und Max Picard. Nach dem Tod von Hugo Ball (1927) gab sie seine Biographie und seine Schriften heraus.

TRAUM

Ich bin so vielfach in den Nächten.
Ich steige aus den dunklen Schächten.
Wie bunt entfaltet sich mein Anderssein.

So selbstverloren in dem Grunde,
Nachtwache ich, bin Traumesrunde
Und Wunder aus dem Heiligenschrein.

Und öffnen sich mir alle Pforten,
Bin ich nicht da, bin ich nicht dorten?
Bin ich entstiegen einem Märchenbuch?

Vielleicht geht ein Gedicht in ferne Weiten.
Vielleicht verwehen meine Vielfachheiten,
Ein einsam flatternd, blasses Fahnentuch...

CLAIRE GOLL
(1891–1977)

Claire Goll stand stets im Schatten ihres Mannes, des Dichters Yvan Goll, um dessen Nachlaß und Popularisierung sie sich nach seinem Tode 1950 unermüdlich kümmerte.

Ihre unglückliche Kindheit in Nürnberg und später München hat die Tochter einer wohlhabenden Familie ausführlich in biographischen Werken geschildert, den unversöhnlichen Haß auf die Mutter und die unbedingte Verehrung der Lehrerin Julie Kerschensteiner, einer Nichte des berühmten Pädagogen. Nach einer früh geschlossenen und wieder geschiedenen Ehe begann sie an der Universität Genf zu studieren und engagierte sich in der pazifistisch-expressionistischen Bewegung. Neben Prosa erschienen 1918 und 1920 zwei Gedichtbände. In den zwanziger Jahren veröffentlichte sie unter eigenem Namen hauptsächlich Prosa und gab mit Yvan Goll einige Anthologien heraus. Yvan Goll hatte sie 1916 kennengelernt; seit 1919 lebte sie mit ihm in Paris, wurde dort mit dem französischen Surrealismus bekannt und nahm lebhaften Anteil am gesellschaftlichen Leben. Malraux, Delaunay, Chagall, Joyce gehörten zum Freundeskreis. Während des Zweiten Weltkriegs emigrierte sie mit Goll in die USA und kehrte 1947 nach Paris zurück. Nach seinem Tod begann sie wieder eigene Lyrik zu veröffentlichen, daneben Novellen, Romane, Biographisches.

Die folgenden Gedichte sind aus ihren frühen Sammlungen.

TAGEBUCH EINES PFERDES:

Dritter Regentag

O Golette! Deine großen Augen voll Demut! Die dicken kindlichen Ponnies deiner Stirn! Ich will auf meine Knie sinken und Pan danken. Was anderes ersehnt ein Gaul als über Wiesen zu laufen und Wind zu trinken. Aber der Mensch, der kleine, verbraucht uns für seine elenden Zwecke. Er lebt in Unruhe und Verwirrung, eine Wiesenstille genügt ihm nicht...

AN*

Du hast des Seelöwen Haar,
Schwarze Seide.
Dein Arm ist eine Bucht
In Kalifornien:
Blaue Gummibäume,
Ein wenig Kaktus,
Kokoswälder
Mit ironischen Affen.
Die Papageien schrein:
»Ast-ral, Ast-ral!«
Eine Nachtigall schlägt
Statt deines Herzens.
Antilopen weiden dir
In den Augen.
Aber der Wolf in der Schlucht
Deines Mundes lauert.
Wenn du träumst,
Hört man eine Büffelherde
In Pine Ridge,
Sieht Felsen des Colorado
Mit Glockenblumenblau.
Sterngesprenkelt
Getier begleitet dich,
Wenn du im einsamen Kanoe
Die Welt durchquerst.

ZWÖLFUHR-GEFÜHL

Elisabeth Bergner in Liebe.

Zwischen gestern und heute
Lag ich und wußte alle Schwestern
Hinaushorchend jetzt in die Ewigkeit.
Ich sah die kleine Mitternacht der Äußerlichen,
Sah ihre seelenlosen Füße,
Sah Ebbe und Flut der aus Meer gemachten Augen
Und das Barock ihres schlafenden Haars,
Sah, ach das arme ans Gesicht gefesselte Lächeln
Und die zwanzig Verführungen der Kleider.

Und ich sah die Fortgeschleuderten
Von der Kurve gewaltigen Gefühls,
Hörte ihr Weinen, das hinter dem Körper wohnt
Und das entspringt dem unentdecktesten Herzen,
Wenn es über sich die irdischen Augen und Hände spürt
Des Liebenden und die Unzulänglichkeit
Jeder menschlichen Mitternacht. –
Denn immer hat einer Tal und der andere Gipfel
Und wenn es Morgen taut, sind wir verlassner denn je.

ENTSÜNDIGUNG

Unter einem zärtlichen Mimosenbaum
Voll gelber Lächeln
Lieg ich –
Ohne die schamlosen Kleider
Ohne Stöckelschuhe, ohne Schmuck
Und Hut und Handschuh,
Den ganzen Kram der Stadt,
Die arme Verkleidung.
Nackt und fühlend an der riesigen Erde,
Die ich schüchtern in kleine Arme presse,
Und über mir der große Wind,
Der Weltreisende...
O sich in Blumen wiederzufinden,
O nur noch Erde zu sein!

Als ich noch eitel durch die Stadtstraßen ging,
Als ich noch wichtig am Postschalter stand
Oder beim Friseur die Haare kräuselte
– Während Mimosen von mir träumten –
Als ich mir noch die Nägel manikürte
Und nur daran dachte, zu gefallen, ...
Als ich ganz mittellos an Seele war,
Hörte ich aus den Körben der Händler
Mimosen wild hinausschrein –
Dem Nichts, dem Kehricht, dem Tod entgegen –
Da floh ich ihren blonden Wäldern zu.

Die singende Muschel

NEUE

GEDICHTE

VON

FRANCISÇA

STOECKLIN

✠

VERLEGT BEI ORELL FÜSSLI
ZÜRICH LEIPZIG BERLIN

FRANCISCA STOECKLIN
(1894–1931)

Francisca Stoecklin wurde in Basel geboren und lebte später verheiratet in Zürich, wo sie mit knapp 37 Jahren starb. Neben zwei Gedichtbänden veröffentlichte sie Novellen und Prosadichtungen. Sie arbeitete auch als Holzschneiderin, Stickerin, Lithographin und Malerin; ihre bevorzugten Motive waren Tänzerinnen, Gaukler, Blumen und Vögel.

DIE SINGENDE MUSCHEL

Als Kind sang eine Muschel
mir das Meer.
Ich konnte träumelang
an ihrem kühlen Munde lauschen.
Und meine Sehnsucht wuchs
und blühte schwer,
und stellte Wünsche und Gestalten
in das ferne Rauschen.

IM TRAUM

Ich ritt auf einem schwarzen Pferde
Durch die Nacht.
Ich ahnte nicht,
Dass das so stolz und traurig macht.
Ich war ein junger Edelmann,
Und hatte goldene Kleider an.
Doch auch der Sterne reiche Pracht,
Sie konnte mich nicht trösten.
Ich wusste nicht, woher ich kam.
Ich wusste nicht, wohin ich ritt.
Ich wusste nur, dass ich unsäglich litt.
Die Bäume und die Steine um mich waren fremd.
Und meine schweren Kleider
Froren wie ein Totenhemd.
Ich kannte meinen Namen nicht mehr,
Nicht mein Schloss.
Sehr weit schien mir ein Wunderbares,
Und versunken.
– Einmal hab' ich doch auch mit Menschen
Schmerz und Lust getrunken? –

Jetzt bin ich mir so fremd und unenträtselt
Wie mein Ross.

AN EIN MÄDCHEN

Bist du Leda,
und wartest noch immer
auf die Rückkehr
des schimmernden Schwanes,
der allein dem Schmiegen
deiner fließenden Glieder genügt?
O, wie lange ist alles
Beglückende vergangen!
Nur wenn du tanzest,
wenn deine Blässe
vom Strahl der Mitternachtssonne
erleuchtet,
durchpulsen Jahrtausende
deine Seele, deinen Leib.
In deinem Lachen birgt sich
der Schrei der Mänade.
In dem sich wild lösenden Goldhaar
schwebt ein Schimmer
von Blut.
Dann liebst du das Feuer,
die Erde, den Wind –
und alle die um dich sind
werden empor gehoben
in ein Reich von Rausch und Traum,
– und du weißt nicht,
hält dich das Leben
oder der Tod.

AN EINE ORANGE

Herrliche Frucht,
im Haine
behutsam gereift.
Von Sonne und Südwind
tausendmal überküßt,
gerötet, gegoldet.
Duftend und schwer
ruhst du in meiner Hand.

Wieviel Sonnenküsse,
wieviel Regenschauer,
wieviel Vollmondschein,
welch ein großes warmes Land
halte ich mit Dir,
Vollkommene!
in meiner kleinen
gewölbten Hand.

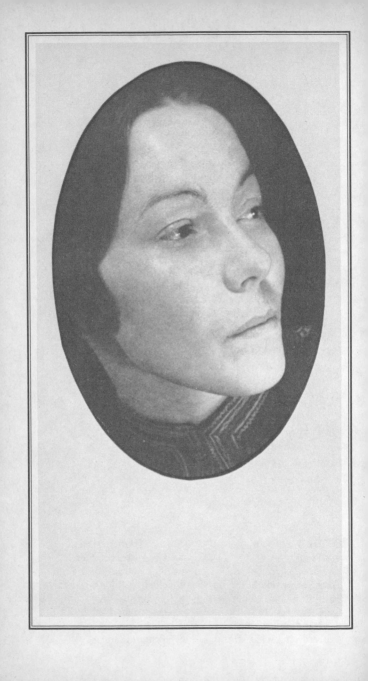

PAULA LUDWIG
(1900–1974)

Die aus einer bäuerlich-handwerklichen Familie in Österreich stammende Dichterin Paula Ludwig war ein Geheimtip in den literarischen Gesellschaften der zwanziger Jahre, die sich eine Erneuerung der »verstädterten« Lyrik wünschten.

Nach dem Besuch der Volksschule in Linz und der anschließenden Übersiedlung nach Breslau sorgte sie für die Familie seit dem Tod der Mutter. Sie arbeitete zeitweise als Malermodell, ging dann nach München, wurde Malerin, Schauspielerin, Dichterin, lebte als Dienstmädchen und Hausiererin. Zwanzigjährig veröffentlichte sie ihren ersten Gedichtband, für den Hermann Kasack eine Einleitung schrieb. Er zählte sie damals zu »den wenigen dichterischen Frauengestalten unserer Zeit in Deutschland«. Es folgten weitere Sammlungen, eine autobiographische Erzählung und eine poetische Sammlung von Träumen, die in erweiterter Form 1962 erneut herausgegeben wurde.

1933 emigrierte Paula Ludwig mit ihrem Sohn nach Österreich, dann nach Frankreich – zeitweise war sie die Lebensgefährtin Yvan Golls –, später nach Spanien, Portugal und Brasilien. 1953 kehrte sie nach Deutschland zurück. Vereinsamt lebte sie an verschiedenen Orten, bis sie in Darmstadt starb. 1958 erschien eine Auswahl aus ihrem lyrischen Werk, 1974 ein Neudruck ihres Gedichtbandes »Dem dunklen Gott«.

AN MEINEN SOHN

Von den Füßen bis zu den gelockten Haaren
immer muß ich dich belächeln
und ich möchte mit der Sonne und dem Wind
mit Brot und Milch und Früchten
mitbaun an dir

Möchte daß der Regen über dich komme
und deine Schultern breit mache
daß dein Weg weit sei
und deine Schritte ihn leicht bezwingen

Wenn du fern bist:
gleich fühle ich mich wie die große Erde
Wenn du auf dem Meere bist
bin ich das Wasser
Ich lasse dich nie aus meinem Schoß fallen

SEIT ICH DICH LIEBE

Seit ich dich liebe
steh ich vor meinem Spiegelbilde
wie vor der Löwin Käfig:

Sie sieht mich an mit ihren ernsten Augen
und sieht durch mich hindurch in eine ferne Weite

So sehen der Liebe Augen
sich selbst nicht mehr

O WÄRME

Wie berge ich den süßen Duft der Linden
einmaligen Gesang und Blau des Himmels
die Linien dieses Zweiges
und den seidnen Fall
des Kleides
überm eignen glücklichen Leib?

O Wärme diene mir in meinem Herzen
denn so viel Kälte wie von einem Worte
mir übrigbleibt wenn dies vorüber ist
wer hilft sie zu umkleiden?

SPÄTE FRÜCHTE

Sie haben sich gewendet
Von der großen Ernährerin,
Sie brauchen ihren Strahl nicht mehr –

Sie hängen im schütteren Laubwerk
Und ihre Süße sammelt sich langsam
Bei der zunehmenden Trübe –

Im feuchten Munde des Nebels
Im Schauer des Nordwinds
Steigen in ihnen die seligen Säfte
Brauen die Kälte-Geister.

Ach aus dem nahen schon sichtbaren
Ansatz des Reifes
Immer glänzender wölbt sich
Immer mächtiger
Nähret sich selber die Frucht.

IRDISCHES OSTERLIED

Wir kennen
Das Halleluja des Himmels nicht
Und nicht der Engel Kniefall –

Wir wissen nicht
Wie Selige das Licht begrüßen
Und Auferstehung ist ein fernes Wort.

Wir wissen nur wie Nachtigallen singen
Und wie das Reh
Hinaustritt an den grünen Saum.

Wir kennen nur den Hufschlag unsrer Rosse
Wenn frei von Schnee
Die Erde wieder tönt.

Wir wissen nur
Wie süß die kleinen Blumen
Den Gruß entsenden zu der großen Sonne

Und wie geduldig wieder zu sich falten
Die grünen Hände
Die der Frost getroffen.

Wir kennen nur das helle Flügelrauschen
Der Vogelscharen
Die zum Neste kehren

Und wissen nur wie weh die Mütter schreien
Wenn ihrem Schooß
Das Osterlamm entspringt.

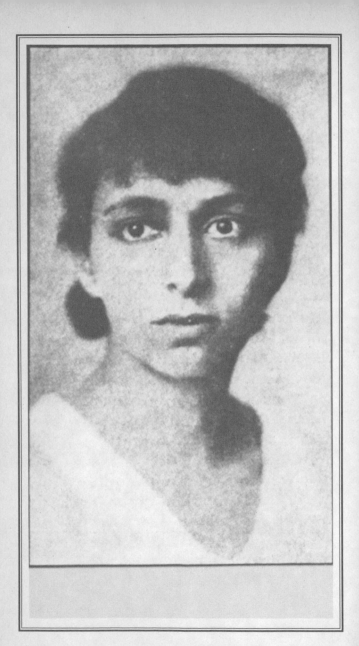

GERTRUD KOLMAR
(1894–1943?)

Gertrud Kolmar wurde als Tochter einer wohlhabenden jüdischen Familie in Berlin geboren. Dort lebte sie mit kurzen Unterbrechungen bis zu ihrer Deportation im Frühjahr 1943, vermutlich nach Auschwitz. Die Emigration hatte die von einem starken jüdischen Selbstbewußtsein erfüllte Dichterin mehrfach erwogen, aber nie ernsthaft geplant.

Gertrud Kolmar besuchte ein Lehrerinnenseminar, erwarb ein Fremdsprachendiplom und arbeitete zeitweise als Erzieherin. Seit 1928 lebte sie ständig im elterlichen Haus, zurückgezogen und gegenüber ihrer bürgerlichen Umwelt verschlossen. Über ihre Dichtungen sprach sie selbst im Familienkreis kaum. Im Herbst 1917 hatte ihr Vater einem befreundeten Verleger einige Gedichte gezeigt; zu Weihnachten erschien der erste schmale Band unter dem Pseudonym »Kolmar«, dem deutschen Namen für einen polnischen Ort, von dem sich ihr Familienname »Chodziesner« ableitet. Danach veröffentlichte sie lange nichts. Vom literarischen Leben Berlins in den zwanziger Jahren hielt sie sich völlig fern. Sie beschäftigte sich mit östlichen Kulturen, dem Zionismus, mit Gestalten und dem Geschehen der Französischen Revolution, in die sie ihre Messias-Erwartung hineinprojizierte. 1933 nahm Elisabeth Langgässer einige Gedichte Gertrud Kolmars in ihre Frauenlyrik-Anthologie auf. Trotz wachsender Restriktionen durch das Hitlerregime erschienen 1934 und 1938 noch zwei Gedichtbände, »Preussische Wappen« und »Die Frau und die Tiere«.

1938 erfolgte der Zwangsverkauf des Elternhauses, die Zwangsumsiedlung, 1941 die Dienstverpflichtung in der Berliner Rüstungsindustrie. Die aus den Jahren 1938 bis 1943 stammenden Briefe an die in Zürich lebende Schwester sind verschlüsselte Dokumente der schrecklichen Realität eines halben Jahrzehnts Berliner Gettolebens im Nazi-Deutschland.

Das zum größten Teil ungedruckt gebliebene Werk konnte ins Ausland gerettet werden. Obwohl ihr Gesamtwerk inzwischen fast vollständig vorliegt, erscheint sie bis heute als »Unerschlossene«, wie ein Gedicht von ihr überschrieben ist.

DIE DICHTERIN

Du hältst mich in den Händen ganz und gar.

Mein Herz wie eines kleinen Vogels schlägt
In deiner Faust. Der du dies liest, gib acht;
Denn sieh, du blätterst einen Menschen um.
Doch ist es dir aus Pappe nur gemacht,

Aus Druckpapier und Leim, so bleibt es stumm
Und trifft dich nicht mit seinem großen Blick,
Der aus den schwarzen Zeichen suchend schaut,
Und ist ein Ding und hat ein Dinggeschick.

Und ward verschleiert doch gleich einer Braut,
Und ward geschmückt, daß es dir lieben magst,
Und bittet schüchtern, daß du deinen Sinn
Aus Gleichmut und Gewöhnung einmal jagst,

Und bebt und weiß und flüstert vor sich hin:
»Dies wird nicht sein.« Und nickt dir lächelnd zu.
Wer sollte hoffen, wenn nicht eine Frau?
Ihr ganzes Treiben ist ein einzig: »Du ...«

Mit schwarzen Blumen, mit gemalter Brau,
Mit Silberketten, Seiden, blaubesternt.
Sie wußte manches Schönere als Kind
Und hat das schönre andre Wort verlernt. –

Der Mann ist soviel klüger, als wir sind.
In seinem Reden unterhält er sich
Mit Tod und Frühling, Eisenwerk und Zeit;
Ich sage: »Du ...« und immer: »Du und ich.«

Und dieses Buch ist eines Mädchens Kleid,
Das reich und rot sein mag und ärmlich fahl,
Und immer unter liebem Finger nur
Zerknittern dulden will, Befleckung, Mal.

So steh ich, weisend, was mir widerfuhr;
Denn harte Lauge hat es wohl gebleicht,
Doch keine hat es gänzlich ausgespült.
So ruf ich dich. Mein Ruf ist dünn und leicht.

Du hörst, was spricht. Vernimmst du auch, was fühlt?

TROGLODYTIN

Und ich muß durch Dunkelheiten
Wie durch große Wälder spähn,
Selbst die Schrecken mir bereiten,
Die sich meinen Stapfen blähn,
Brandgestruppte Elche, Bachen,
Grunzend um das Ferkelblut,
Wölfe, hungergrau, und Drachen
Mit den Waben gelber Glut.

Nackt, auf scharf bekrallten Zehen,
Rot von Schauern ausgewetzt,
Im Geröhr an Sumpf und Seen
Duck ich brünstig und gehetzt;
Natter schlüpft durch meine Hände,
Schnecke näßt mein Haar mit Schleim,
Meine buntgefärbte Lende
Wird der Kröte liebes Heim.

Meine Zähne reißen Beulen
Von verkrustet hartem Stamm;
Ein beglücktes, leises Heulen,
Brech ich hoch aus Ried und Schlamm,
Eh der Leib mit Bärenpranken
Um den irren Wandrer ringt,
Ihn, erglüht, an Brust und Flanken
Keuchend sich zu Willen zwingt.

Auf verdorrten schwarzen Kräutern
Lieg ich stumm im Höhlenhaus;
Schwer an trankgeschwellten Eutern

Hängen Kind und Fledermaus,
Da im Mondforst Auerhähne
Eine Hexe bellend neckt,
Die mit fahler Widdermähne
Goldne Kringelhörner deckt.

DIE GELBE SCHLANGE

Ich war ein Mädchen auch im Traum.

Und meine Brüste lagen, helle Inseln,
Auf jeder eine kleine braune Stadt
Mit spitzem Turm
Und rot geheimer Ströme unterirdnem Rinseln.

Wann werden weiße Quellen aus den Steinen brechen?

Die Schlange zuckte
Ungesehn durch Kraut.
Ach, alle Moose, die sie grüßte,
Verrotteten.
Ihr Leib ließ eine Wüste.
Baumgrün vergilbte vor der gelben Haut.

Die gelbe Schlange kam.
Sie zog sich über Meer
Und sank in Grund,
Wo seltsam bunt und schwer
Tierblumen an verfallnen Schiffen saugen
Mit zähnelosem Mund.

Sie schlich
In meine roten Grottenflüsse ein.
Sie lächelte.
Die kleine Stadt ward krank,
Zermürbte, wich.
Ihr stolzer Wartturm sank
Tief in ein Weiches ein.

Die Insel, einmal glücklich schön
Mit Hügelkuppe und mit sanfter Bucht
Um vieler Wellen blitzendes Getön,
Hing müd in See.

Wie überreife, halbvermulschte Frucht.

ASIEN

Mutter,
Die du mir warst, eh mich die meine wiegte,
Ich kehre heim.
Laß mich hintreten vor dich.
Laß mich still dir zu Füßen sitzen, dich anschaun, dich
    lernen:
...
Du hast noch die stumme unendliche Geduld,
Das Wissen vom Nicht-Tun, gewaltiger Ruhe, die in sich
    versunken träumt,
Dein ist die Schau,
Der rätselnde Aufblick in blaue Nacht zu leuchtend
    wandelnden Welten.
Du bist, ob du nicht wirkst.
Und sprichst mit dem leichten Heben schmaler gülden
    bestäubter Hand, mit sanfter Wendung schlangen-
    biegsamen Halses
Und hörst den Ruf des Saxaulhähers,
Der deiner Einöde Kysyl-kum roten Sand durchwirbelt und
    des Wasserquells nicht bedarf,
Und weißt das Märchen des Rock, dessen unermeßlicher Flug
    dein Haupt überschattet.
Um dich ist Ferne.
Du sitzest,
Zaubernde hinter gläserner Wand,
Geschieden, doch nah, sichtbar, unfaßlich.
Draußen ziehn sie dahin,
Träger, die dir aus bauchigen Schiffen Ballen und Kisten
    und Körbe holen, Geschenke:
Jahrmarktsglück, Flitterspiel, Klapperlärmen, billig arm-
    seligen Prunk ...
Draußen bettelt und nimmt und rafft dein eigenes Abbild,
    Schemen,
Der Seiden, lieblich wie Krokus und Orchidee, mit häßlich
    schwarzem englischen Tuch vertauschte
Und deines Sehers Sprüche, die blühenden, vieltausendjährig
    verzweigten Äste, um graue Büschel dürr und
    geschwätzig knisternder Blätter gab.

Sie ahmt, die gespenstische Magd, dir Herrscherin nach,
   heuchelt deine Gebärde, dein Wort, stiehlt deinen
   Namen,
Wenn du hinabgetaucht zum tiefen Innen unseres Sterns,
   dem Bade schäumenden Feuers ...
Brenne ...
Birg voll Scham, was die Törichte blößt, deiner Mitte
   Geheimnis, das Flammensamen empfing,
Und die Geborenen, Geierdämonen, laß ewiglich kreisen
   über den Totentürmen,
Türmen des Schweigens ...

Holzschnitt von Frans Masareel
zu L. Frank, ›Die Mutter‹

HEDDA ZINNER
(1905)

Hedda Zinner stammt aus bürgerlichen Verhältnissen. Nach einer Schauspielausbildung und verschiedenen Theaterengagements trat sie Ende der zwanziger Jahre in Kontakt mit der revolutionären Arbeiterbewegung und wurde Mitglied der KP. Mit selbst geschriebenen, selbst vorgetragenen Gedichten und Songs begeisterte sie zahlreiche Arbeiterversammlungen. Während ihrer Emigration in die Tschechoslowakei und die Sowjetunion schrieb sie unentwegt Kabarettexte, Hörspiele, Reportagen und Erzählungen. Nach ihrer Rückkehr 1945 in die DDR trat sie vor allem als Dramatikerin und Film- und Fernsehautorin auf.

Schon in ihren frühen Zeitgedichten, Liedern und Agitproptexten verband sie das Thema des Klassenkampfes mit der Aufforderung an die Frauen, für die Veränderung der Verhältnisse mitzukämpfen. Sie ist Autorin des Romans »Nur eine Frau«, der 1958 verfilmt wurde und Leben und Kampf von Louise Otto-Peters schildert.

DEUTSCHES VOLKSLIED 1935

Du hast einen Sohn, Maria,
Einen Sohn – du liebst ihn sehr;
Allein es hat dein Junge
Heut gar keine Aussicht mehr:
Keine Aussicht mehr auf Arbeit,
Keine Aussicht mehr auf Brot;
Es leidet dein Junge, Maria,
Mit all' den anderen Not.

Du ringst verzweifelt die Hände,
Du hast mit den andern gefragt:
Ihr Herren, zeigt uns den Ausweg!
Da haben die Herren gesagt:
»Der Krieg ist der Ausweg, Maria,
Der Ausweg aus Hunger und Not;
Denn Krieg schafft Arbeit, Maria,
Aufträge, Arbeit und Brot.«

Du hast einen Sohn, Maria ...
Es kommt der Krieg ins Land!
Da kämpft dein Sohn, Maria,
Sie sagen: fürs Vaterland.
Es wachsen die Dividenden
Der Rüstungsindustrie,
Und Millionen Söhne, Maria,
Kämpfen für sie, für sie!

Millionen sterben, Maria,
Sie sterben in Hitlers Heer,
Millionen Mütter haben
Im Krieg keine Söhne mehr!
Du liebst deinen Sohn, Maria ...?
Millionen Mütter ihr –
Man nimmt euch eure Söhne!
Seht ihr denn nicht, wofür?

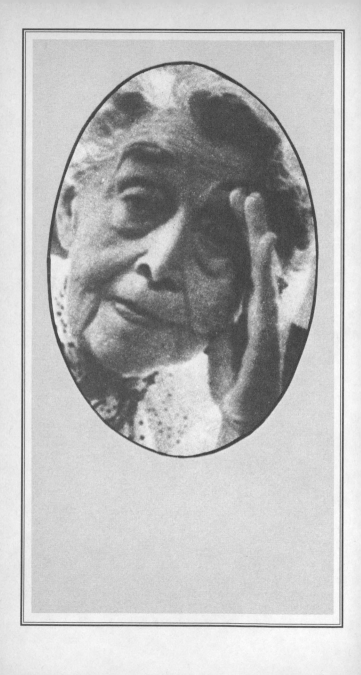

RICARDA HUCH
(1864–1947)

»Wer um ein Jahrzehnt jünger ist als sie, hat unter den Sternen ihrer Dichtung gelebt von ihrem Anfang an«, schrieb Gertrud Bäumer über die Historikerin und Dichterin Ricarda Huch, deren Werk sich über ein halbes Jahrhundert erstreckt. Bereits als Zweiundzwanzigjährige faßte die patrizische Kaufmannstocher den für ein Mädchen ihrer Zeit und ihrer Herkunft ungewöhnlichen Entschluß, »des Schicksals Fügung in die eigenen Hände zu nehmen«. Sie ging nach Zürich, das Ende des neunzehnten Jahrhunderts eine Hochburg des Frauenstudiums war, und promovierte dort als eine der ersten deutschen Frauen mit einer historischen Untersuchung. Anschließend arbeitete sie als Bibliothekssekretärin und Lehrerin und veröffentlichte unter männlichem Pseudonym ihre ersten literarischen Arbeiten. Der Erfolg ihres ersten Romans bestärkte sie in ihrem Entschluß, freie Schriftstellerin zu werden. Um die Jahrhundertwende erschien ihr vielbeachtetes literarhistorisches Buch über die Romantik, das eine Neubewertung dieser Epoche einleitete. Sie schrieb Essays über Rahel Varnhagen, Caroline Schlegel-Schelling und gab eine Annette-von-Droste-Hülshoff-Anthologie heraus. In ihren historischen Darstellungen bevorzugte sie heroisch gesteigertes Rebellentum. Sie schrieb über Garibaldi, Bakunin, über die Revolution von 1848, Luther und Wallenstein. 1912 bis 1914 erschien ihre Geschichte des Dreißigjährigen Krieges. Als beinahe Siebzigjährige zeigte sie selbst heldenhafte Entschlossenheit. »Die größte Frau Deutschlands«, wie sie Thomas Mann 1924 nannte, trat 1933 unter Protest aus der Preußischen Akademie der Künste aus; Anlaß war der Ausschluß jüdischer Schriftsteller und der als ›entartet‹ bezeichneten Käthe Kollwitz. Wenn auch unter Schwierigkeiten, so konnte sie in den folgenden Jahren doch noch einige Werke veröffentlichen. Das folgende Gedicht »Mein Herz, mein Löwe« steht in ihrem 1944 veröffentlichten Band »Herbstfeuer«. Ricarda Huch starb als Dreiundachtzigjährige mitten in den Arbeiten an einer Darstellung der deutschen Widerstandsbewegung.

MEIN HERZ, MEIN LÖWE

Mein Herz, mein Löwe, hält seine Beute fest,
Sein Geliebtes fest in den Fängen,
Aber Gehaßtes gibt es auch,
Das er niemals entläßt
Bis zum letzten Hauch,
Was immer die Jahre verhängen.
Es gibt Namen, die beflecken
Die Lippen, die sie nennen,
Die Erde mag sie nicht decken,
Die Flamme mag sie nicht brennen.
Der Engel, gesandt, den Verbrecher
Mit der Gnade von Gott zu betauen,
Wendet sich ab voll Grauen
Und wird zum zischenden Rächer.
Und hätte Gott selbst so viel Huld,
Zu waschen die blutrote Schuld,
Bis der Schandfleck verblaßte, –
Mein Herz wird hassen, was es haßte,
Mein Herz hält fest seine Beute,
Daß keiner dran künstle und deute,
Daß kein Lügner schminke das Böse,
Verfluchtes vom Fluche löse.

LIED AUS DEM DREISSIGJÄHRIGEN KRIEG:

Frieden

Von dem Turme im Dorfe klingt
Ein süßes Geläute;
Man sinnt, was es deute,
Daß die Glocke im Sturme nicht schwingt.
Mich dünkt, so hört' ich's als Kind;
Dann kamen die Jahre der Schande;
Nun trägt's in die Weite der Wind,
Daß Frieden im Lande.

Wo mein Vaterhaus fest einst stand,
Wächst wuchernde Heide;
Ich pflück', eh ich scheide,
Einen Zweig mir mit zitternder Hand.
Das ist von der Väter Gut
Mein einziges Erbe;
Nichts bleibt, wo mein Haupt sich ruht,
Bis einsam ich sterbe.

Meine Kinder verwehte der Krieg
Wer bringt sie mir wieder?
Beim Klange der Lieder
Feiern Fürsten und Herren den Sieg.
Sie freun sich beim Friedensschmaus,
Die müß'gen Soldaten fluchen –
Ich ziehe am Stabe hinaus,
Mein Vaterland suchen.

INTERNATIONALE LITERATUR

DEUTSCHE BLÄTTER

HEFT 8 / ZEHNTER JAHRGANG / 1940

VERLAG FÜR SCHÖNE LITERATUR

KLARA BLUM
(1904)

Klara Blum wurde als Tochter einer wohlhabenden jüdischen Familie in Czernowitz, Rumänien, geboren. Schon früh bewies sie Mut und Selbständigkeit. Als sie der Tradition entsprechend mit neunzehn Jahren verheiratet werden sollte, floh sie nach Österreich, studierte in Wien Psychologie und verdiente sich ihren Lebensunterhalt als Journalistin. 1934 verschaffte ihr ein preisgekröntes antifaschistisches Gedicht eine zweimonatige Einladung nach Moskau. Dort blieb sie elf Jahre. 1938 heiratete sie einen chinesischen Kommunisten, der kurz darauf nach China zurückkehren mußte. Klara Blum arbeitete als Lehrerin und Übersetzerin. Sie veröffentlichte mehrere Gedichtbände, in denen sie neben ihrem politischen Engagement auch ihrer feministischen Haltung Ausdruck verlieh. In Moskau lernte sie auch deutsche Emigranten kennen, darunter Johannes R. Becher. Ihre Gedichte erschienen in der renommierten Exilzeitschrift »Internationale Literatur«, in der auch Texte von Brecht, Weinheber und Klaus Mann veröffentlicht wurden.
Seit 1947 lebt sie in China. Sie erhielt die chinesische Staatsbürgerschaft und lehrte an verschiedenen Universitäten Germanistik. Neben weiteren Gedichten, Reportagen, biographischen Skizzen und Erzählungen veröffentlichte sie den Novellenband »Das Lied von Hongkong«. In der DDR erschien 1960 eine kleine Auswahl ihrer Gedichte.

NACHT IN DER KRIM

Das schwarze Meer zieht dunkelgrüne Streifen,
Es malt den Mond als breiten Silberteich.
Die Trauben schimmern und die Sterne reifen
Und scheinen übergroß und schwer und weich.

Wir Drei, die nachts auf der Terrasse liegen,
Aus Tscheljabinsk, aus Wien und aus Taschkent,
Indes im Rhythmus sich die Palmen biegen,
Das Meer im Rhythmus an die Felsen rennt,

Wir Drei vertauschen heute Schlaf mit Träumen,
Drauflos erzählend, trunken, stundenlang,
Von Klassenkämpfen und von Weltenräumen –
Und was wir uns erzählen, wird Gesang.

Marussjas Haut ist edles altes Leder,
Marussja lernte spät das Alphabet.
Und Sarrachan ist eine schwarze Zeder,
Die schlank und wild und finster Wache steht.

Marussjas Bauernblick sucht in den Sternen,
Ihr Bauernhirn, befreit, forscht spät und früh.
Sie hat gekämpft, geackert, sie will lernen:
Was ist die Schwerkraft? Was Astronomie?

Die Sterne hängen voll und dicht wie Trauben,
Und in den Trauben schmeckt ein goldnes Licht.
Und Sarrachan spricht vom besiegten Glauben,
Gekreuzt die Beine, stolz das Bronzegesicht.

Die Mullas. Bunte, kampfesnahe Ferne,
So wie die Kirche tückisch die Moschee.
Marussja starrt noch immer in die Sterne,
Und ich erzähle ihr von Galilei.

Feudale Mächte. Glauben gegen Wissen.
Zum Scheiterhaufen schichtet sich das Holz.
Ein Mensch, ein Forscher, hin und her gerissen
In Feigheit, Mut, Erniedrigung und Stolz.

Marussja flucht. Es fluchen beide Frauen
Der alten Finsternis, dem alten Joch.
Marussja spricht mit schwer gefurchten Brauen,
Spricht aus dem Schlaf: »Und sie bewegt sich doch.«

Das Meer schlägt rhythmisch an die Felsenwände.
Es singt der Wissensdurst, es klingt der Grimm.
Bleib hängen über uns. Geh nie zu Ende
Mit deinen Sternentrauben, Nacht der Krim.

Jalta, 1937

PFLAUMENBLÜTE

Chinas Volk verehrt die Pflaumenblüte,
Denn es gleicht dies Volk der Pflaumenblüte.

Stürmt der Winter noch mit Schnee und Eis,
Sie erblüht am Aste rosig-weiß.

Stürmt der Winter noch auf allen Wegen,
Unerschrocken blüht sie ihm entgegen.

Ihre zarten Blätter, mutberauscht,
Tanzen leis, wenn sie dem Winde lauscht.

Denn es ist ihr Glück, im Sturmeswehen
Einem Mächtigen zu widerstehen.

Sieben Märchen aus des Volkes Gut
Preisen ihren stillen Blumenmut.

Und sie lehren weise alle sieben
Eisern kämpfen und behutsam lieben.

Und sie lehren nach Chinesenart,
Daß die Zarten stark, die Starken zart.

Ist die Erde überbraust von Schrecken,
Daß die Blumen ängstlich sich verstecken,

Dann erblüht ihr machtvoll stilles Licht,
Gibt der Welt von neuem Zuversicht.

Moskau, 1938

BRIEF NACH CHINA

Einst, vom klugen Dichterauge Li Tai-pos beglänzt,
Erschaut,
War die Liebe eine Brücke, porzellanleicht
Aufgebaut.
Spiegelt sich verkehrt im Flüßchen,
Strahlt ein leises Glitzern aus,
Wölbt zerbrechlich ihren Weg vom Nachbarhaus
Zum Nachbarhaus.

Und hinüber und herüber flogen Blicke,
Streng bewacht,
Mit verträumtem Scharfsinn wurden kleine Listen
Ausgedacht.
Hob und senkte sich der Fächer, winkte her
Und scheuchte fort,
Und der Pinsel schrieb auf Seide sein verstecktes
Bilderwort.

Manches alte Bild, es zeigt dir mit gewandtem
Pinselstrich,
Wie die Liebe einer Brücke zwischen
Nachbarhäusern glich.
Dieser Brief, der spät und mühsam in der Heimat
Dich erreicht,
Zeigt dir, daß sie heute aber einem Regenbogen
Gleicht.

Die von Haus zu Haus sich wölbte, wölbt sich weit
Von Land zu Land,
Hält mit ihren zarten Farben machtvoll Ost und West
Umspannt,
Hält umspannt ein Schlachtgetümmel und ein
Stummes Sichverstehn
Und Millionen junger Augen, die dem Tod
Ins Auge sehn.

Sieh, durch meinen Regenbogen schwingt sich Hung,
Der Fliegerheld,
Schreitet Wu Gao-njän, der schützend neben Greis
Und Kindern fällt,

Gleitet Tjin, die Partisanin, gleitet lautlos
Und behend,
Die das Volk am Taihu-Ufer seine goldne Blume nennt.

Es umschließt mein Farbenbogen deines Landes Stolz
Und Qual,
Dich und deines Volkes Kinder, euch, Geschwister
Und Gemahl.
Er umschließt den Weg, den weiten, über Wüste,
Berg und Fluß,
Den ich zu euch gehen werde, den ich zu euch
Gehen muß.

Sehnsucht, Tatendurst, der Sorge phantasierende Gewalt,
Daß durch jeden Liebestraum der Donner der Geschütze
Hallt –
Sag, wie kommt es, daß mein Herz, so namenlos zerquält,
Zerbangt,
Nicht in tausend Stücke bricht, bevor ich noch zu dir
Gelangt?

Weil die Liebe nicht wie einst in enger Zeit,
Zerbrechlich, leicht,
Einer zierlich kleinen Brücke zwischen Nachbarhäusern
Gleicht,
Weil sie wie ein Regenbogen jede Ferne überwand
Und mit ihren zarten Farben machtvoll Ost und West
Umspannt.

Moskau, 1940

MONDMELODIE

Immer neue Staubwolken atmet sie ein,
Wenn der unfrische Stadtmorgen tagt,
Fegt den schimpfenden Fremden die Wohnstuben rein,
Jüä-tjing, die chinesische Magd.
Und sie hustet versteckt, ihr Gesichtchen wird alt,
Lächelt mühsam und wird wieder jung.
Eine schwebende, blaue, zerlumpte Gestalt,
Huscht sie hin durch die Dämmerung.

Der Name der kleinen Chinesin
Bedeutet Mondmelodie.
Das Leben der kleinen Chinesin
Schmückt heimlich die Volksphantasie
Und hat zwischen dumpfigen Wänden
Die duftigen Namen erdacht,
Den Kindern auf leeren Händen
Phantome der Schönheit gebracht.
Sie nennen verschneite Blüte
Das frierende Winterkind,
Ein anderes: tapfere Güte
Und goldenes Baumblatt im Wind.
Sie nennen sie leuchtende Wolke,
Mondhäschen und Sternengesicht ...
Im zehnfach zerlittenen Volke
Erklingt noch ein silbernes Licht.

Die Laternen brennen zum Neuen Jahr,
Und sie färben das Gramgesicht bunt.
Die Musik ist so dünn wie ein glitzerndes Haar,
Jüä-tjing, und die Lungen sind wund.
An ihr Kissen, befleckt von verhustetem Blut,
Wird ein blühendes Zweiglein gesteckt,
Weil der winzige Baumgeist, umsichtig und gut,
Ihren Tod von der Schwelle schreckt.

Der Name der kleinen Chinesin
Bedeutet Mondmelodie,
Das Leben der kleinen Chinesin
Schmückt heimlich die Volksphantasie.
Sie weiß die seltsamsten Märchen,
Getragen von Mund zu Mund:
Es tanzt ein gespenstisches Pärchen
Am farbigen Meeresgrund,
Das Mondschloß hat gläserne Säulen
Mit silbernen Fischlein darin,
Sie schießen gleich glitzernden Pfeilen
Am Saum ihrer Träume hin ...
Es lebt im chinesischen Blute
Die Schönheit und schwindet nicht.
In ihrem zerlittenen Mute
Erklingt noch ein silbernes Licht.

Und wenn Jüä-tjing auf die Straße blickt,
Keucht ihr Bruder, der Kuli, vorbei,
Und ihr Vetter, der Lehrer, schleicht hungergebückt,
Und da fühlen sie alle drei:
Weil ihr Puls für ein würdiges Leben schlägt,
Wird es einmal auch Wirklichkeit sein.
Und den Garten der Schönheit, im Innern gehegt,
Pflanzt ihr Wille der Erde ein.

> Sie ist eine echte Chinesin,
> Mit Namen genannt Jüä-tjing.
> Es lebt noch im Schritt der Chinesin
> Der Weg, den einst Motzius ging.
> Die Kehle voll zirpender Lieder,
> Die Augen voll trotziger Glut:
> »Ich kenne nicht hoch oder nieder,
> Ich kenne nur schlecht oder gut.«
> Das müde Haupt bleibt erhoben,
> Die trockene Zunge bleibt flink.
> Das Unrecht der Erde mag toben,
> Sie ist und sie bleibt Jüä-tjing.
> Sie blickt aus dem schrägäugig stillen
> Und rührend erhellten Gesicht:
> In ihrem erbitterten Willen
> Erklingt ein silbernes Licht.

Schanghai, 1948

NELLY SACHS
(1891–1970)

Wie Gertrud Kolmar wuchs die Jüdin Nelly Sachs als wohlbehütete Tochter im wilhelminisch-großbürgerlichen Milieu Berlins auf, um dann Schrecken und Terror des Nazi-Regimes zu
erfahren. Im Frühjahr 1940 gelang ihr zusammen mit ihrer
Mutter die Flucht nach Stockholm. Die Rettung verdankte sie
der Fürsprache der schwedischen Nobelpreisträgerin Selma
Lagerlöf, mit der sie seit 1907 Briefe gewechselt hatte.
Das im Exil begonnene Gedichtwerk entstand unter dem Ein-
druck der sich häufenden Todesnachrichten von Freunden
und Verwandten. Schreiben bedeutete für sie die Möglichkeit,
aus dem sprachlosen Entsetzen herauszufinden.
Nelly Sachs schrieb neben Gedichten auch Mysterienspiele
und szenische Dichtungen und machte sich einen Namen als
Übersetzerin schwedischer Lyrik, von der sich ihr dichteri-
sches Schaffen ebenso beeinflußt zeigt wie von altjüdischer
Tradition und religiöser Mystik.
1966 erhielt sie gemeinsam mit dem israelischen Dichter
Agnon den Literaturnobelpreis.

Es gibt Steine wie Seelen.
Rabbi Nachman

AN EUCH, DIE DAS NEUE HAUS BAUEN

Wenn du dir deine Wände neu aufrichtest –
Deinen Herd, Schlafstatt, Tisch und Stuhl –
Hänge nicht deine Tränen um sie, die dahingegangen,
Die nicht mehr mit dir wohnen werden
An den Stein
Nicht an das Holz –
Es weint sonst in deinen Schlaf hinein,
Den kurzen, den du noch tun mußt.

Seufze nicht, wenn du dein Laken bettest,
Es mischen sich sonst deine Träume
Mit dem Schweiß der Toten.

Ach, es sind die Wände und die Geräte
Wie die Windharfen empfänglich
Und wie ein Acker, darin dein Leid wächst,
Und spüren das Staubverwandte in dir.

Baue, wenn die Stundenuhr rieselt,
Aber weine nicht die Minuten fort
Mit dem Staub zusammen,
Der das Licht verdeckt.

O DER WEINENDEN KINDER NACHT

O der weinenden Kinder Nacht!
Der zum Tode gezeichneten Kinder Nacht!
Der Schlaf hat keinen Eingang mehr.
Schreckliche Wärterinnen
Sind an die Stelle der Mütter getreten,
Haben den falschen Tod in ihre Handmuskeln gespannt,
Säen ihn in die Wände und ins Gebälk –
Überall brütet es in den Nestern des Grauens.
Angst säugt die Kleinen statt der Muttermilch.

Zog die Mutter noch gestern
Wie ein weißer Mond den Schlaf heran,
Kam die Puppe mit dem fortgeküßten Wangenrot
In den einen Arm,
Kam das ausgestopfte Tier, lebendig
In der Liebe schon geworden,
In den andern Arm, –
Weht nun der Wind des Sterbens,
Bläst die Hemden über die Haare fort,
Die niemand mehr kämmen wird.

EINSAMKEIT

Einsamkeit lautlos samtener Acker
aus Stiefmutterveilchen
verlassen von rot und blau
violett die gehende Farbe
dein Weinen erschafft sie
aus dem zarten Erschrecken deiner Augen –

ELISABETH LANGGÄSSER
(1899–1950)

Elisabeth Langgässer wurde in Alzey, Rheinhessen, geboren, wuchs in Darmstadt auf, wurde Lehrerin und lebte seit 1929 in Berlin. Dort gehörte sie zum Kreis um die Zeitschrift »Kolonne« (Günter Eich, Peter Huchel) und lernte Wilhelm Lehmann kennen, der damals vor allem als Lyriker von bedeutendem Einfluß war. Elisabeth Langgässer veröffentlichte insgesamt drei Gedichtzyklen, »Der Wendekreis des Lammes« (1924), »Die Tierkreis-Gedichte« (1935) und »Der Laubmann und die Rose«, die in ihrer Metaphorik den christlichen Kosmos, die magisch gesehene Natur und die heidnische Antike einbeziehen.

Elisabeth Langgässers umfangreiches Werk, zu dem neben Lyrik auch Romane und Erzählungen gehören, entstand unter starken inneren Spannungen. »Immer mehr fühle ich freilich erst, was es heißt, eine Kerze an beiden Enden anzuzünden«, mit diesen Worten der amerikanischen Dichterin Edna St. Vincent Milley bezeichnete sie selbst ihre Situation. Sie hatte Gewissenskonflikte, da ihr unbändiger Arbeitswille ihr nicht genügend Zeit für die Familie, vor allem für ihre vier Töchter ließ. Hinzu kam der Druck der äußeren Verhältnisse. 1936 erhielt sie als Halbjüdin Schreibverbot, 1944 wurde sie dienstverpflichtet, nur ihre Ehe mit einem »Arier« bewahrte sie vor Schlimmerem. Ihre älteste Tochter wurde ins KZ gebracht, erst 1947 erfuhr sie von ihrer Rettung. Während des zehnjährigen Schreibverbots entstand unter anderem der Roman »Das unauslöschliche Siegel«, der sie nach seiner Publikation 1946 für kurze Zeit zur bekanntesten Dichterin im Nachkriegsdeutschland machte.

FRÜHLING 1946[1]

Holde Anemone,
Bist du wieder da
Und erscheinst mit heller Krone
Mir Geschundenem zum Lohne
Wie Nausikaa?

Windbewegtes Bücken,
Woge, Schaum und Licht!
Ach, welch sphärisches Entzücken
Nahm dem staubgebeugten Rücken
Endlich sein Gewicht?

Aus dem Reich der Kröte
Steige ich empor,
Unterm Lid noch Plutons Röte
Und des Totenführers Flöte
Gräßlich noch im Ohr.

Sah in Gorgos Auge
Eisenharten Glanz,
Ausgesprühte Lügenlauge
Hört ich flüstern, daß sie tauge,
Mich zu töten ganz.

Anemone! Küssen
Laß mich dein Gesicht:
Ungespiegelt von den Flüssen
Styx und Lethe, ohne Wissen
Um das Nein und Nicht.

Ohne zu verführen,
Lebst und bist du da,
Still mein Herz zu rühren,
Ohne es zu schüren –
Kind Nausikaa!

[1] Für ihre Tochter Cordelia,
damals noch in Auschwitz vermißt

DAPHNE AN DER SONNENWENDE

»...ut eruam te!«

Wird die Verfolgte sich retten
vor seiner düsteren Brunst?
Ihre Gelenke zu ketten,
wirft er ihr Erdrauch und Kletten
zu als Zeichen der Gunst.

Glühend, erreicht sie des flachen,
ländlichen Gartens Geviert,
Löwenmaul sperrt seinen Rachen,
ach, und wie feurige Drachen
blühen die Bohnen verwirrt.

Mitleidlos wölben die lauen
Frühsommeräpfel die Brust,
schließt ihre Finger, die schlauen,
Demeter schnell um der blauen
Kapseln betäubende Lust.

Ist eine Zuflucht noch offen?
Lodern dort Fittiche auf?
Da, zwischen Seufzen und Hoffen,
hemmt, von Verwandlung betroffen,
plötzlich das Jahr seinen Lauf,

Und wie sich die Erbsen entbinden
jäh von der goldgrünen Wand,
perlen im Anschlag die linden
Tage und rollen und schwinden
kühl durch des Hochsommers Hand.

SOMMERENDE

Hat auch die Made verrostet
Pflaume und Spilling wie toll –
da sie, von Wahnsinn umglostet,
selbst sich im Fruchtfleisch gekostet,
war sie der Pfeil des Apoll.

Mochte das Eichhorn die Schalen,
knisternder Nußkerne voll,
scharf wie durch Feuer zermahlen –
zuckend im Laubwerk, dem fahlen,
war es der Blitz des Apoll.

Spilling und Nüsse und Pflaumen,
ach, wie es pochte und scholl:
»Spinnweb läuft bald übern Daumen,
Süßigkeit löst sich vom Gaumen
und von der Erde Apoll!«

CHRISTINE LAVANT
(1915–1973)

Christine Lavant wurde in einem kleinen Dorf bei St. Stefan im Kärnter Lavanttal geboren und hat diese Gegend kaum verlassen. Besuchern zeigte sie sich stets als einfache Dorfbewohnerin mit Kopftuch und Trachtenkleid.

Christine Thonhauser, seit 1939 verheiratete Habernig, stammte aus einer kinderreichen Bergarbeiterfamilie und arbeitete – wie ihre Mutter – als Strickerin. Nach der Veröffentlichung einer schmalen Gedichtsammlung 1949 erschien 1956 ihr vielbeachteter Gedichtband »Die Bettlerschale«, in dem sie zu der ihr eigenen Ausdrucksweise gefunden hatte. Es folgten weitere Gedichtsammlungen und mehrere Erzählungsbände. Ihr Pseudonym wählte sie nach dem Fluß ihres Heimattales.

DIE ANGST

Die Angst ist in mir aufgestanden.
Wie eine Frau, der etwas Furchtbares einfiel
und die dann – wenn sie zwei Stuben hat –
von der einen in die andere geht,
so geht die Angst jetzt in mir hin und her.
Oft rede ich sie an,
singe und bete für sie,
oder lese ihr stundenlang vor
aus sehr klugen, sehr heiligen Büchern.
Aber sie macht sich aus allem nichts.
Nur noch schwerer wird sie davon,
bis jede Stelle, darauf sie tritt,
anfängt zu zittern.
Und so zittert schon alles in mir,
Knie, Hände und Lippen
und am meisten wohl die Lider meiner Augen.
Doch sie findet nicht Ruhe dabei
und durch die Tür meines Verstandes
bricht sie ein in die arme Seele.
Auch dort ist alles schon schwankend.
Bilder des Himmels und der Hölle
fallen übereinander her und über die Ängstin.
O diese Arme!
Niemehr wird sie zum Schlafen kommen,
niemehr wird sie mich schlafen lassen,
denn jemand hat ihr ein Wort gesagt,
das wie ein Schwert
am Faden einer einzigen Hoffnung
über uns hängt.

SIND DAS WOHL MENSCHEN?

Sind das wohl Menschen? – Wie man das vergißt!
Sie werfen Schatten vor dem Sonnenbaum,
sehr grobe Schatten und – sie haben Stimmen.
Wie sonderbar: – ich glaub, sie hießen »Männer«.
Männer? – Ein Mann? – und kam der Aufschrei »Liebe«
nicht gleich danach und Schmerz, nicht wahr, mein Traumbuch,

Schmerz sagtest du sehr lange, fort und glitzernd,
Bänder von Schmerz wie Schienen zu den Menschen.
Dann kamen Tiere, große dunkle Tiere,
in die man einstieg, weil ihr Kopf so heulte,
und innen sagte jemand dann: »Wir fahren!«
Die, die sich Mädchen nannten, saßen flüsternd
nah beieinander, und es klang wie Laubfall,
wenn sie erzählten, daß ihr Liebster warte.
»Liebster« – was ist das –, geht das rasch vorüber,
läßt es sich fassen, ohne Schmerz zu machen,
und bleibt an einem hinterher dann etwas
wie Blütenstaub und ein Geruch verhaftet
oder vergeht daran nur das Gefühl für gestern?
Ein Traumkraut also? – Sicherlich – ein Traumkraut!
Man hätte niemals davon kosten dürfen,
ehe man heimging in die liebe Erde,
heim zu den Zwiebelchen.

SAG MIR EIN WORT

Sag mir ein Wort, und ich stampfe dir
aus dem Zement eine Blume heraus,
denn ich bin mächtig geworden vor Schwäche
und vom sinnlosen Warten,
magneten in allen Sinnen.
Sicher wirst du erscheinen müssen!
Über dem Bahnhof zittert die Luft,
und die Taubenschwärme erwarten
den Einbruch der großen Freude.
Das Licht hat sich sanft auf die Schienen gelegt,
weg von den Haaren der Mädchen
und aus den Augen der Männer.
Ich habe aufgehört zu weinen,
aufgehört auch, auf das Wunder zu warten,
denn eines ereignet sich immerwährend
im Wachstum meiner Schwäche,
die da steigt und steigt hoch über die Tauben hinauf
und hinunter in schwarze Brunnen,
wo auch tagsüber noch sichtbar sind
die verheimlichten Sterne.
Dort unten wechselt nicht Tag und Nacht,
dort unten begehrst du noch ununterbrochen
die sanfte Blume meines Willens.

HERTHA KRÄFTNER
(1928–1951)

Hertha Kräftner wuchs in Wien und im Burgenland auf und begann 1946 ihr Studium an der Universität Wien. Als Dreiundzwanzigjährige starb sie an einer Überdosis Schlaftabletten.
Zu ihren Lebzeiten erschienen einige Gedichte in Zeitschriften und Anthologien. 1963 wurde eine Sammlung mit Gedichten, Skizzen und Tagebuchaufzeichnungen aus ihrem Nachlaß veröffentlicht.

WER GLAUBT NOCH...

Wer glaubt noch,
daß uns drüben Korallenbäume erwarten,
und Vögel, die das Geheimnis singen
und ab und zu die beinernen Schnäbel
ins rosa gefärbte Wasser tauchen,
und daß man uns abholen wird
zu Gerüchen
nach aufgebrochenen Mandelkernen
und den weißen Wurzeln seltener Pflanzen?
Ach, der Tod wird nach Pfeffer
und Majoran riechen,
weil er vorher im Laden beim Krämer saß,
der am silbrigen Schwanz
eines Salzherings erstickte.

BETRUNKENE NACHT

Der Gin schmeckt gleich um elf und drei,
das Soda nur wird schaler.
Wer will, der kann mich haben
für einen alten Taler.
Mein Bräutigam, mein Bräutigam
war einer von den sieben Raben,
der flog am Haus vorbei,
da war es zwölf vorbei,
mein Bräutigam, mein Bräutigam
tat einen dunklen Schrei
und wollte seinen süßen Schnabel
an meinem Herzen laben,
da spießte ihn ein fremder Mann
auf eine Silbergabel.
Nun kann mich jeder haben
für einen alten Taler.
Das Herz, mein Freund,
ist aber nicht dabei
bei diesem Preis,
dem Herzen, Freund, wird kalt und heiß
nur bei den Zärtlichkeiten eines Raben.
Darum auch haben
meine Freunde mich ertränkt...
Versprecht, daß ihr das Glas Chartreuse verschenkt,
in dem ich schwimme als ein gelbes Ei.

DORFABEND

Beim weißen Oleander
begruben sie das Kind,
und horchten miteinander,
ob nicht der falsche Wind
den Nachbarn schon erzähle,
daß es ein wenig schrie,
eh seine ungetaufte Seele
im Halstuch der Marie
erwürgt zum Himmel floh.
Es roch nach Oleander,
nach Erde und nach Stroh;
sie horchten miteinander,
ob nicht der Wind verriete,
daß sie dem toten Knaben
noch eine weiße Margerite
ans blaue Hälschen gaben...
Sie hörten aber nur
das Rad des Dorfgendarmen,
der pfeifend heimwärts fuhr.
Dann seufzte im Vorübergehn
am Zaun die alte Magdalen:
»Gott hab mit uns Erbarmen.«

INGEBORG BACHMANN
(1926–1973)

Ingeborg Bachmann wuchs in Kärnten auf, studierte an den Universitäten Graz, Innsbruck und Wien, arbeitete besonders im Kreis der »Wiener Schule« des Logistikers Wittgenstein und promovierte 1950 über »Die kritische Aufnahme der Existenzphilosophie Heideggers«. Bald darauf erschienen ihre beiden Gedichtbände »Die gestundete Zeit« (1953) und »Anrufung des großen Bären« (1956), die sie berühmt machten. 1959 wurde sie als erste Gastdozentin auf den Frankfurter Lehrstuhl für Poetik berufen.

Ingeborg Bachmann wechselte mehrfach ihren Wohnsitz, lebte von 1953–1957 in Italien, später unter anderem in München, Zürich, Berlin, zuletzt überwiegend in Rom, wo sie an den Folgen eines Zimmerbrandes starb. Sie war auch Hörspielautorin und Erzählerin und schrieb für den Komponisten Hans Werner Henze Opernlibretti.

ERKLÄR MIR, LIEBE

Dein Hut lüftet sich leis, grüßt, schwebt im Wind,
dein unbedeckter Kopf hat's Wolken angetan,
dein Herz hat anderswo zu tun,
dein Mund verleibt sich neue Sprachen ein,
das Zittergras im Land nimmt überhand,
Sternblumen bläst der Sommer an und aus,
von Flocken blind erhebst du dein Gesicht,
du lachst und weinst und gehst an dir zugrund,
was soll dir noch geschehen –

Erklär mir, Liebe!

Der Pfau, in feierlichem Staunen, schlägt sein Rad,
die Taube stellt den Federkragen hoch,
vom Gurren überfüllt, dehnt sich die Luft,
der Entrich schreit, vom wilden Honig nimmt
das ganze Land, auch im gesetzten Park
hat jedes Beet ein goldner Staub umsäumt.

Der Fisch errötet, überholt den Schwarm
und stürzt durch Grotten ins Korallenbett.
Zur Silbersandmusik tanzt scheu der Skorpion.
Der Käfer riecht die Herrlichste von weit;
hätt ich nur seinen Sinn, ich fühlte auch,
daß Flügel unter ihrem Panzer schimmern,
und nähm den Weg zum fernen Erdbeerstrauch!

Erklär mir, Liebe!

Wasser weiß zu reden,
die Welle nimmt die Welle an der Hand,
im Weinberg schwillt die Traube, springt und fällt.
So arglos tritt die Schnecke aus dem Haus!

Ein Stein weiß einen andern zu erweichen!

Erklär mir, Liebe, was ich nicht erklären kann:
sollt ich die kurze schauerliche Zeit
nur mit Gedanken Umgang haben und allein
nichts Liebes kennen und nichts Liebes tun?
Muß einer denken? Wird er nicht vermißt?

Du sagst: es zählt ein andrer Geist auf ihn...
Erklär mir nichts. Ich seh den Salamander
durch jedes Feuer gehen.
Kein Schauer jagt ihn, und es schmerzt ihn nichts.

AN DIE SONNE

Schöner als der beachtliche Mond und sein geadeltes Licht,
Schöner als die Sterne, die berühmten Orden der Nacht,
Viel schöner als der feurige Auftritt eines Kometen
Und zu weit Schönrem berufen als jedes andre Gestirn,
Weil dein und mein Leben jeden Tag an ihr hängt, ist die Sonne.

Schöne Sonne, die aufgeht, ihr Werk nicht vergessen hat
Und beendet, am schönsten im Sommer, wenn ein Tag
An den Küsten verdampft und ohne Kraft gespiegelt die Segel
Über dein Aug ziehn, bis du müde wirst und das letzte
     verkürzt.

Ohne die Sonne nimmt auch die Kunst wieder den Schleier,
Du erscheinst mir nicht mehr, und die See und der Sand,
Von Schatten gepeitscht, fliehen unter mein Lid.

Schönes Licht, das uns warm hält, bewahrt und wunderbar
     sorgt,
Daß ich wieder sehe und daß ich dich wiederseh!

Nichts Schönres unter der Sonne als unter der Sonne zu sein...

Nichts Schönres als den Stab im Wasser zu sehn und den Vogel
     oben,
Der seinen Flug überlegt, und unten die Fische im Schwarm,

Gefärbt, geformt, in die Welt gekommen mit einer Sendung
     von Licht,
Und den Umkreis zu sehn, das Geviert eines Felds, das Tausend-
     eck meines Lands
Und das Kleid, das du angetan hast. Und dein Kleid, glockig
     und blau!

Schönes Blau, in dem die Pfauen spazieren und sich verneigen,
Blau der Fernen, der Zonen des Glücks mit den Wettern für
     mein Gefühl,
Blauer Zufall am Horizont! Und meine begeisterten Augen
Weiten sich wieder und blinken und brennen sich wund.

Schöne Sonne, der vom Staub noch die größte Bewundrung
   gebührt,
Drum werde ich nicht wegen dem Mond und den Sternen und
   nicht,
Weil die Nacht mit Kometen prahlt und in mir einen Narren
   sucht,
Sondern deinetwegen und bald endlos und wie um nichts sonst
Klage führen über den unabwendbaren Verlust meiner Augen.

FRIEDERIKE MAYRÖCKER
(1924)

Friederike Mayröcker lebt als Englischlehrerin in ihrer Heimatstadt Wien.

Ihr Gedichte erschienen seit 1947 in Zeitschriften und avantgardistischen Kleinverlagen; ihr erster umfangreicher Sammelband kam 1966 heraus.

Ihre Gedichte verbinden Methoden des Surrealismus und der konkreten Poesie: »Ich schalte, um meine ›Bewusztseinsmaschine‹ in Gang zu bringen, auf Erinnerungspunkte irgendwelcher Vergangenheit, bringe dadurch, wenn es gelingt, etwas ganz intensiv in die Mitte meines Bewusztseins, wo es lebendig dasteht, zu sehen, zu hören, zu riechen, zu betasten, in einer Eigenbeweglichkeit, die es aus dem Zustand des Eingebettetseins in einen Erinnerungsablauf befreit. Es steht für sich selbst da, ... statisch, und zugleich in einem Strahlungskranz von Assoziationsmöglichkeiten.«

Seit den fünfziger Jahren steht sie in Verbindung mit der Wiener Gruppe (Jandl, Artmann, Rühm). Sie schrieb Prosatexte, Theaterstücke und Hörspiele (zum Teil gemeinsam mit Ernst Jandl).

MANCHMAL BEI IRGENDWELCHEN ZUFÄLLIGEN BEWEGUNGEN

streift meine Hand deine Hand deinen Handrücken
oder mein Körper der in Kleidern steckt lehnt fast ohne es zu wissen
einen Augenblick gegen deinen Körper in Kleidern
diese kleinsten beinahe pflanzlichen Bewegungen
sein abgewinkelter Blick und dein Auge absichtlich ins Leere
wandernd
deine im Ansatz noch unterbrochene Frage wohin fährst du im
Sommer
was liest du gerade
gehen mir mitten durchs Herz
und durch die Kehle hindurch wie ein süszes Messer
und ich trockne aus wie ein Brunnen in einem heiszen Sommer

ODE AN DIE VERGÄNGLICHKEIT

.. aufschauend sehnend mit den Augen der Seele fensterlos
                            unter der Erde
auf elfenbeinernen Pferden exil-äugig übervoll
viel Wasser meine Geister und Falkenschwärme viel Wasser
                            wird flieszen
zu meinem Abbild Atemzüge gegürtet exupery-schmachtend
absurd in Wüsten-Mäusen Geheimnissen und Gefährtinnen
                            ertrinkend

Menschen zähmen
reisen in harten Spuren blank und fetischistisch

denn wie Wolken Regenfäden Hoffnungen fransen wir
Wolle verwirkt mit Himmel
Gräber und hohe Wandelhallen Höfe und Stiegen Aufgänge
Luft-Türme skelettierte Paläste Balustraden aus Sturm
berstende Himmel
Sonnen-Roste
Einbrüche schwarzer Qualen

meine Augen nämlich suchen den Schwanengesang den
                    schönsten Hirten
den einsamen König –
(o! dasz ich tausend Zungen hätte)
und ich irre zwischen weiszen Blumen und weiszen Raben
weiszen Ringen Wasser
in fremden Flüssen und Gärten
und ahne Mond:

Mond eingenäht in sein Gewand
in sein klirrendes Gewand in sein Haar
feucht und verklärt
in sein Diarium in seine Narbe

wenn meines Hierseins dunkle Treublume und mein trauriger
                    Sommerprinz
Fried und Freud verspeisen
Blumen
Blumen aus Flüssen aus dem See:

                    (wer will uns scheiden?)

deine Schritte haben für mich gewacht und
der neue Tag und alle Lande
o! Morgenstern das ist mir lieb ..

unüberwindlich starker heiliger Michael offen und blau und
                    hart
in Gebüschen von Kamillen und Holunder

MARIE LUISE KASCHNITZ
(1901–1974)

Marie Luise Kaschnitz stammte aus einer badischen Adels-
familie und wuchs in Potsdam und Berlin auf. Nach dem Abitur
arbeitete sie in Weimar, München und Rom als Buchhändlerin,
heiratete einen Wiener Archäologen, den sie auf zahlreichen
ausländischen Studienreisen begleitete. Von 1932 bis 1955
wohnte sie wieder in Deutschland. Sie schrieb zunächst
Prosa, dann auch Gedichte, trat aber erst nach dem Zusam-
menbruch des Nazi-Regimes mit eigenen Gedichtsammlungen hervor. Sie lebte eine Zeitlang in Rom, später nach dem
Tod ihres Mannes (1958) in Frankfurt am Main.
Marie Luise Kaschnitz veröffentlichte ihre zahlreichen öffentlichen und privaten Gedichte in mehreren Sammlungen, war
eine glänzende Essayistin und verfaßte Hörspiele und Erzählungen. 1960 war sie Gastdozentin auf dem Frankfurter Lehrstuhl für Poetik.

DIE KATZE

Die Katze, die einer fand, in der Baugrube saß sie und schrie.
Die erste Nacht, und die zweite, die dritte Nacht.
Das erste Mal ging er vorüber, dachte an nichts
Trug das Geschrei in den Ohren, fuhr auf aus dem Schlaf.
Das zweite Mal beugte er sich in die verschneite Grube
Lockte vergeblich den Schatten, der dort umherschlich.
Das dritte Mal sprang er hinunter, holte das Tier.
Nannte es Katze, weil ihm kein Name einfiel.
Und die Katze war bei ihm sieben Tage lang.
Ihr Pelz war gesträubt, ließ sich nicht glätten.
Wenn er heimkam, abends, sprang sie ihm auf die Brust,
    ohrfeigte ihn.
Der Nerv ihres linken Auges zuckte beständig.
Sie sprang auf den Vorhang im Korridor, krallte sich fest
Schwang hin und her, daß die eisernen Ringe klirrten.
Alle Blumen, die er heimbrachte, fraß sie auf.
Sie stürzte die Vasen vom Tisch, zerfetzte die Blütenblätter.
Sie schlief nicht des Nachts, saß am Fuß seines Bettes
Sah ihn mit glühenden Augen an.
Nach einer Woche waren seine Gardinen zerfetzt
Seine Küche lag voll von Abfall. Er tat nichts mehr
Las nicht mehr, spielte nicht mehr Klavier
Der Nerv seines linken Auges zuckte beständig.
Er hatte ihr eine Kugel aus Silberpapier gemacht
Die sie lange geringschätzte. Aber am siebenten Tag
Legte sie sich auf die Lauer, schoß hervor
Jagte die silberne Kugel. Am siebenten Tag
Sprang sie auf seinen Schoß, ließ sich streicheln und schnurrte.
Da kam er sich vor wie einer, der große Macht hat.
Er wiegte sie, bürstete sie, band ihr ein Band um den Hals.
Doch in der Nacht entsprang sie, drei Stockwerke tief
Und lief, nicht weit, nur dorthin, wo er sie
Gefunden hatte. Wo die Weidenschatten
Im Mondlicht wehten. An der alten Stelle
Flog sie von Stein zu Stein im rauhen Felle
Und schrie.

FRAUENFUNK

Eines Tages sprech ich im Rundfunk
Gegen Morgen wenn niemand mehr zuhört
Meine gewissen Rezepte

Gießt Milch ins Telefon
Laßt Katzen hecken
In der Geschirrspülmaschine
Zerstampft die Uhren im Waschtrog
Tretet aus Euren Schuhen

Würzt den Pfirsich mit Paprika
Und das Beinfleisch mit Honig

Lehrt eure Kinder das Füchsinneneinmaleins
Dreht die Blätter im Garten auf ihre Silberseite
Beredet euch mit dem Kauz

Wenn es Sommer wird zieht euren Pelz an
Trefft die aus den Bergen kommen
Die Dudelsackpfeifer
Tretet aus Euren Schuhen

Seid nicht so sicher
Daß es Abend wird
Nicht so sicher
Daß Gott euch liebt.

NUR DIE AUGEN

Tauft mich wieder
Womit?
Mit dem nächstbesten Wasser
Dem immer heiligen.
Legt mir die Hand auf
Gebt mir den nächstbesten Namen
Einen geschlechtslosen
Frühwind- und Tannennamen
Für das letzte Stück Wegs.
Verwandelt mich immerhin
Nur meine Augen laßt mir
Diese von jeher offen
Von jeher tauglich.

DAGMAR NICK
(1926)

Dagmar Nick wurde in Breslau geboren und lebte seit 1933 in Berlin. Nach Kriegsende wechselte sie mehrfach den Wohnsitz. In München studierte sie Graphologie und Psychologie; mehrere Jahre lebte sie in Israel.

Ihr erstes Gedicht erschien 1945 in der von Erich Kästner herausgegebenen »Neuen Zeitung« in München.

1947 veröffentlichte sie ihren ersten Gedichtband »Märtyrer« (»Für jene, die die Konzentrationslager erlebten«). Es folgten weitere Sammlungen, Essays und Reisebeschreibungen.

GENESIS 3, 14

Schlange,
Fleisch meines Fleisches,
Anruf des Blutes,
geschwisterlich mir gepaart:
wir tragen die Frucht aus,
das Scheusal Liebe,
die Angst, Unheil zu gebären.

Mitternachts
streifen wir eine Haut ab
und werben für Unzucht,
stahläugig, ewig offenen Lids,
kriechen auf unserem Bauch
ein Leben lang,
lieben und speien Verachtung
über die Zahnlosen,
die Einzüngigen.

Laß uns den Sabbath feiern,
Schlange,
einen Menschen begraben,
Erde fressen,
die Erde verteidigen,
ehe wir werden wie sie.

AN EINE DIFFAMIERTE DAME

Freundin, mein schuppiges Luder,
wer wollte sich nicht an dir messen,
Erkenntnisträchtige,
bäuchlings einen Biß mit dir tauschen
und Giftbäume plündern,
um zu wissen, wo Gott wohnt!

Du hast die Erde bevölkert, Schöne,
und man hat dich verflucht,
eingefangen als Corpus delicti,
Erfindung der Erbsünder. Lache,
mein schuppiges Luder,
und räche dich an den Lechzenden,
fahre den Heuchlern ans Bein,
schlage ihnen ein Schnippchen, den Kerlen
aus Adams Geschlecht.

ROSE AUSLÄNDER
(1907)

> *»Warum schreibe ich? Vielleicht weil ich in*
> *Czernowitz zur Welt kam, weil die Welt*
> *in Czernowitz zu mir kam. Jene besondere*
> *Landschaft. Die besonderen Menschen.*
> *Märchen und Mythen lagen in der Luft,*
> *man atmete sie ein.«*

Rose Ausländer hat mit Paul Celan und auch mit der um wenige Jahre älteren Klara Blum die geistig ungemein anregende
Geburtsstadt im damaligen Alt-Österreich, heute Rumänien,
gemeinsam. Sie studierte dort Literaturwissenschaft und Philosophie, begann mit siebzehn Jahren Verse zu schreiben,
veröffentlichte 1939 ihren ersten Gedichtband, der wie ihre
Tagebücher und die meisten Manuskripte in den Kriegswirren
verlorenging. 1941 besetzten Nazi-Truppen die Stadt, es folgten für die Jüdin Jahre des Elends und Ghettolebens. 1946
wanderte sie in die USA aus, wo sie als Korrespondentin und
Übersetzerin arbeitete. Nach längerem Schweigen begann sie
wieder zu schreiben, zunächst in Englisch, seit 1956 wieder
in ihrer deutschen Muttersprache. Seit 1964 lebt sie in der
Bundesrepublik und veröffentlichte seit 1965 zahlreiche Gedichtbände. 1976 erschien die erste Gesamtausgabe ihres
umfangreichen lyrischen Werks.

KÄTHE KOLLWITZ

Im Schatten der Mütter
haben Kinder
das Gruseln erlernt

In ihren Augenhöhlen
nisten
Hungervögel

Angstwangen
Schwarz an Schwarz

MIT DEM SIEB

Mit dem Sieb
schöpfe ich Wasser
für meine Mühle

halte die Flügel in Gang
mit meinem Atem

mahle
den Hunger

AM STRAND

Meine Freundin am Strand
die vierjährige Mulattin
lacht das gelockte Lachen
ihrer Rasse

In ihren Augen badet das Meer
ihr Haar ist ein Schwarm Schwalben
die Hand eine bronzene Blüte

Sie schaufelt Sonne in den Blecheimer
schüttet sie in meine Hand
lacht ein Echo in den Sand

Ihr Schatten durchschneidet den Schatten
eines blonden Knaben
Eine Minute steht das Kreuz
in Glanz gehaun
dann zerbricht es
in zwei entgegengesetzte Bewegungen

Komm kleine Freundin
der Sand ist reif
wir wollen baun
ein Haus eine Stadt ein Land
füll deinen Eimer mit Sonne
lach um uns ein
weltweites Echo

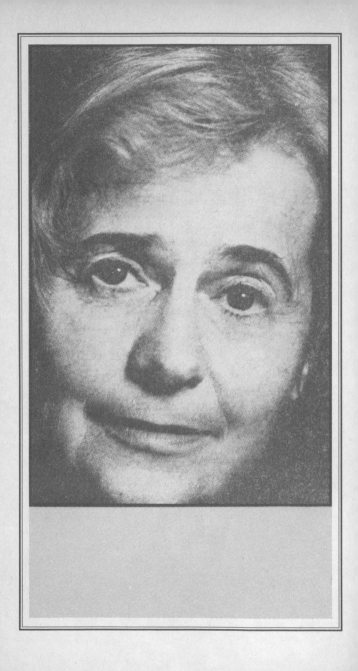

HILDE DOMIN
(1912)

>*Ich, H. D., bin erstaunlich jung. Ich kam erst
1951 auf die Welt. Weinend, wie jeder in diese
Welt kommt. Es war nicht in Deutschland, obwohl Deutsch meine Muttersprache ist. Es wurde spanisch gesprochen, und der Garten vor
dem Haus stand voller Kokospalmen.*«

Mit diesen Worten beschreibt Hilde Domin ihre literarische
Geburt im lateinamerikanischen Exil, nach dem sie ihr Pseudonym wählte.
Tatsächlich kam sie in Köln zur Welt, begann das Studium in
Heidelberg, promovierte in der italienischen Emigration mit einer staatsrechtlichen Arbeit, floh gemeinsam mit ihrem Mann,
einem promovierten Kunsthistoriker, vor dem Faschismus
nach England und schließlich nach St. Domingo. 1954 kehrte
sie in die Bundesrepublik zurück und veröffentlichte seit 1959
kontinuierlich ihre Lyrikbände. Hilde Domin ist auch Erzählerin, Interpretin, Herausgeberin und eine bedeutende Literatur-
theoretikerin mit gesellschaftlich-moralischem Engagement.
So schrieb sie auch über die »Schwierigkeiten, eine berufs-
tätige Frau zu sein« und erinnerte an Autorinnen, die sich umgebracht haben, »weil es absolut nicht mehr ging«.

GEBURTSTAGE

1

Sie ist tot

heute ist ihr Geburtstag
das ist der Tag
an dem sie
in diesem Dreieck
zwischen den Beinen ihrer Mutter
herausgewürgt wurde
sie
die mich herausgewürgt hat
zwischen ihren Beinen

sie ist Asche

2

Immer denke ich
an die Geburt eines Rehs
wie es die Beine auf den Boden setzte

3

Ich habe niemand ins Licht gezwängt
nur Worte
Worte drehen nicht den Kopf
sie stehen auf
sofort
und gehn

WORT UND DING

Wort und Ding
lagen eng aufeinander
die gleiche Körperwärme
bei Ding und Wort

WER ES KÖNNTE

Wer es könnte
die Welt
hochwerfen
daß der Wind
hindurchfährt.

Foto: Hilde Zeemann

ILSE AICHINGER
(1921)

GEBIRGSRAND

Denn was täte ich,
wenn die Jäger nicht wären, meine
Träume,
die am Morgen
auf der Rückseite der Gebirge
niedersteigen, im Schatten.

Mit kritischer Phantasie, befremdend-umkehrenden Figuratio-
nen verrückt die Schriftstellerin Ilse Aichinger Wirklichkeit ins
Gleichnishaft-Traumhafte, um daraus Verlorenheit, Angst und
Bedrohung des empfindenden Menschen in unerträglicher
Kenntlichkeit auftauchen zu lassen.
Ilse Aichinger verlebte die Kindheitsjahre in Wien und Linz;
während der Besetzung Österreichs durch Hitler war sie mit
ihrer Familie der Verfolgung ausgesetzt. Nach Kriegsende
begann sie das Studium der Medizin, widmete sich aber bald
ganz der Literatur. Bereits mit ihrem ersten Roman ›Die
größere Hoffnung‹ (1948), in dem sie sich mit der nazistischen
Judenverfolgung auseinandersetzt, gelang ihr der schriftstel-
lerische Durchbruch. Es folgten viel beachtete Erzählungen,
Hörspiele und Dialoge, zuletzt der Band ›Schlechte Wörter‹
(1976). Ilse Aichinger arbeitete an verschiedenen österreichischen und deutschen Zeitschriften mit, wirkte als Verlagslek-
torin und war am Aufbau der Hochschule für Gestaltung in Ulm
beteiligt. 1953 heiratete sie den Schriftsteller Günter Eich; seit
1963 lebt sie in Großgmain bei Salzburg.
Die hier abgedruckten Gedichte Ilse Aichingers sind dem
Band ›Verschenkter Rat‹ (1978) entnommen, der ihre bisher
verstreut oder noch nicht veröffentlichten Gedichte, die seit
1958 entstanden, zum ersten Mal gesammelt vorstellt.

FINDELKIND

Dem Schnee untergeschoben,
den Engeln nicht genannt,
kein Erz, kein Schutz,
den Feen nicht vorgewiesen,
in Höhlen nur verborgen
und ihre Zeichen behende
aus den Waldkarten geschafft.
Ein toller Fuchs
beißt es und wärmts,
erweist ihm rasch die ersten Zärtlichkeiten,
bis er sich zitternd und gepeinigt
zum Sterben fortbegibt.
Wer hilft dem Kind?
Die Mütter
mit ihrer alten Angst,
die Jäger
mit den verfälschten Kartenbildern,
die Engel
mit den warmen Flügelfedern,
aber ohne Auftrag?
Kein Laut,
kein Schwingen in der Luft,
kein Tappen auf dem Boden.
Dann komm doch du noch einmal,
alter, toller Helfer,
schleif dich zurück zu ihm,
beiß es, verkratz es,
wärm es, wenn deine Räubertatzen
                                noch warm sind,
denn außer dir kommt keiner,
sei gewiß.

TAGSÜBER

Ein ruhiger Junitag
bricht mir die Knochen,
verkehrt mich,
schleudert mich ans Tor,
hängt mir die Nägel an,
die mit den Farben
gelb, weiß und silberweiß,
verfehlt mich nicht,
mit keinem,
läßt nur die Narrenmütze fort,
mein Lieblingsstück,
würgt mich
mit seinen frischen Schlingen
solang bis ich noch atme.
Bleib, lieber Tag.

NACHRUF

Gib mir den Mantel, Martin,
aber geh erst vom Sattel
und laß dein Schwert, wo es ist,
gib mir den ganzen.

RENATE RASP
(1935)

Renate Rasp wurde in Berlin geboren. Nach zwei Jahren Schauspielschule ging sie zur Kunstakademie in Berlin, dann nach München, arbeitete als Schriftgraphikerin und lebt heute als freie Schriftstellerin abwechselnd in München und Cornwall.

Ihr Werk denunziert jegliche Form von Herrschaft über den Menschen durch Erziehungsdiktatur (»Ein ungeratener Sohn«), geschlechtsspezifische Rollenerwartung (»Eine Rennstrecke«) und Forderung marktgerechten Funktionierens (»Chinchilla, Leitfaden zur praktischen Ausführung«).

VORLÄUFIG

Meine eigene Figur
wie sie sich bewegt
nach dem Essen
ihr Geschirr abspült
eine Zigarette
anzündet, von
weit weg sehe ich
sie da sitzen zwischen
einem Tisch und
einer Couch
eingepreßt in
einen Kopf Arme Hals –
Wie sie zappelt
statt der Zigarette
ihren Finger anbrennt.
Es sieht aus
als ob sie sich
doch noch
herausschlagen
könnte.

RUSSISCH LEDER

Ich
bin heute
ganz weich
und grenzenlos
mitleidig.
Mit einem scharfen
Wasserstrahl
schlage ich auf
dich ein.
Vorher binde ich
dir die Hände
zusammen.
Ich sperre dich
in den Keller.
Ich weine vor der Tür.

BILDNIS

Ich rasiere
mir den Kopf.
Ohne Zähne
sehe ich dich
aus zwei dicken
Warzen an.
Mein Mund
wenn ich lache!
Ich bin fleckig.
Ich antworte
mit Gestank.
Meine Fingerspitzen
sind scharf und
ich säge Holz
mit den Händen.
Ich fühle mich
kalt an. Wenn
ich aufstehe
bleibt auf
dem Stuhl eine
Haut zurück.
Ich fresse
meinen eigenen Dreck.
Ich bin Dreck
in einem Haufen
schmutziger Wäsche.
Sage bloß
daß du mich nicht liebst, jetzt!

HELGA NOVAK
(1935)

Helga Novak wurde in Berlin geboren, studierte Philosophie und Journalistik in Leipzig, heiratete nach Island, arbeitete dort in verschiedenen Berufen und begann zu schreiben. Seit 1968 lebt sie als freie Schriftstellerin in Frankfurt.

Helga Novak schreibt vor allem politische und Zeitgedichte, häufig in Balladenform. Sie greift damit auf eine Gattung zurück, die nach ihrer bürgerlichen Neubelebung zu Beginn des zwanzigsten Jahrhunderts – an der vor allem auch Frauen beteiligt waren (Miegel, Strauß und Torney) – in der sozialistischen Literatur weiterlebte. Sie ist auch Autorin von Funkszenen und Erzählungen, in denen sie vorwiegend die Existenzsituation gesellschaftlicher Randgruppen darstellt. Sie gab ein Lesebuch zur Emanzipation heraus (gemeinsam mit Horst Karasek) und berichtete über ihre mehrwöchige Arbeit auf einem von Landarbeitern besetzten herzoglichen Gut in Portugal (»Die Landnahme von Torre Bela«).

GENERALSTRÄNEN

ein halbes Jahrhundert nach dem Aufstand der Hereros fand
der Lettow-Vorbeck auf dem Schlachtfeld Hamakari am Water-
berg in Südwestafrika den Termitenhügel wieder neben dem
sein Stellungsgraben gelegen hatte

> dort hat er einst einen totalen Krieg geführt
> dort hat er einst ein Volk ausgerottet

und weinte Freudentränen

die zwanzigmetertiefen Kuten in der Wüste in denen die ver-
jagten Hereroweiber vergeblich nach Nässe wühlten an deren
Rändern sie zu hunderten mit ihren Kindern verdorrt sind

> hat er nicht gefunden
> sie waren schon verweht

drum konnt er dort nicht weinen

BALLADE
VON DER KASTRIERTEN PUPPE

I
in Bayern wo die Dörfer
alt und finster sind
lebt ein Dorfschullehrer
mit Frau und Kind
er belehrt die Jungen
und die Mädchen all
über Fleiß und gute Sitten
und über den Sündenfall
>> doch eines Tages schickte
>> Tante Lucie aus Paris
>> der Bettina eine Puppe
>> die Hildebrand hieß
>> der Hildebrand konnte
>> lachen und weinen
>> und hatte ein Schwänzchen
>> zwischen den Beinen
was habe ich denn gemacht
meine liebe Mutter?

ich träume jede Nacht:
du kämst mit einem Messer
und hättest mich umgebracht!

2
Bettina springt herum
und tanzt einen Ringelreihen
sie läuft zu ihrem Vater
um die Puppe zu zeigen
»was eine Jungenpuppe
in meinem sauberen Haus?
das Ding fliegt gar bald
zu den Fenstern hinaus!
    weh dir ich seh dich
    mit Hildebrand spielen
    und dich mit dem Bengel
    auf der Straße rumsielen!
    wie konnte Tante Lucie
    sich dazu erdreisten?
    ich als Lehrer kann
    mir sowas nicht leisten.«
was habe ich denn gemacht ...

3
doch während der Herr Lehrer
als zuverlässiger Christ
am nächsten Sonntagmorgen
in der Dorfkirche ist
– die Mutter schläft noch
und taub ist ihr Ohr –
sucht Betti ihren Hildebrand
aus dem Kleiderschrank hervor
    zufällig wohnt ein Puppen-
    doktor im Hause nebenan
    dessen kinderlose Frau
    gar nicht anders kann
    als alles was geschieht
    emsig zu belauschen
    und jedes Ereignis
    gehörig aufzubauschen
    was habe ich denn gemacht ...

4
Frau Doktor gewöhnt
sich zu verstecken
stand eine Weile
hinter den Rosenhecken
und als sie Bettina
und Hildebrand schaut
überzieht sie sich ganz
und gar mit Gänsehaut
　　»Betti pfui schäm dich!
　　mit deiner Zunge
　　zu küssen zu schlecken
　　den Puppenjunge!«
　　Bettina erschrocken
　　stopft den Hildebrand
　　ins Blumenbeet und
　　tief in den Sand
was habe ich denn gemacht ...

5
Frau Doktor klagt und zetert:
»Betti du bist ja entartet!
ach deine arme Mutter
die gerade ein Baby erwartet!«
und der Herr Lehrer packte
das schuldlose Puppenkind
und eilte mit ihm hinüber
zum Puppendoktor geschwind
　　»Herr Doktor dieser Rüpel
　　der bringt mich noch ins Grab
　　schneiden Sie ihm doch bitte
　　sofort dieses Ding da ab!«
　　und zu Betti: »was heulst du
　　wie eine kleine Wilde?
　　aus deinem Hildebrand
　　wird eben eine Hilde!«
was habe ich denn gemacht ...

6

seitdem fing Bettina an
alles und jeden zu hassen
tagtäglich zerwirft sie
Teller und Tassen
die Mutter schlägt mit
der Stirn an die Scheibe
und sagt »Bettina
hat den Teufel im Leibe«
    der Vater kann Kinder-
    schmerz nicht ermessen
    er selber hatte Hilde-
    brand längst vergessen
    »warum lachst du nicht
    und singst keine Lieder
    für deine Mutter?
    sie kommt bald nieder!«
was habe ich denn gemacht ...

7

wer huscht durch Nachbars
Blumenbeete und Hecken
um die öde Puppenpraxis
bei Nacht zu entdecken?
wer klebt mit der Nase
am staubigen Werkstattfenster
und begutachtet dort
die blassen Puppengespenster?
    Bettina bewundert
    voller Entzücken
    die Augen die Stimmchen
    und die Perücken
    Nähzeug und Zangen
    kleine Messer Pinzetten
    »ach wenn wir doch auch
    solche Werkstatt hätten!«
was habe ich denn gemacht ...

8

Bettina klettert leise
ins leere Gartenhaus
und sucht sich eine Zange
und zwei Messerchen heraus
welche Freude! Bettina
singt und trällert wieder
denn ihre Mutter kam
mit einem Brüderchen nieder
    sie schleicht und trippelt
    auf Zehenspitzen heim
    dort oben der weiße Mond
    flüstert »laß sein, laß sein!
    wirf schnell die Zange
    und die Messerchen weg!«
    trotzdem hat Bettina alles
    in ihrem Zimmer versteckt
was habe ich denn gemacht ...

9

die Mutter sagt »Bettina
uns leuchtet neues Licht
jeder von uns beiden
hat nun seine Pflicht
du trägst deine Hilde
stolz und sicher im Arm
und ich halte den Christian
in seinem Bette satt und warm«
    doch kaum ist die Mutter
    ein paar Schritte gegangen
    sieht man Bettinas Hände
    nach Christians Decke langen
    »ich werde dir gleich helfen
    du verdammtes Luder!
    was machst du da eigentlich
    mit deinem kleinen Bruder?«
was habe ich denn gemacht ...

10

der Bruder schläft bei Betti
in ihrem Kinderzimmer
sie tappt um sein Lager
ohne einen Lichtschimmer
Sie preßt ihr dickes Kissen
dem Christian aufs Gesicht
»so magst du ruhig weinen
die Mutter hört es nicht.«

    Bettina tanzt und jubelt
    ist lustig wie eine Biene
    »Mutter ich habs geschafft
    aus Christian ward Christine!«
    die Mutter eilt ans Bettchen
    das Blut tropft ihr in den Schuh
    der Christian ist gestorben
    seine liebe Seele hat Ruh

was habe ich denn gemacht
meine liebe Mutter?
ich träume jede Nacht:
du kämst mit einem Messer
und hättest mich umgebracht

Foto: Roger Melis

SARAH KIRSCH
(1935)

*»Ich hoffe, daß Hexen, gäbe es sie,
diese Gedichte als Fachliteratur nutzen könnten«,*

erklärte Sarah Kirsch zu ihrem zweiten Gedichtband »Zauber-sprüche«. Tatsächlich lassen viele ihrer Gedichte die Ver-wandtschaft von Zauberei und Poesie erkennen.

Sarah Kirsch wurde im Harz geboren, begann ein Studium der Biologie, wechselte dann zum Institut für Literatur in Leipzig über, wo sie von 1963 bis 1965 studierte, und lebte seit 1968 in Ost-Berlin. Im August 1977 stellte sie einen Ausreiseantrag. Nach ihrer Unterzeichnung des Protests gegen die Ausbürge-rung des Ostberliner Liedermachers Biermann 1976 sah sie sich »unerträglichem Druck« ausgesetzt. Seit Herbst 1977 lebt sie in West-Berlin.

1965 gab Sarah Kirsch gemeinsam mit ihrem damaligen Mann, dem Schriftsteller Rainer Kirsch, den Lyrikband »Ge-spräche mit dem Saurier« heraus. Seit 1967 veröffentlichte sie drei weitere Gedichtsammlungen, ferner die Prosasammlung »Die Pantherfrau«, in der fünf Frauen über ihr alltägliches Le-ben in der DDR berichten, und die Erzählung »Die ungeheu-ren berghohen Wellen auf See« (beide 1973).

DER DROSTE WÜRDE ICH GERN WASSER REICHEN

Der Droste würde ich gern Wasser reichen
in alte Spiegel mit ihr sehen, Vögel
nennen, wir richten unsre Brillen
auf Felder und Holunderbüsche, gehen
glucksend übers Moor, der Kiebitz balzt
Ach, würde ich sagen, Ihr Lewin –
schnaubt nicht schon ein Pferd?

Die Locke etwas leichter – und wir laufen
den Kiesweg, ich die Spätgeborne
hätte mit Skandalen aufgewartet – am Spinett
das kostbar in der Halle steht
spielen wir vierhändig Reiterlieder oder
das Verbotene von Villon
Der Mond geht auf – wir sind allein

Der Gärtner zeigt uns Angelwerfen
bis Lewin in seiner Kutsche ankommt
der schenkt uns Zeitungsfahnen, Schnäpse
gießen wir in unsre Kehlen, lesen
Beide lieben wir den Kühnen, seine Augen
sind wie grüne Schattenteiche, wir verstehen
uns jetzt gründlich auf das Handwerk FISCHEN

SIEBEN HÄUTE

Die Zwiebel liegt weißgeschält auf dem kalten Herd
Sie leuchtet aus ihrer innersten Haut daneben das Messer
Die Zwiebel allein das Messer allein die Hausfrau
Lief weinend die Treppe hinab so hatte die Zwiebel
Ihr zugesetzt oder die Stellung der Sonne überm Nachbarhaus
Wenn sie nicht wiederkommt wenn sie nicht bald
Wiederkommt findet der Mann die Zwiebel sanft und das
   Messer beschlagen

RAUBVOGEL

Raubvogel süß ist die Luft
So kreiste ich nie über Menschen und Bäumen
So stürz ich nicht noch einmal durch die Sonne
Und zieh was ich raubte ins Licht
Und flieg davon durch den Sommer!

QUELLENVERZEICHNIS UND BIBLIOGRAPHIE

A. Quellenverzeichnis der Gedichte und Literaturhinweise zu den einzelnen Dichterinnen

Im folgenden Quellenverzeichnis erscheinen bei seltenen und schwer zugänglichen Originalausgaben, vor allem bei den bis zu Beginn dieses Jahrhunderts veröffentlichten Werken am Ende der bibliographischen Angaben in Klammern die Bibliotheksstandorte (mit den Ziffern des Deutschen Gesamtkatalogs). Im Anschluß an die Quellentitel folgen *kursiv* die jeweils der Ausgabe entnommenen Gedichte mit Seitenzahl der Originalausgabe. Die mit einem * versehenen Gedichttitel stammen von der Herausgeberin (das Gedicht hat dann im Original keinen Titel oder einen, der nur aus dem Zusammenhang im Originaltext verständlich ist).

Bei den Literaturhinweisen zu den Dichterinnen erscheinen folgende Abkürzungen:

ADB = Allgemeine Deutsche Biographie. Hg. durch die historische Kommission bei der königlichen Akademie der Wissenschaften. Bd. 1–56. – Leipzig 1875–1912

NDB = Neue Deutsche Biographie. Hg. von der historischen Kommission bei der Bayerischen Akademie der Wissenschaften. Bd. 1–10. – München 1953–1974 (mehr noch nicht erschienen)

KOSCH = Wilhelm Kosch: Deutsches Literatur-Lexikon. Biographisches und bibliographisches Handbuch. 2. Auflage. Bd. 1–4. – Bern 1949–1958

KUNISCH = Handbuch der deutschen Gegenwartsliteratur. Unter Mitw. von Hans Hennecke hg. von Herman Kunisch. 2. verb. und erw. Auflage. Bd. 1–3. – München 1969–1970

SCHRIFTSTELLER-LEXIKON = Günter Albrecht, Kurt Böttcher, Herbert Greiner-Mai, Paul Günter Krohn: Lexikon deutschsprachiger Schriftsteller. Von den Anfängen bis zur Gegenwart. Bd. 1–4. Kronberg Ts. 1974

ENDRES = Elisabeth Endres: Autorenlexikon der deutschen Gegenwartsliteratur 1945–1975. Frankfurt 1975 (Fischer Taschenbuch, Bd. 6289)

ILSE AICHINGER (1921)   S. 389–391

Werke: Wo ich wohne. Erzählungen, Dialoge, Gedichte. – Frankfurt 1963;
Verschenkter Rat. Gedichte.– Frankfurt 1978
Gebirgsrand, S. 7; *Findelkind*, S. 84; *Tagsüber*, S. 81; *Nachruf*, S. 60
Literatur: KUNISCH, SCHRIFTSTELLER-LEXIKON, ENDRES

SOPHIE ALBRECHT (1757–1840)   S. 143–147

Werke: Gedichte und Schauspiele. 2 Bde., Erfurt 1781, 1785. Bd. 2
unter dem Titel: Gedichte und prosaische Aufsätze. (36)
An meine entschlummerte Henriette Froriep, S. 49–52; *Im Junius 1783*,
S. 73

Gedichte und Schauspiele. 2. Auflage. – Dresden und Leipzig 1791 (6)
Sehnsucht, S. 121–123

Anthologie aus den Poesien von Sophie Albrecht. Ausgewählt und
herausgegeben von Friedr. Clemens. – Altona 1841 (18)
An die Freiheit, S. 98–99

Literatur: ADB

LOUISE ASTON (1814–1871)   S. 197–203

Werke: Wilde Rosen. Zwölf Gedichte. – Berlin 1846 (7)
Nachtphantasien, S. 40–43

Der Freischärler. Für Kunst und sociales Leben. Redigiert von Louise
Aston. Berlin 1848 (38)
Berlin am Abende des 12. November 1848, abgedruckt am 15. November 1848; In Potsdam, abgedruckt am 29. November 1848

Freischärler-Reminiscenzen. Zwölf Gedichte. – Leipzig 1850 (12)
Berlin am Abende des 12. November 1848, S. 8–9; *In Potsdam,*
S. 12–13; Lied einer schlesischen Weberin, S. 17–19
Literatur: Anna Blos, Frauen in der deutschen Revolution von 1848.
10 Lebensbilder. Dresden 1928; Renate Möhrmann, Die andere Frau.
Emanzipationsansätze deutscher Schriftstellerinnen im Vorfeld der
Achtundvierziger Revolution. – Stuttgart 1977; ADB, NDB

ROSE AUSLÄNDER (1907)   S. 381–383

Werke: Gesammelte Gedichte. Herausgegeben von Hugo Ernst Käufer
in Zusammenarbeit mit Berndt Mosblech. – Leverkusen 1976
Käthe Kollwitz, S. 270; *Am Strand*, S. 25; *Mit dem Sieb*, S. 257
Literatur: s. Gesammelte Gedichte

INGEBORG BACHMANN (1926–1973)   S. 363–367

Werke: Die gestundete Zeit. – München 1953;

Anrufung des großen Bären. – München 1956
An die Sonne, S. 68–69; Erklär mir, Liebe, S. 38–39

Literatur: NDB, KUNISCH, SCHRIFTSTELLER-LEXIKON, ENDRES

MARGARETE BEUTLER (1876–1949)   S. 279–283

Margarete Friedrich-Freksa, geb. Beutler

Werke: Gedichte. – Berlin [1903] (61)
Die Kommenden, S. 95–96;

Neue Gedichte. – Berlin 1908 (43)
Der Strom, S. 14

Leb' wohl, Boheme! – München 1911 (5)
Die Puppe, S. 40–41; Nach der Weinlese, S. 105

Literatur: A. Soergel/C. Hohoff, Dichtung und Dichter der Zeit. Vom Naturalismus bis zur Gegenwart. 2 Bde. – Düsseldorf 1961–1963, Bd. 1; KOSCH

KLARA BLUM (1904)   S. 337–343

Dshu Bai-Lan

Werke: Der weite Weg. – Berlin 1960 (60)
Nacht in der Krim, S. 9–10; Pflaumenblüte, S. 14; Brief nach China, S. 22–24; Mondmelodie, S. 35–37

Literatur: SCHRIFTSTELLER-LEXIKON

LOUISE BRACHMANN (1777–1822)   S. 153–157

Werke: Auserlesene Dichtungen. Herausgegeben und mit einer Biographie und Charakteristik der Dichterin begleitet von Prof. Schütz zu Halle. 2 Bde. – Leipzig 1834 (43)
Die Jahreszeiten, I, S. 249; Antigone, I, S. 233–234; Terzinen, I, S. 217; Griechenlied, II, S. IX–X

Literatur: [Adolf Müllner], Sappho. In: Morgenblatt für gebildete Stände. Oktober 1822. Stuttgart, S. 343–344; ADB, NDB, KOSCH

ADA CHRISTEN (1839–1901)   S. 219–223

Christiane von Breden, geb. Friederik

Werke: Lieder einer Verlorenen. – Hamburg 1868, ³1873 (6)
Elend, S. 43; Menschen, S. 45

Aus der Asche. Neue Gedichte. – Hamburg 1870 (5)
Asche (gekürzt), S. 13

Schatten. – Hamburg 1872 (6)

Aus der Tiefe. Neue Gedichte. – Hamburg 1878 (6)
Noth, S. 76; Ein Balg, S. 59–60

Literatur: Oskar Kataun, Storm als Erzieher. Seine Briefe an Ada
Christen. – Wien 1848; Paul Reimann, Ada Christen. In: Von Herder
bis Kisch. – Berlin 1961, S. 34–39; NDB, SCHRIFTSTELLER-
LEXIKON

MARIE EUGENIE DELLE GRAZIE (1864–1931)   S. 233–237

Werke: Gedichte. – Herzberg a. H. 1882, ²1884

Italienische Vignetten. – Leipzig 1892, ²1904

Sämtliche Werke. 9 Bde. – Leipzig 1911
*Neapel, Bd. 6 (»Italienische Vignetten«, S. 60–61); Dornröschen, Bd. 6
(»Gedichte«, S. 65–66); Kindheit, Bd. 6 (»Gedichte«, S. 19)*

Literatur: F. Milleker, Marie Eugenie delle Grazie, Leben und Werk. –
o. O. 1921; Alice Wengraf, Marie Eugenie delle Grazie. Versuch einer
geistgemäßen biographischen Skizze. – o.O. [1932]; NDB, KOSCH

LOUISE DITTMAR (um 1848)   S. 205

Werke: Brutus-Michel. Zweite vermehrte Auflage. – Darmstadt 1848
(36)
Die deutsche Republik, S. 13–14

EMMA DÖLTZ (1866–1950)   S. 265–269

Werke: Jugend-Lieder. – 1900 (nicht beschaffbar); 1917

Literatur: Aus dem Schaffen früher sozialistischer Schriftstellerinnen.
Herausgegeben von Cäcilia Friedrich. – Berlin 1966 (Darin: *Die Heim-
arbeiterin, S. 26; Kommt mit, S. 27; Hoffnung, S. 15)*; Marie Juchacz,
Sie lebten für eine bessere Welt. Lebensbilder führender Frauen des 19.
und 20. Jahrhunderts. – Berlin und Hannover [1955], S. 130–133

HILDE DOMIN (1912)   S. 385–387

Werke: Nur eine Rose als Stütze. Gedichte. – Frankfurt 1959

Hier. Gedichte. – Frankfurt 1964
Wer es könnte, S. 32

Ich will dich. Gedichte. – München 1970
Geburtstage, S. 40; Wort und Ding, S. 35

Von der Natur nicht vorgesehen. Autobiographisches. – München 1974

Literatur: KUNISCH, SCHRIFTSTELLER-LEXIKON, ENDRES

ANNETTE VON DROSTE-HÜLSHOFF (1797–1848)   S. 165–173

Werke: Sämtliche Werke. Herausgegeben in zeitlicher Folge geordnet
und mit einer Einleitung versehen von Clemens Heselhaus. Vierte
erweiterte Auflage. – Darmstadt 1963
*Das Fräulein von Rodenschild, S. 349; Am sechsten Sonntag nach
Pfingsten, S. 555; Am Turme, S. 124; Im Grase, S. 271; Der kranke Aar,
S. 65*

Literatur: Clemens Heselhaus, Annette von Droste-Hülshoff. Werk
und Leben. – Düsseldorf 1971; ADB, NDB, KOSCH, SCHRIFT-
STELLER-LEXIKON

MARIE VON EBNER-ESCHENBACH (1830–1916)   S. 229–231

Werke: Aphorismen (4. Aufl.), Parabeln und Märchen (3. Aufl.). –
Berlin 1893 (Gesammelte Schriften. Bd. 1)
Sankt Peter und der Blaustrumpf, S. 191–192

Literatur: NDB, SCHRIFTSTELLER-LEXIKON

LISBETH EISNER (1867–1949)   S. 271–273

Literatur: Aus dem Schaffen früher sozialistischer Schriftstellerinnen.
Herausgegeben von Cäcilie Friedrich. – Berlin 1966 (Darin: *Vormärz-
stürme, S. 5*). Persönl. Mitt. v. Freya Eisner, München

ELISABETH VON BRAUNSCHWEIG-LÜNEBURG
(1510–1558)   S. 69–73

Literatur: Iwan Franz, Elisabeth von Calenberg-Göttingen als Lieder-
dichterin. Ein Beitrag zur Charakteristik der Fürstin. In: Zeitschrift
des historischen Vereins für Niedersachsen. Hannover 1872 (Darin:
Neujahrslied für ihre Tochter Katharina*, S. 183–195; *Lebensbericht**,
S. 192–194)

ANNA RUPERTINA FUCHS (1657–1722)   S. 107–111

Werke: Poetische Schriften, samt einer Vorrede von dem Leben der Fr.
Fuchsin, ans Licht gestellt durch Friedrich Roth-Scholtzen. – Nürnberg
und Altdorf 1726 (23, 18)
Die Antwort*, S. 74–76; *Ruh-beglückte Einsamkeit*, S. 95–96

CLAIRE GOLL (1891–1977)   S. 307–309

Werke: (unter dem Namen Claire Studer) Mitwelt. – Berlin-Wilmers-
dorf 1918 (Der Rote Hahn. Bd. 20) (60)

Lyrische Films. Gedichte. – Basel und Leipzig 1922 (294)
An*, S. 25; *Zwölfuhrgefühl*, S. 28; *Entsündigung*, S. 30; *Aus dem
Tagebuch eines Pferdes*, S. 49

Literatur: KUNISCH (Yvan Goll)

CATHARINA REGINA VON GREIFFENBERG (1633–1694) S. 91–95

Werke: Tugend-übung/Sieben Lustwehlender Schäferinnen (1658). In:
Sieges-Seule der Buße und des Glaubens. Nürnberg 1675 (1a)
Gegen Amor*, S. 348

Geistliche Sonette, Lieder und Gedichte. – Nürnberg 1662. Reprograf.
Nachdruck: Darmstadt 1967
Gott-lobende Frülings-Lust, S. 225; *Auf die Fruchtbringende Herbst-
Zeit*, S. 243; *Über mein unaufhörliches Unglück*, S. 51; *Auf die ruhige
Nacht-Zeit*, S. 381

Literatur: H.-J. Frank, Catharina Regina von Greiffenberg. Leben und
Werk der barocken Dichterin. – Göttingen 1967; U. Herzog, Literatur
in Isolation und Einsamkeit. Catharina Regina von Greiffenberg und
ihr literarischer Freundeskreis. In: Deutsche Vierteljahresschrift 45
(1971), S. 515–546; P. Daly, Dichtung und Emblematik bei Catharina
Regina von Greiffenberg. – Bonn 1975; ADB, NDB, SCHRIFT-
STELLER-LEXIKON

KAROLINE VON GÜNDERODE (1780–1806)   S. 159–163

Werke: Gesammelte Dichtungen. Herausgegeben von Elisabeth Salomon. – München 1923

Gesammelte Werke. 3 Bde. 1920–1922. – Reprograf. Nachdruck: Bern 1970
Die Nachtigall, III, S. 69; Einstens lebt ich süßes Leben, III, S. 11–13; Hochroth, III, S. 10; Die eine Klage, II, S. 14; Die Töne, III, S. 9–10; Der Caucasus, II, S. 19

Literatur: Bettina von Arnim, Die Günderrode. 2 Bde. 1840; wiederabgedruckt in: Bettina von Arnim, Sämtliche Werke. Herausgegeben von W. Oehlke. Bd. 2. 1920; Margarete Mattheis, Die Günderrode. Gestalt. Leben. Wirkung. – 1934; A. Neumann, Caroline von Günderode. – Diss. Berlin 1957; Gisela Dischner, Die Günderrode. In: Bettina von Arnim: Eine weibliche Sozialbiographie aus dem 19. Jahrhundert. – Berlin 1977, S. 61–143; ADB, NDB, KOSCH

EMMY HENNINGS (1885–1948)   S. 305

Emmy Ball-Hennings

Werke: Die letzte Freude. – Leipzig 1913 (Der jüngste Tag. Nr. 5) (294)

Helle Nacht. Gedichte. – Berlin 1922 (12)
Traum, S. 45

Literatur: NDB (Hugo Ball), KOSCH, KUNISCH

RICARDA HUCH (1864–1947)   S. 333–335

Werke: Gedichte, Dramen, Reden, Aufsätze und andere Schriften. Herausgegeben von Wilhelm Emrich. – Köln, Berlin 1971 (Gesammelte Werke. Bd. 5)
Mein Herz mein Löwe (1944), S. 315; Aus dem 30jährigen Kriege: Frieden, S. 115–116

Literatur: Gertrud Bäumer, Ricarda Huch. In: Gestalt und Wandel. Frauenbildnisse. – Berlin 1939, S. 533–576; NDB, KUNISCH, SCHRIFTSTELLER-LEXIKON

MARIA JANITSCHEK (1860–1927)   S. 239–243

Werke: Irdische und unirdische Träume. Gedichte. – Berlin und
Stuttgart 1889 (24, 121)
Ein modernes Weib, S. 19–21

Im Sommerwind. Gedichte. – Leipzig 1895 (16)

Gesammelte Gedichte. Zweite vermehrte Auflage. – Stuttgart, Berlin,
Leipzig 1892 (24)

Gedichte. – München 1917
Nächtiges Elend, S. 78; Die alte Jungfer, S. 48

Literatur: M. Volsansky, Die Lyrik Marie Janitscheks. – Diss. Wien
1951 (Masch.); A. Soergel/C. Hohoff, Dichtung und Dichter der Zeit.
Vom Naturalismus bis zur Gegenwart. 2 Bde. – Düsseldorf 1961. 1963,
Bd. 1; KOSCH

ANNA LOUISA KARSCH (1722–1791)   S. 135–141

Werke: Auserlesene Gedichte. – Berlin 1764. Reprograf. Nachdruck:
Stuttgart 1966
*An den Dohmherrn von Rochow, S. 110–112; An Gott, S. 3–6; Das
Harzmoos, S. 339–340*

Gedichte. Nach der Dichterin Tode nebst ihrem Lebenslauff herausgegeben von Ihrer Tochter C L. v. Kl[enke]: geb: Karschin. – Berlin 1792
(5)
Lob der schwarzen Kirschen, S. 125–126

Literatur: E. Hausmann, Die Karschin. Friedrich des Großen Volks-
dichterin. Ein Leben in Briefen. – Frankfurt/M. 1933 (Darin: *Aus dem
Briefwechsel mit Gleim, S. 399, 404–405*); I. Molzahn, Die Karschin.
Eine ›Schlesische‹ Nachtigall. In: SCHLESIEN 10 (1965), S. 76–80;
ADB, SCHRIFTSTELLER-LEXIKON

MARIE LUISE KASCHNITZ (1901–1974)   S. 373–375

Marie Luise Freifrau von Kaschnitz-Weinberg

Werke: Neue Gedichte. – Hamburg 1957
Die Katze, S. 26–27

Dein Schweigen – Meine Stimme. Gedichte 1958–1961. – Hamburg
1962
Nur die Augen, S. 94

Kein Zauberspruch. Gedichte. – Frankfurt 1972
Frauenfunk, S. 22

Literatur: NDB, KUNISCH, SCHRIFTSTELLER-LEXIKON,
ENDRES

SARAH KIRSCH (1935)   S. 405–407

Werke: Landaufenthalt. Ebenhausen bei München 1969/1977
Der Droste würde ich gern Wasser reichen, S. 66

Zaubersprüche. – Ebenhausen bei München 1974
Sieben Häute, S. 9

Rückenwind. – Ebenhausen bei München 1977
Raubvogel, S. 74

Literatur: ENDRES

GERTRUD KOLMAR (1894–1943?)   S. 321–327

Gertrud Chodziesner

Werke: Das lyrische Werk. Herausgegeben von Friedhelm Kemp. –
München 1960
Die Dichterin, S. 9; Die Troglodytin, S. 39; Die gelbe Schlange, S. 213;
Asien (gekürzt), S. 590–592

Literatur: Hans Byland, Zu den Gedichten Gertrud Kolmars. – Diss.
Zürich 1971; KOSCH, KUNISCH, SCHRIFTSTELLER-LEXIKON

HERTHA KRÄFTNER (1928–1951)   S. 359–361

Werke: Warum hier? Warum heute? Gedichte, Skizzen, Tagebücher, aus-
gewählt und herausgegeben von Otto Breicha und Andreas Okopenko. –
Graz 1963 (170) ²1977
Betrunkene Nacht, S. 63; Dorfabend, S. 40; Wer glaubt noch, S. 51

Literatur: Paul Hühnerfeld, Hertha Kräftner. In: Zu Unrecht vergessen. Anthologie. Herausgegeben von Paul Hühnerfeld. – Hamburg
1957, S. 337–355

MARGARETHA SUSANNA VON KUNTSCH (1651–1716) S. 101–105

Werke: Sämtliche Geist- und weltliche Gedichte. Nebst einer Vorrede
von Menantes. Halle im Magdeburgischen 1720 (7) (Neudruck in
Vorbereitung)
Auf den Tod des fünftgebornen Söhnleins, den kleinen Chrisander, oder
C. K. den 22. November 1686*, S. 106–108; An einen guten Freund /
welcher mit der Königin Anna Exempel der Weiber Unbeständigkeit
beweisen wollte, S. 271–273

ISOLDE KURZ (1853–1944)   S. 249–255

Werke: Gedichte. – 1888, Zweite vermehrte Auflage 1891

Neue Gedichte. – 1905

Gesammelte Werke. 6 Bde. – München 1925. Bd. 1: Gedichte
*Panik, S. 172–173; Nein, nicht vor mir im Staube knien, S. 191; Geister
der Windstille, S. 149–153; Landregen, S. 212–213; Purpurne Abendröte, S. 222*

Literatur: Gertrud Bäumer, Isolde Kurz. In: Gestalt und Wandel.
Frauenbildnisse. – Berlin 1939, S. 527–537; Charlotte Nennecke, Die
Frage nach dem Ich im Werk von Isolde Kurz. Ein Beitrag zum
Weltbild der Dichterin. – Diss. München 1957; KUNISCH,
SCHRIFTSTELLER-LEXIKON

ELISABETH LANGGÄSSER (1899–1950)   S. 349–353

Werke: Gedichte. – Hamburg 1959 (Gesammelte Werke, ohne Bandnr.)
*Frühling 1946, S. 158; Daphne an der Sonnenwende, S. 162; Sommer-
ende, S. 167*

Literatur: KUNISCH, SCHRIFTSTELLER-LEXIKON

BERTA LASK (1878–1967)   S. 299–303

Werke: Stimmen. Gedichte. – Hannover 1919 (Die Silbergäule. Eine
neue Bücherreihe, Nr. 13/14) (35)
Die jüdischen Mädchen, S. 26–28; Die gemalte Madonna spricht, S. 15

Rufe aus dem Dunkel. Auswahl 1915–1921. – Berlin 1921 (294)
Selbstgericht, S. 17

Literatur: SCHRIFTSTELLER-LEXIKON

ELSE LASKER-SCHÜLER (1869–1945)   S. 293–297

Werke: Gedichte. 1902–1943. Herausgegeben von Friedhelm Kemp. –
München 1959 (Gesammelte Werke, Bd. 1)
*Urfrühling (1902), S. 23; Weltschmerz (1917), S. 94; Ein alter Tibettep-
pich (1911), S. 164; Mein stilles Lied (1911), S. 285; Es kommt der Abend
(1943), S. 342*

Literatur: Lasker-Schüler. Ein Buch zum 100. Geburtstag der Dichterin. Herausgegeben von Michael Schmid. – Wuppertal 1969; Dieter
Bänsch, Else Lasker-Schüler. Zur Kritik eines etablierten Bildes. –
Stuttgart 1971; Sigrid Bauschinger, Else Lasker-Schüler. – Heidelberg
1980; KOSCH, KUNISCH, SCHRIFTSTELLER-LEXIKON

CHRISTINE LAVANT (1915–1973) S. 355–357

Christine Habernig

Werke: Die Bettlerschale. Gedichte. – Salzburg 1956
Die Angst, S. 52; Sind das wohl Menschen*, S. 84; Sag mir ein Wort*,
S. 105*

Spindeln im Mond. – Salzburg 1959

Der Pfauenschrei. – Salzburg 1962

Literatur: KUNISCH, SCHRIFTSTELLER-LEXIKON, ENDRES

THEKLA LINGEN (1866–1931) S. 275–277

Werke: Am Scheideweg. – Berlin und Leipzig 1898, Zweite vermehrte
Auflage 1900 (38)
Ehe, S. 9; Forderung, S. 82; Mutter, S. 93

Aus Dunkel und Dämmerung. – Berlin und Leipzig 1902 (6)
Winterwanderung, S. 11; Die Befreite, S. 76

PAULA LUDWIG (1900–1974) S. 315–319

Werke: Die selige Spur. – München 1920 (Die neue Reihe 22) (6)

Der himmlische Spiegel. – Berlin 1927 (12)
An meinen Sohn, S. 52; O Wärme, S. 38

Dem dunklen Gott. – Dresden 1932 – Neudruck: 1974
Seit ich dich liebe, S. 73

Gedichte. – Hamburg 1937 (Das Gedicht. Blätter für Dichtung. Jg. 3.
1936/37. F. 13/14) (6)
*Späte Früchte, ohne Seitenangabe; Irdisches Osterlied, ohne Seiten-
angabe*

Gedichte. Eine Auswahl aus der Zeit von 1920–1958. – München [1958]

Literatur: KUNISCH

FRIEDERIKE MAYRÖCKER (1924) S. 369–371

Werke: Tod durch Musen. Poetische Texte. Nachwort Egon Gom-
ringer. – Darmstadt 1973
*Manchmal bei irgendwelchen zufälligen Bewegungen, S. 48; Ode an
die Vergänglichkeit, S. 86–87*

Literatur: ENDRES

SOPHIE MEREAU (1770–1806)   S. 149–151

Werke: Gedichte. 2 Bde. Berlin 1800. 1802 (51)
Feuerfarb, I, S. 67–69; An einen Baum am Spalier, I, S. 15

Literatur: Sophie Mereau, Kalthiskos. Faksimiledruck nach der Ausgabe von 1801–1802. Mit einem Nachwort von Peter Schmidt. Heidelberg 1972

Literatur: ADB, KOSCH, SCHRIFTSTELLER-LEXIKON

CLARA MÜLLER (1861–1905)   S. 259–263

Clara Müller-Jahnke

Werke: Mit roten Kressen. Ein Gedichtbuch. – Großenhain 1899 (1a)
Fabrikausgang, S. 52

Sturmlieder vom Meer. – Stuttgart 1901 (24)

Gesammelte Gedichte. Herausgegeben von Oskar Jahnke. 2 Bde. – Goslar 1907
Den Ausgesperrten, I, S. 51–52

Literatur: S. F. Mehring, Clara Müller-Jahnkes Gedichte. In: Gesammelte Schriften. Bd. 2. – Berlin 1961; Clara Zetkin, Eine Dichterin der Freiheit. In: Die Gleichheit. Nr. 7. 1899, S. 52; SCHRIFTSTELLER-LEXIKON

MARIE VON NAJMÁJER (1844–1904)   S. 225–227

Werke: Schneeglöckchen. –Wien 1868 (30)

Gedichte. Neue Folge. – Wien 1872 (30)

Neue Gedichte. – Stuttgart 1891 (24)
Sappho, S. 123–124; Einer Griechin, S. 18

Literatur: Karl Schrattenthal, Die deutsche Frauenlyrik unserer Tage. Mitgabe für Frauen und Töchter gebildeter Stände. – Leipzig 1892, S. 82–86

DAGMAR NICK (1926)   S. 377–379

Werke: Märtyrer. Gedichte. – München 1947

Das Buch Holofernes. – Gedichte. – München 1955

In den Ellipsen des Mondes. Gedichte. – Hamburg 1959

Zeugnis und Zeichen. Gedichte. – München 1969
An eine diffamierte Dame, S. 38; Genesis 3, 14, S. 39

Literatur: biographische Angaben siehe: Zeugnis und Zeichen

HELGA NOVAK (1935)   S. 397–403

Werke: Ballade von der reisenden Anna. – Neuwied und Berlin 1965
Generalstränen, S. 46

Balladen vom kurzen Prozeß. – Berlin 1975
Ballade von der kastrierten Puppe, S. 15–20

Literatur: ENDRES

LOUISE OTTO (1819–1895)   S. 207–211
Louise Otto-Peters

Werke: Gedichte. – Leipzig 1868 (34)

Mein Lebensgang. – Gedichte aus fünf Jahrzehnten. – Leipzig 1893
(31)
Klöpplerinnen, S. 61–62; Für alle, S. 262–264; Geständnis, S. 166–167

Literatur: Gertrud Bäumer, Gestalt und Wandel. Frauenbildnisse. –
Berlin 1939, S. 312–348; L. Mallachow, Biographische Erläuterungen
zu dem literarischen Werk von Louise Otto-Peters. In: Weimarer Beiträge 9, H. 1 (1963); SCHRIFTSTELLER-LEXIKON

ANNA OVENA HOYERS (1584–1655)   S. 75–81

Werke: Geistliche und weltliche Poemata. – Amsteldam 1650 (7) (Neu-
druck 1985)
*Auff / auff Zion, S. 216–219; Liedlein von den Gelt-liebenden Welt
Freunden, S. 294–298*

Literatur: Adah Blanche Roe, Anna Owena Hoyers. A poetess of the
seventeenth century. – Diss. Bryn Mawr, Penns. 1915; J. Fries, Die
deutsche Kirchenlieddichtung in Schleswig-Holstein im 17. Jahrhundert. – Diss. Kiel 1962

BETTY PAOLI (1815–1894)   S. 175–179
Elisabeth Glück

Werke: Gedichte. – Pesth 1841 – Zweite vermehrte Auflage, 1845 (6)
Einem Weltling, S. 182–183; Ich, S. 178–179

Nach dem Gewitter. Gedichte. – Pesth 1843 – Zweite um die Hälfte
vermehrte Auflage, 1850 (5)
Censor und Setzer, S. 264–266

Gedichte. Auswahl und Nachlaß. Herausgegeben von Marie von
Ebner-Eschenbach. – Stuttgart 1895 (43)

Literatur: Österreichisches Biographisches Lexikon. 1815–1850. Bd. 2.
– Graz, Köln 1959, S. 11–12; ADB

ELISABETH PAULSEN (1879–?)   S. 285–291

Werke: Jungfrauenbeichte. Gedichte. – 1908 (nicht beschaffbar)

Leben sagenhaft. Dichtungen. – Hagen i.W. 1913

Literatur: Julia Virginia, Frauenlyrik unserer Zeit. – Berlin ²1907
(Darin: *Gedichte an eine Frau, S. 145–149);* Neue deutsche Rundschau
18 (1907) (Darin: *Die Amazone, S. 883–884);* Herz zum Hafen.
Frauengedichte der Gegenwart. Herausgegeben von Elisabeth Langgässer unter Mitwirkung von Ina Seidel. – Leipzig 1933 (Darin: *Einer
weiß um mich, S. 80)*

LOUISE VON PLÖNNIES (1803–1872)   S. 185–193

Werke: Gedichte. – Darmstadt 1844 (21, 36)
*Tinctura thebaica, S. 219–221; Zwei Bäume, S. 6–7; Auf der Eisenbahn,
S. 182; Glas, S. 55–60*

Literatur: Heinrich Kurz, Geschichte der deutschen Literatur mit
ausgewählten Stücken aus den Werken der vorzüglichsten Schriftsteller.
4 Bde. Vierte berichtigte Auflage. – Leipzig 1881, Bd. 4, S. 218–222;
ADB

RENATE RASP (1935)   S. 393–395

Werke: Eine Rennstrecke. Gedichte. – Köln, Berlin 1969
Vorläufig, S. 9; Russisch Leder, S. 28; Bildnis, S. 60

Literatur: ENDRES

IDA VON REINSBERG-DÜRINGSFELD (1815–1876)   S. 181–183

Werke: Für Dich. Lieder. – Breslau 1851, ²1865 (nicht beschaffbar)

Literatur: Heinrich Kurz, Geschichte der deutschen Literatur mit
ausgewählten Stücken aus den Werken der vorzüglichsten Schriftsteller.
4 Bde. Vierte berichtigte Auflage. – Leipzig 1881 (Darin: *An Georges
Sand, Bd. 4, S. 102);* ADB

NELLY SACHS (1891–1970)   S. 345–347

Werke: Fahrt ins Staublose. – Frankfurt 1961
An Euch, die das neue Haus bauen, S. 9; O der weinenden Kinder der Nacht, S. 10;

Suche nach den Lebenden. – Frankfurt 1971
Einsamkeit, S. 21

Literatur: Gisela Bezzel-Dischner, Poetik des modernen Gedichts. Zur Lyrik von Nelly Sachs. Frankfurter Beiträge zur Germanistik 10. – 1970; Peter Sager, Nelly Sachs. – Diss. Bonn 1970; KUNISCH, SCHRIFTSTELLER-LEXIKON, ENDRES

SIBYLLA SCHWARZ (1621–1638)   S. 83–89

Werke: Deutsche Poetische Gedichte. Herausgegeben und verlegt durch M. Samuel Gerlach. – Danzig 1650 (I) – Anderer Teil Deutscher Poetischer Gedichte. – Danzig 1650 (II) (23, 30) (Neudruck 1980)
Auff ihren Abscheid auß Greiffswald, I, XLVIII–XLIX; Ist Lieb ein Feur, II, ohne Seitenangabe; Lied, II, ohne Seitenangabe; Ein Gesang wieder den Neidt (gekürzt), I, S. VI–X

Literatur: Christoph Hagen, Himmlische Hochzeit-Predigt auf der Seligen und fröhlichen Heimfahrt Der Jungfrauen Sibyllen Schwartzin Begräbnis 3. August 1638. Greifswald 1638; Critische Versuche. Greifswald 1741/42, Bd. I, S. 133–157 (Rezension der Deutschen Poetischen Gedichte); Helmut Ziefle, Sibylle Schwarz. Leben und Werk. – Bonn 1975

FRANCISCA STOECKLIN (1894–1931)   S. 311–313

Werke: Gedichte. – Bern 1920 (Schweizer Landesbibliothek Bern)
Im Traum, S. 23

Die singende Muschel. Neue Gedichte. – Zürich, Leipzig, Berlin [1925]; ohne Seitenangabe (12)
Die singende Muschel, An ein Mädchen, An eine Orange

Literatur: KOSCH

LULU VON STRAUSS UND TORNEY (1873–1956)   S. 245–247

Werke: Balladen und Lieder. – Jena 1902

Neue Balladen und Lieder. – Jena 1907

Reif steht die Saat. – Jena 1926, ²1936
Hertje von Horsbüll (1902), S. 108; Grüne Zeit, S. 162

Literatur: KUNISCH, SCHRIFTSTELLER-LEXIKON

JOHANNE CHARLOTTE UNZER (1725–1782)   S. 129–133

Werke: (Anonym) Versuch in Scherzgedichten. – Halle 1751 (7)
Die Sommernacht, S. 17–19

(Anonym) Versuch in Scherzgedichten. Zweyte, veränderte und vermehrte Auflage. – Halle 1763 (45)
Nachricht, S. 46; Der Sieg der Liebe, S. 39–41

(Anonym) Versuch in Scherzgedichten. Dritte, veränderte Auflage. – Halle 1766 (70)

Versuch in sittlichen und zärtlichen Gedichten. – Halle 1754 (61, 45); Halle ²1766 (Neudruck in Vorbereitung)
Die Ruhe, S. 78–79

Fortgesetzte Versuche in sittlichen und zärtlichen Gedichten. – Rinteln 1766 (45)

Literatur: Thomas Gehring, Johanne Charlotte Unzer-Ziegler. 1725–1782. Ein Ausschnitt aus dem literarischen Leben in Halle, Göttingen und Altona. – Bern, Frankfurt/M. 1973 (Europäische Hochschulschriften. Reihe I. Bd. 78.); ADB, KOSCH

SIDONIA HEDWIG ZÄUNEMANN (1714–1740)   S. 121–127

Werke: Poetische Rosen in Knospen. – Erfurt 1738 (7, 22)
Andächtige Feld- und Pfingst-Gedanken (gekürzt), S. 117–127; Über die Wiege eines Kindes, S. 628; Das unter Gluth und Flammen ächzende ERFURT, Den 21ten Oct. 1736 (gekürzt), S. 538–547; Jungfern-Glück*, S. 497–498

Die von denen Faunen gepeitschte Laster. – Frankfurt und Leipzig 1739 (21)

Literatur: Göttingische Zeitungen von Gelehrten Sachen. 10. Stück Febr. 1741, S. 78–80 (Todesnachricht); S. Cassel, Erfurt und die Zäunemannin. In: Weimarisches Jahrbuch für Deutsche Sprache, Litteratur und Kunst. Bd. 3 (1855), S. 426–57; G. Brinker-Gabler, Das weibliche Ich. Überlegungen zur Analyse von Werken weiblicher Autoren mit einem Beispiel aus dem 18. Jahrhundert: Sidonia Hedwig Zäunemann. In: Die Frau als Heldin und Autorin. Neue kritische Ansätze zur deutschen Literatur. 10. Amhrster Kolloquium zur Deutschen Literatur. – Bern 1979; ADB, KOSCH

SUSANNA ELISABETH ZEIDLER (um 1686)   S. 97–99

Werke: Jungferlicher Zeitvertreiber. Das ist Allerhand Deudsche Gedichte / Bey Häußlicher Arbeit / und stiller Einsamkeit verfertiget und zusammen getragen. – Leipzig 1686 (35) (Neudruck in Vorbereitung)
An einen bekannten Freund (gekürzt), S. 55–57; Beglaubigung der Jungfer Poeterey, S. 31

CHRISTIANA MARIANA VON ZIEGLER (1695–1760)   S. 113–119

Werke: Versuch in gebundener Schreib-Art. – Leipzig 1728 (43)

Vermischete Schriften in gebundener und ungebundener Rede. – Göttingen 1739 (38)
Das männliche Geschlecht, im Namen einiger Frauenzimmer besungen (gekürzt), S. 67–71; Als sie ihr Bildniß schildern sollte, S. 293–294; Auf einen schönen und artigen Papagoy, S. 297–298; Ode, S. 116–117; Die Dichterin und die Musen*, S. 295–296

Literatur: Philipp Spitta, Christiane Mariane (!) von Ziegler und J. S. Bach. In: Zur Musik. Sechzehn Aufsätze. – Berlin 1892, S. 97–118; ADB, KOSCH

HEDDA ZINNER (1905)   S. 329–331

Werke: Fern und nah. Gedichte und Lieder. – Weimar 1947 (61)
Deutsches Volkslied 1935, S. 23 (Erstdruck in: Zwei Welten. Monatsschrift zum Studium der deutschen Sprache. Moskau. Jg. 6 (1935), Nr. 5, S. 26)

Literatur: SCHRIFTSTELLER-LEXIKON

KATHINKA ZITZ-HALEIN (1801–1877)   S. 213–217

Werke: Herbstrosen in Poesie und Prosa. – Mainz 1846 (77)
Farbenwechsel, S. 233–234

Dur- und Molltöne. Neuere Gedichte. – Mainz 1859 (36)
Jeanne Manon Philipon-Roland, S. 214–215; Vorwärts und Rückwärts, S. 79–80; Für einen übertreibenden Deutschthümler, S. 300

Literatur: ADB

B. Allgemeine Literaturhinweise*

1. Frauen und Literatur

ÄSTHETIK UND KOMMUNIKATION 7(1976), Heft 25: Frauen/Kunst/ Kulturgeschichte

BÄNSCH, DIETER: Naturalismus und Frauenbewegung. In: Helmut Scheuer (Hrsg.): Naturalismus. Bürgerliche Dichtung und soziales Engagement. – Berlin, Köln 1974, S. 122–149

BECKER-CANTARINO, BARBARA (Hrsg.): Die Frau von der Reformation zur Romantik. Die Situation der Frau vor dem Hintergrund der Literatur- und Sozialgeschichte. – Bonn 1980

BERGER, RENATE u. a. (Hrsg.): Frauen – Weiblichkeit – Schrift. – Berlin 1985

BITHELL, JETHRO: The Woman Writers. In: Modern German Literature (1880–1950). – London 1939

BOCH, GUDRUN: Feministische Literaturwissenschaft. Eine Bilanz und ein Plädoyer. In: Frauenstudien. Theorie und Praxis in den USA und Großbritanien. – Berlin 1981

BOVENSCHEN, SILVIA: Über die Frage: gibt es eine weibliche Ästhetik? In: Ästhetik und Kommunikation 7(1976), Heft 25, S. 60–75

—: Die imaginierte Weiblichkeit. Exemplarische Untersuchungen zur kulturgeschichtlichen und literarischen Präsentation des Weiblichen. Frankfurt 1979

BRINKER-GABLER, GISELA: Die Schriftstellerin in der deutschen Literaturwissenschaft. Aspekte ihrer Rezeption von 1835 bis 1910. In: Die Unterrichtspraxis 9(1976) 1, S. 15–28

—: Das weibliche Ich. Überlegungen zur Analyse von Werken weiblicher Autoren mit einem Beispiel aus dem 18. Jahrhundert. In: Wolfgang Paulsen (Hrsg.): Die Frau als Heldin und Autorin. – Berlin 1979, S. 55–65

—: Die Frau ohne Eigenschaften. Hedwig Dohms »Christa Ruland«. In: Feministische Studien 3(1984) 1, S. 117–127

—: Der leere Spiegel. Franziska zu Reventlows »Ellen Olestjerne«. Nachwort in: F. z. Reventlow: Ellen Olestjerne. – Frankfurt a. M. 1985, S. 239–255

—: Feminismus und Moderne: Brennpunkt 1900. In: Wilfried Barner u. a. (Hrsg.) Traditionalismus und Modernismus. Kontroversen um den Avantgardismus. – Tübingen 1986

— und KAROLA LUDWIG, ANGELA WÖFFEN: Lexikon deutschsprachiger Schriftstellerinnen. 1800–1945. – München 1986

DAS BESONDERE DER FRAUENDICHTUNG. Mit Beiträgen von Marie Luise Kaschnitz, Ilse Langner und Oda Schaefer. In: Jahrbuch der Deutschen Akademie für Sprache und Dichtung. – Darmstadt 1957, S. 59–76

---

* Für die Neuauflage von 1986 wurden die Literaturhinweise ergänzt. G. B.-G.

BURKHARD, MARIANNE (Hrsg.): Gestaltet und gestaltend. Frauen in der deutschen Literatur. – Amsterdam 1980 (Amsterdamer Beiträge zur neueren Germanistik, 10)

CIXOUS, HÉLÈNE: Die unendliche Zirkulation. Weiblichkeit in der Schrift. – Berlin 1977

COCALIS, SUSAN und KAY GOODMAN (Hrsg.): Beyond the Eternal Feminine. Critical Essays on German Women and German Literature. Stuttgart 1982

DISCHNER, GISELA: Bettina von Arnim. Eine weibliche Sozialbiographie aus dem 19. Jahrhundert. – Berlin 1978

—: Caroline und der Jenaer Kreis. Ein Leben zwischen bürgerlicher Vereinzelung und romantischer Geselligkeit. – Berlin 1979

DREWITZ, INGEBORG: Bettina von Arnim. Romantik – Revolution – Utopie. – München 1978

FRAUEN SEHEN IHRE ZEIT. Literaturausstellung des Landesfrauenbeirats Rheinland-Pfalz. – Mainz 1984

FREDERIKSEN, ELKE: Deutsche Autorinnen im 19. Jahrhundert. Neue kritische Ansätze. In: Colloquia Germanica. Internationale Zeitschrift für germanische Sprach- und Literaturwissenschaft 14 (1981), S. 152–163

FRIEDRICHS, ELISABETH: Die deutschsprachigen Schriftstellerinnen des 18. und 19. Jahrhunderts. – Stuttgart 1981

GÖLTER, WALTRAUD: Zukunftssüchtige Erinnerung. Aspekte weiblichen Schreibens. In: Psyche 37 (1983) 7, S. 642–668

GÖTTNER-ABENDROTH, HEIDE: Die tanzende Göttin. Prinzipien einer matriarchalen Ästhetik. – München 1982

GOETZINGER, GERMAINE: Für die Selbstverwirklichung der Frau: Louise Aston. – Frankfurt 1983 (Die Frau in der Gesellschaft – Texte und Lebensgeschichten)

GROSS, HEINRICH: Deutsche Schriftstellerinnen in Wort und Bild. 3 Bde. – Berlin 1895

HADINA, EMIL: Moderne deutsche Frauenlyrik. – Leipzig 1914

HANSTEIN, ADALBERT: Die Frau in der Geschichte des deutschen Geisteslebens des 18. und 19. Jahrhunderts. 2 Bde. – Leipzig 1899, 1900

HAPERLIN, NATALIE: Die deutschen Schriftstellerinnen in der 2. Hälfte des 18. Jahrhunderts. Versuch einer soziologischen Analyse. – Diss. Frankfurt 1935

HAUBL, ROLF u. a. (Hrsg.): Die Sprache des Vaters im Körper der Mutter: Literarischer Sinn und Schreibprozeß. – Gießen 1983

HEINRICHS, HANS-JÜRGEN: Der Körper und seine Sprache. – Frankfurt 1984

HEUSER, MAGDALENE (Hrsg.): Frauen – Sprache – Literatur. Fachwissenschaftliche Forschungsansätze und didaktische Modelle und Erfahrungsberichte für den Deutschunterricht. – Paderborn u. a. 1982

—: Literatur von Frauen/Frauen in der Literatur. Feministische Ansätze in der Literatur. In: Luise F. Pusch (Hrsg.): Feminismus. Inspektion der Herrenkultur. Ein Handbuch. – Frankfurt 1983, S. 117–148

HOPPE, ELSE (Hrsg.): Der Typus des Mannes in der Dichtung der Frau. Eine internationale Revue. – Hamburg 1960

428

IRIGARAY, LUCE: Das Geschlecht, das nicht eins ist. – Berlin 1979
—: Speculum. Spiegel des anderen Geschlechts. Frankfurt 1980
JOURNAL NR. 5: Aufständische Kultur. Hrsg. von Verena Stefan und Kathrin Mosler. – München 1976
JURGENSEN, MANFRED (Hrsg.): Frauenliteratur. Autorinnen, Perspektiven, Konzepte. – München 1985
[KRISTEVA, JULIA] Kein weibliches Schreiben? Fragen an Julia Kristeva. In: Freibeuter 1 (1979), Heft 2, 79–84
KUCKART, JUDITH: »Im Spiegel der Bäche finde ich mein Bild nicht mehr« – Gratwanderung einer anderen Ästhetik der Dichterin Else Lasker-Schüler. – Frankfurt 1985
LANGGÄSSER, ELISABETH (Hrsg.): Herz zum Hafen. Frauengedichte der Gegenwart (u. Mitw. v. Ina Seidel) – Leipzig 1933
LENK, ELISABETH: Die sich selbst verdoppelnde Frau. In: Ästhetik und Kommunikation 7 (1976), Heft 25, S. 84–87
—: Indiskretionen des Federviehs. Pariabewußtsein schreibender Frauen seit der Romantik. In: Courage 6 (1981), Oktober, S. 24–34
LERSCH, BARBARA: Schreibende Frauen – eine neue Sprache in der Literatur? In: Diskussion Deutsch 15 (1984). S. 293–313
LINNHOFF, URSULA: »Zur Freiheit, oh zur einzig wahren« – Schreibende Frauen kämpfen um ihre Rechte. – Frankfurt u. a. 1983
VON DER LÜHE, IRMELA (Hrsg.): Entwürfe von Frauen in der Literatur des 20. Jahrhunderts. – Berlin 1982
MÄRTEN, LU: Die Künstlerin. – München 1919
MAMAS PFIRSICHE – FRAUEN UND LITERATUR. – Münster 1976–1977
MÖHRMANN, RENATE: Die andere Frau. Emanzipationsansätze deutscher Schriftstellerinnen im Vorfeld der Achtundvierziger Revolution. – Stuttgart 1977
—: Feministische Ansätze in der Germanistik seit 1945. In: Jahrbuch für internationale Germanistik 11 (1979), Heft 2, S. 63–84
—: Die lesende Vormärzautorin. Untersuchungen zur weiblichen Sozialisation. In: Literatur und Sprache im historischen Prozeß. Vorträge des Deutschen Germanistentages 1982. Bd. 1: Literatur. Hrsg. v. Thomas Cramer. – Tübingen 1983, S. 316–327
OPITZ, CLAUDIA (Hrsg.): Weiblichkeit oder Feminismus? Beiträge zur interdisziplinären Frauentagung in Konstanz 1983. – Weingarten 1984
ORENDI-HINZE, DIANA: Rahel Sanzara. Biographie. – Frankfurt 1982
PATAKY, SOPHIE: Lexikon deutscher Frauen der Feder. Eine Zusammenstellung der seit dem Jahr 1840 erschienenen Werke weiblicher Autoren, nebst Biographie. – Berlin 1898
PAULSEN, WOLFGANG (Hrsg.): Die Frau als Heldin und Autorin. Neue kritische Ansätze zur deutschen Literatur. – Bern, München 1979
PISCHON, FRIEDRICH AUGUST: Über den Anteil der Frauen an der Dichtkunst des 17. Jahrhunderts. In: Germania. Neues Jahrbuch der Berlinischen Gesellschaft für Deutsche Sprache und Alterthumskunde, Bd. 8. – Berlin 1848, S. 104–137
PUNKNUS, HEINZ (Hrsg.): Neue Literatur der Frauen. Deutschsprachige Autorinnen der Gegenwart. – München 1980

PUSCH, LUISE F.: Das Deutsche als Männersprache. – Frankfurt 1984

RÖTHLISBERGER, BLANCA UND ANNA ISCHER: Die Frau in der Literatur und Wissenschaft. – Zürich, Leipzig 1928

SCHAEFER, ODA (Hrsg.): Unter dem sappischen Mond. Deutsche Frauenlyrik seit 1900. – München 1957

SCHEFFLER, KARL: Die Frau und die Kunst. – Berlin 1908

SCHINDEL, CARL WILHELM OTTO AUGUST VON: Die deutschen Schriftstellerinnen des 19. Jahrhunderts. 3 Theile. – Leipzig 1823–25

SCHÖPP-SCHILLING, BEATE: Produktions- und Rezeptionsbedingungen amerikanischer Schriftstellerinnen. Neue Ansätze einer feministischen Literaturkritik. In: Frauen und Wissenschaft. Beiträge zur Berliner Sommeruniversität für Frauen, Juli 1976. – Berlin 1977, S. 230–247

SCHRATTENTHAL, KARL: Die deutsche Frauenlyrik unserer Tage. Mitgabe für Frauen und Töchter gebildeter Stände. – Leipzig 1892

SERKE, JÜRGEN: Frauen schreiben. Ein neues Kapitel deutschsprachiger Literatur. – Hamburg 1979

SIEMSEN, ANNA: Der Weg ins Freie. – Zürich 1943

SOERGEL, A. und C. HOHOFF: Emanzipation und Literatur der Frauen. In: Dichtung und Dichter der Zeit. Vom Naturalismus bis zur Gegenwart. 2 Bde. – Düsseldorf 1961 Bd. 1, S. 294–324

SOLTAU, HEIDE: Trennungs-Spuren. Frauenliteratur der 20iger Jahre. Frankfurt 1984

SPIERO, HEINRICH: Geschichte der deutschen Frauendichtung seit 1800. – Leipzig 1913

STEPHAN, INGE und SIGRID WEIGEL: Die verborgene Frau. Sechs Beiträge zu einer feministischen Literaturwissenschaft. – Berlin 1983

– (Hrsg.): Feministische Literaturwissenschaft. Dokumentation der Tagung in Hamburg, Mai 1983. – Berlin 1984

TOUALLION, CHRISTINE: Der deutsche Frauenroman des 18. Jahrhunderts. – Leipzig und Wien 1919

TRÖMEL-PLÖTZ, SENTA: Frauensprache. – Frankfurt 1982

VIRGINIA, JULIA [d. i. Julie Virginie Scheuermann] (Hrsg.): Frauenlyrik unserer Zeit. 2. Aufl. – Berlin, Leipzig 1907

VOGT, MARIANNE: Autobiographik bürgerlicher Frauen. Zur Geschichte weiblicher Selbstbewußtwerdung. – Würzburg 1981

WARTMANN, BRIGITTE: Schreiben als Angriff aufs Patriarchat. In: Literaturmagazin 11. – Reinbek 1979, S. 108–132

WISOCKY, GISELA VON: Die Fröste der Freiheit. Aufbruchsphantasien. Frankfurt 1980

WITTMANN, LIVIA Z.: Feministische Literaturkritik – ein Ansatz der vergleichenden Literaturwissenschaft. In: Comparative Literary Studies. Festschrift Vajda. – Szeged 1983, S. 117–128

WOODS, JEAN M. und MARIA FÜRSTENWALD: Schriftstellerinnen, Künstlerinnen und gelehrte Frauen des deutschen Barock. Ein Lexikon. Hrsg. v. Paul Raabe. – Stuttgart 1984

WOOLF, VIRGINIA: A Room of One's Own. – London 1973 (Penguin Books)

2. Zeit und Gesellschaft

BAINTON, ROLAND H.: Woman of the Reformation in Germany and Italy. – Minneapolis, Minnesota 1971

BECHTEL, HEINRICH: Wirtschafts- und Sozialgeschichte Deutschlands. München 1967

BECKER, GABRIELE u. a.: Aus der Zeit der Verzweiflung. Zur Genese und Aktualität des Hexenbildes. – Frankfurt a. M. 1977

BLOCHMANN, ELISABETH: Das ›Frauenzimmer‹ und die ›Gelehrsamkeit‹. Eine Studie über die Anfänge des Mädchenschulwesens in Deutschland. – Heidelberg 1966

BOETCHER JOERES, RUTH-ELLEN: Die Anfänge der deutschen Frauenbewegung: Louise Otto-Peters. – Frankfurt a. M. 1983 (Die Frau in der Gesellschaft – Texte und Lebensgeschichten)

BRINKER-GABLER, GISELA (Hrsg.): Zur Psychologie der Frau. – Frankfurt a. M. 1978 (Die Frau in der Gesellschaft – Frühe Texte)

—: (Hrsg.) Frauenarbeit und Beruf. – Frankfurt a. M. 1979 (Die Frau in der Gesellschaft – Frühe Texte)

—: Frauenemanzipation im deutschen Kaiserreich. In: Ingeborg Drewitz (Hrsg.): Die deutsche Frauenbewegung. Die soziale Rolle der Frau im 19. Jahrhundert und die Emanzipationsbewegung in Deutschland. – Bonn 1983, S. 53–83

CAUER, MINNA: Die Frau im 19. Jahrhundert. – Berlin 1898

DREWITZ, INGEBORG: Berliner Salons. Gesellschaft und Literatur zwischen Aufklärung und Industriezeitalter. – Berlin 1965

DUDEN, BARBARA: Das schöne Eigentum. Zur Herausbildung des bürgerlichen Frauenbildes an der Wende vom 18. zum 19. Jahrhundert. In: Kursbuch, Nr. 47. – Berlin 1977, S. 125–140

ENGELSING, ROLF: Die Bildung der Frau. In: Der Bürger als Leser. Lesergeschichte in Deutschland 1500–1800. – Stuttgart 1974, S. 296–338

ENNEN, EDITH: Frauen im Mittelalter. – München 1983

FISCHER-HOMBERGER, ESTHER: Krankheit Frau und andere Arbeiten zur Medizingeschichte der Frau. – Bern u. a. 1979

FRAUENGESCHICHTE. Dokumentation des 3. Historikerinnentreffens in Bielefeld 1981. – München 1981 (Beiträge zur feministischen Theorie und Praxis, Nr. 5)

FRAUEN UND WISSENSCHAFT. Beiträge zur Berliner Sommeruniversität für Frauen, Juli 1976 – Berlin 1977

FUCHS, EDUARD: Sozialgeschichte der Frau. – Frankfurt 1973 (Neudruck von: Die Frau in der Karikatur, ¹1906, ³1928)

GERHARD, UTE: Verhältnisse und Verhinderungen. Frauenarbeit, Familie und Recht der Frauen im 19. Jahrhundert. Mit Dokumenten. – Frankfurt 1979

GERHARDT, MARLIS: Kein bürgerlicher Stern, nichts, nichts konnte mich je beschwichtigen. Essays zur Kränkung der Frau. – Darmstadt, Neuwied 1982

GÖSSMANN, ELISABETH (Hrsg.): Das wohlgelahrte Frauenzimmer. –

München 1984 (Archiv für philosophie- und theologiegeschichtliche Frauenforschung, Bd. 1)

—— (Hrsg.): Eva – Gottes Meisterwerk. – München 1985 (Archiv für philosophie- und theologiegeschichtlichen Frauenforschung, Bd. 2)

GRENZ, DAGMAR: Mädchenliteratur. Von den moralistisch- belehrenden Schriften im 18. Jahrhundert bis zur Herausbildung der Backfischliteratur im 19. Jahrhundert. – Stuttgart 1981

HAUSEN, KARIN: Die Polarisierung der ›Geschlechtscharaktere‹ – Eine Spiegelung der Dissoziation von Erwerbs- und Familienleben. In: Werner Conze (Hrsg.): Sozialgeschichte der Familie in der Neuzeit Europas. – Stuttgart 1977

HONEGGER, CLAUDIA und BETTINA HEINTZ (Hrsg.): Listen der Ohnmacht. Zur Sozialgeschichte weiblicher Widerstandsformen. – Frankfurt a. M. 1981

KURSBUCH NR. 47: Frauen. – Berlin 1977

LÜTKE, FR.: Deutsche Sozial- und Wirtschaftsgeschichte. – Hamburg 1972

MARTENS, WOLFGANG: Die Botschaft der Tugend. Die Aufklärung im Spiegel der deutschen Moralischen Wochenschriften. – Stuttgart 1968

MENSCHIK, JUTTA: Feminismus. Geschichte – Theorie – Praxis. – Köln 1977

MOLTMANN-WENDEL, ELISABETH: Frau und Religion. – Frankfurt a. M. 1983 (Die Frau in der Gesellschaft – Texte und Lebensgeschichten)

PROKOP, ULRIKE: Weiblicher Lebenszusammenhang. Von der Beschränkung der Strategien und Unangemessenheit der Wünsche. – Frankfurt a. M. 1976

——: Die Melancholie der Cornelia Goethe. In: Feministische Studien 2 (1983), Heft 2, S. 46–77

SCHAPS, REGINA: Hysterie und Weiblichkeit. Wissenschaftsmythen über die Frau. – Frankfurt a. M., New York 1982

SCHNEIDER, GISELA und KLAUS LAERMANN: Augen-Blicke. Über einige Vorurteile und Einschränkungen geschlechtspezifischer Wahrnehmung. In: Kursbuch Nr. 49. – Berlin 1977, S. 36–58

SCHULTZ, HANS-JÜRGEN (Hrsg.): Frauen. Porträts aus zwei Jahrhunderten. – Stuttgart 1981

SHAHAR, SHULAMITH: Die Frau im Mittelalter. – Königstein/Ts. 1981

SIMMEL, GEORG: Philosophische Kultur. – Leipzig 1911 (Darin »Das Relative und Absolute im Geschlechterproblem« und »Weibliche Kultur«)

STEINHAUSEN, GEORG: Geschichte des deutschen Briefes. Zur Kulturgeschichte des deutschen Volkes. – Berlin 1889

THEWELEIT, KLAUS: Männerphantasien. 2. Bde. – Reinbek 1980

DIE UNGESCHRIEBENE GESCHICHTE. Historische Frauenforschung. Eine Dokumentation des 5. Historikerinnentreffens. – Wien 1985

WAGNER, MARIA: Mathilde Franziska Anneke. In Selbstzeugnissen und Dokumenten. – Frankfurt a. M. 1980 (Die Frau in der Gesellschaft – Lebensgeschichten)

WEBER-KELLERMANN, INGEBORG: Frauenleben im 19. Jahrhundert. – München 1984

Die Herausgeberin und der Verlag danken den Inhabern der Urheberrechte für die freundliche Erlaubnis zum Abdruck der Gedichte:

Artemis Verlags GmbH, München (Marie von Ebner-Eschenbach)

Claassen Verlag GmbH, Düsseldorf (Elisabeth Langgässer, Marie Luise Kaschnitz)

Delp'sche Verlagsbuchhandlung KG, München (Dagmar Nick)

Eugen Diederichs Verlag, Köln (Lulu von Strauß und Torney)

S. Fischer Verlag GmbH, Frankfurt am Main (Hilde Domin, Ilse Aichinger)

Otto Hirss, Diplomkaufmann, Wien (Hertha Kräftner)

Kiepenheuer & Witsch Verlag, Köln (Ricarda Huch, Renate Rasp)

Insel Verlag, Frankfurt am Main (Marie Luise Kaschnitz)

Kösel-Verlag GmbH & Co., München (Gertrud Kolmar, Else Lasker-Schüler)

Albert Langen-Georg Müller Verlag GmbH, München (Isolde Kurz)

Langewiesche-Brandt KG, Ebenhausen (Sarah Kirsch, Paula Ludwig)

Mira Lask, Berlin/DDR (Berta Lask)

Literarischer Verlag Helmut Braun, Köln (Rose Ausländer)

Hermann Luchterhand Verlag GmbH, Darmstadt (Friederike Mayröcker, Helga Novak)

Otto Müller Verlag, Salzburg (Christine Lavant)

Helga Novak, Frankfurt am Main (Helga Novak)

R. Piper & Co., München (Hilde Domin, Ingeborg Bachmann)

Rotbuch Verlag GmbH, Berlin (Helga Novak)

Frau Annemarie Schütt-Hennings, Agno/Schweiz (Emmy Hennings)

Suhrkamp Verlag, Frankfurt am Main (Nelly Sachs)

Hedda Zinner, Berlin/DDR (Hedda Zinner)

Da in einigen Fällen die Inhaber der Rechte trotz aller Bemühungen nicht festzustellen oder erreichbar waren, verpflichtet sich der Verlag, geltend gemachte rechtmäßige Ansprüche nach den üblichen Honorarsätzen zu vergüten. Das gilt auch für das veröffentlichte Fotomaterial.